KB076902

해양학을 위한
지구 물리 유체 역학

수학적 분석과 교란 이론의 활용

COKOAA

해양학 학술 연구회

2022년 4월

최장근

University of New Hampshire

Center for Ocean Engineering

Janggeun.Choi@unh.edu

김덕수

한국해양과학기술원

연안재해안전연구부

deoksukim@kiost.ac.kr

해양학을 위한 지구 물리 유체 역학

발행: 2024년 1월 4일

저자: 최장근·김덕수

펴낸이: 한건희

펴낸곳: 주식회사 부크크

출판사 등록: 2014.07.15.(제2014-16호)

주소: 서울특별시 금천구 가산디지털1로 119 SK트윈타워 A동 305호

전화: 1670-8316

이메일: info@bookk.co.kr

ISBN: 979-11-410-6413-6

www.bookk.co.kr

목차

서문

아직 부족한 점이 많고 몇몇 성층 경압 역학 현상과 불안정성 분야를 비롯해 추가할 내용이 많지만, 여러 해양 현상 역학의 개념을 파악하고 지구 물리 유체 역학의 큰 틀을 잡는데 있어 책에 수록한 내용이 충분할 것으로 예상한다. 책 이 책은 기초적인 유체 역학, 물리 해양학, 미분 방정식을 어느 정도 알고 있는 학생(학부 졸업 예정자 혹은 대학원 초년생)을 대상으로 쓰여졌다.

지구 물리 유체 역학은 물리 해양학의 가장 핵심적인 분야라고 생각한다. 물리 해양학을 위한 서적은 여러 번역서를 포함해 제법 많은 한글 서적이 출판되어 있지만, 지구 물리 유체 역학을 중점적으로 다루는 한글 서적은 아직까지 적절한 번역서 조차 없는 것 같다. 반면 영문 원서로는 이 분야의 바이블인 Pedlosky (1987)을 비롯해 이론에 집중하는 서적(Cavallini & Crisciani, 2012; Özsoy, 2020, 2021), 수리 모형을 위한 수치 기법과 이론을 균형있게 소개하는 Cushman-Roisin & Beckers (2011), 수치 기법 소개에 조금 더 중점을 두는 서적(Kämpf, 2009, 2010; Røed, 2018), 연안 지역의 지구 물리 해양 현상(Csanady, 1981)이나 파역학(Hendershott, 1989)에 집중하는 서적을 비롯해 여러 강의록(https://www2.whoi.edu/staff/jprice/)이나 동영상 강의 자료(https://www.youtube.com/c/NickMJHall)까지 폭 넓게 존재한다.

책에서 중점적으로 다루고자 한 바는 해양 현상의 역학적 분석과 더불어, 이론 연구에 사용되는 실용 수학 기법의 소개이다. 특히 교란 이론을 적용하는 것을 최대한 체계적으로 설명하고 이를 위한 실습 문제를 제공하려고 노력했는데, 이는 지구 물리 유체 역학에서 소개되는 많은 이론이 교란 이론을 바탕으로 하기 때문이다. 필자는 이 사실을 학위 끝 무렵에나 알아차렸는데, 교란 이론에 대한 기초를 공부하고 나서야 많은 지구 물리 유체 역학 서적과 논문들이 조금은 이해되기 시작했다. 혹여 이론 연구에 관심이 있는 학생은 교란 이론에 대한 서적을 하나 정도 읽어 보길 강력히 권한다. 교란 이론의 교육에 가장 많이 사용되고 유명한 서적은 Hinch (1991)로 확실히 다양한 교란 이론 기법을 넓고 깊게 소개하고 다양한 적용 예시를 제공하지만, 개인적으로 비교적 최근에 출간된 Holmes (2012)을 권한다. 여기에는 다양한 교란 이론 기법을 비교적 간단한 물리 혹은 수학 문제에 적용하는 예시를 매우 상세히 기술하며 수 많은 문제를 제공한다. Simmonds & Mann Jr (1998)는 비교적 짧은 분량으로 입문을 위해 충분한 정보를 자세히 설명하니 참조 바란다.

이 책은 개정을 통해 꾸준히 내용을 보강하고 수정할 예정으로, 필자들은 메일을 통한 독자분들의 많은 질문과 제언을 간절히 바라고 있다.

은사이신 조영헌 교수님과 Tom Lippmann 교수님, 권재일 박사님을 비롯해 많은 가르침을 주신 이동규 교수님, James Pringle 교수님께 특별한 감사의 인사를 올리고 싶다.

이 책이 누군가에게 작은 도움이 되길 바라며, 저자 일동 올림

2022년 2월

Chapter 1

지배 방정식

1.1 지배 방정식

운동 방정식(momentum equation)은 나비에-스토크 방정식(Navier-Stoke equation) 혹은 원시 방정식(primitive equation)으로도 불리며 유체의 거동을 지배하는 수식이다. 유체 역학은 운동 방정식을 수학적으로 분석해 어떤 현상이 일어나는 기작을 밝혀내는 학문이라 볼 수 있다.

$$\frac{\partial u}{\partial t} + \frac{\partial (uu)}{\partial x} + \frac{\partial (uv)}{\partial y} + \frac{\partial (uw)}{\partial z} - fv =$$
$$-\frac{1}{\rho}\frac{\partial P}{\partial x} + \frac{\partial}{\partial x}\left(A_h \frac{\partial u}{\partial x}\right) + \frac{\partial}{\partial y}\left(A_h \frac{\partial u}{\partial y}\right) + \frac{\partial}{\partial z}\left(A_z \frac{\partial u}{\partial z}\right)$$

$$(1.1.1)$$

$$\frac{\partial v}{\partial t} + \frac{\partial (vu)}{\partial x} + \frac{\partial (vv)}{\partial y} + \frac{\partial (vw)}{\partial z} + fu =$$
$$-\frac{1}{\rho}\frac{\partial P}{\partial y} + \frac{\partial}{\partial x}\left(A_h \frac{\partial v}{\partial x}\right) + \frac{\partial}{\partial y}\left(A_h \frac{\partial v}{\partial y}\right) + \frac{\partial}{\partial z}\left(A_z \frac{\partial v}{\partial z}\right)$$

$$(1.1.2)$$

$$\frac{\partial w}{\partial t} + \frac{\partial (wu)}{\partial x} + \frac{\partial (wv)}{\partial y} + \frac{\partial (ww)}{\partial z} =$$
$$-\frac{1}{\rho}\frac{\partial P}{\partial z} + \frac{\partial}{\partial x}\left(A_h \frac{\partial w}{\partial x}\right) + \frac{\partial}{\partial y}\left(A_h \frac{\partial w}{\partial y}\right) + \frac{\partial}{\partial z}\left(A_z \frac{\partial w}{\partial z}\right) - g$$

$$(1.1.3)$$

연립 방정식을 해석하기 위해서는 식 내에 존재하는 미지수의 수와 주어진 방정식의 수가 같아야 한다. 하지만 운동 방정식 (1.1.1)-(1.1.3)식 내에 존재하는 미지수의 수는 u, v, w, ρ, P 총 5개로 볼 수 있으며 이는 주어진 식의 수 3개보다 더 많다. 따라서 연립 방정식을 풀기 위해 추가적인 방정식이 필요하다. 그 중 하나는 보존 방정식이며 연속 방정식(continuity equation)으로도 불린다. 이는 물의 질량 보존을 의미한다.

$$\frac{\partial \rho}{\partial t} + \frac{\partial(\rho u)}{\partial x} + \frac{\partial(\rho v)}{\partial y} + \frac{\partial(\rho w)}{\partial z} = 0 \tag{1.1.4}$$

마지막 식 상태 방정식(equation of state)은 밀도에 대한 지배식으로 밀도가 수온, 염분, 압력과 같은 주변 환경인자에 따라 어떻게 변하는지 나타낸다. 따라서 밀도를 환경인자에 대한 함수로 나타내며 이 함수는 경험적으로 결정된다. 대부분의 경우 압력과 단열 팽창을 고려한 복잡한 다항식이 사용되지만, 이론 논의를 위해서는 간단한 선형 방정식이 자주 사용된다.

$$\rho = \rho_0 - \alpha(\tilde{T} - \tilde{T}_0) + \beta(\tilde{S} - \tilde{S}_0) \tag{1.1.5}$$

(1.1.5)식을 선형 상태 방정식이라 부른다. 여기서 $\tilde{T}$와 $\tilde{S}$는 수온과 염분을 나타내며 $\rho_0, \tilde{T}_0, \tilde{S}_0, \alpha, \beta$는 경험적으로 결정되는 상수이다. 이는 단순히 밀도가 수온의 감소 혹은 염분의 증가에 따라 선형적으로 증가함을 나타낸다. 이제 운동 방정식 내 5개의 미지수와 같은 수의 식이 주어졌지만 상태 방정식 내에 추가적인 두 개의 미지수 $\tilde{T}$와 $\tilde{S}$가 존재하여 이에 대한 지배식이 필요하다.

$$\begin{aligned}
\frac{\partial \tilde{T}}{\partial t} + \frac{\partial(\tilde{T}u)}{\partial x} + \frac{\partial(\tilde{T}v)}{\partial y} + \frac{\partial(\tilde{T}w)}{\partial z} = \\
\frac{\partial}{\partial x}\left(K_h \frac{\partial \tilde{T}}{\partial x}\right) + \frac{\partial}{\partial y}\left(K_h \frac{\partial \tilde{T}}{\partial y}\right) + \frac{\partial}{\partial z}\left(K_z \frac{\partial \tilde{T}}{\partial z}\right)
\end{aligned} \tag{1.1.6}$$

$$\begin{aligned}
\frac{\partial \tilde{S}}{\partial t} + \frac{\partial(\tilde{S}u)}{\partial x} + \frac{\partial(\tilde{S}v)}{\partial y} + \frac{\partial(\tilde{S}w)}{\partial z} = \\
\frac{\partial}{\partial x}\left(K_h \frac{\partial \tilde{S}}{\partial x}\right) + \frac{\partial}{\partial y}\left(K_h \frac{\partial \tilde{S}}{\partial y}\right) + \frac{\partial}{\partial z}\left(K_z \frac{\partial \tilde{S}}{\partial z}\right)
\end{aligned} \tag{1.1.7}$$

(1.1.6)식과 (1.1.7)식은 수송 방정식으로 불리며 수온과 염분이 보존적으로 이류, 확산함을 나타낸다. 이제 유체의 거동에 관여하는 모든 미지수($u, v, w, P, \rho, \tilde{T}, \tilde{S}$)와 같은 수의 방정식이 마련되었으며 이는 수학적으로 풀 수 있는 문제가 된다. 하지만 이 7개의 연립 편미분 방정식 (1.1.1)-(1.1.7)식을 해석하고 풀어내는 것은 쉬운 일이 아니다.

특히 미지수끼리 곱해진 비선형 항의 존재는 이를 거의 불가능에 가깝게 한다. 따라서 여러 합리적인 가정을 통해 식을 간단히 만드는 과정이 필요하다.

1.2 간략화를 위한 가정

1.2.1 규모 분석과 무차원수

지배 방정식을 간략화하는 가장 좋은 방법은 상대적으로 중요하지 않은 항을 소거하는 것이다. 다양한 해양 관측을 이용해 각 항의 크기를 계산한 뒤 그 크기를 비교하여 상대적으로 크기가 작은 항의 영향은 거의 없다 보고 항 자체를 무시할 수 있다. 이 항의 크기를 대략적으로 계산하는 과정을 규모 분석(scale analysis)이라 부른다. 식 내에 있는 모든 변수는 아래와 같이 단위와 크기를 나타내는 상수 부분과 그렇지 않은 무차원의 변수 부분으로 나누어 나타낼 수 있다.

$$u = Uu^*, \quad v = Uv^*, \quad w = Ww^*,$$
$$x = Lx^*, \quad y = Ly^*, \quad z = Hz^* \tag{1.2.1}$$
$$t = Tt^* = \frac{L}{U}t^*, \quad P = pP^*$$

여기서 U, W, L, H, T, p는 단위를 가지는 상수이며 각 변수의 규모를 나타낸다. 그 외 $u^*, v^*, w^*, x^*, y^*, z^*, t^*, P^*$는 단위가 없는 무차원화한 변수이다. 위의 식에서 x방향과 y방향의 공간과 유속의 규모가 같게 나타내었다. 또한 시간에 대한 규모는 거리와 유속의 비로 정의했다($T = L/U = H/W$). 무차원화한 변수 (1.2.1)식을 운동 방정식 (1.1.1)-(1.1.3)식에 대입하면 규모가 외재적으로 분리된 운동 방정식을 얻을 수 있다. 예시로 x방향 운동 방정식 (1.1.1)식에 (1.2.1)식을 대입하면

$$\begin{aligned}
\left(\frac{U^2}{L}\right)\frac{\partial u^*}{\partial t^*} + \left(\frac{U^2}{L}\right)&\left(\frac{\partial(u^*u^*)}{\partial x^*} + \frac{\partial(u^*v^*)}{\partial y^*} + \frac{\partial(u^*w^*)}{\partial z^*}\right) = \\
&- \left(\frac{p}{\rho L}\right)\frac{\partial P^*}{\partial x^*} - (fU)\,v^* \\
&+ \left(\frac{A_h U}{L^2}\right)\left[\frac{\partial}{\partial x^*}\left(A_h^*\frac{\partial u^*}{\partial x^*}\right) + \frac{\partial}{\partial y^*}\left(A_h^*\frac{\partial u^*}{\partial y^*}\right)\right] \\
&+ \left(\frac{A_z U}{H^2}\right)\frac{\partial}{\partial z^*}\left(A_z^*\frac{\partial u^*}{\partial z^*}\right)
\end{aligned} \tag{1.2.2}$$

를 얻을 수 있다. 참고로 이류항의 무차원화에 $U/L = W/H = 1/T$이 사용되었다. 이처럼 특정 방정식에서 규모 성분을 상수로 분리해 변수의 단위를 없애 나타내는 것을 무차원화(nondimensionalization)라 부른다. 무차원화한 x방향 운동 방정식 (1.2.2)식에서 각 항의 가장 앞에 곱해진 괄호 내의 상수는 그 항의 규모를 나타낸다. 만약 특정 항의 규모가 다른 항들에 비해 상대적으로 매우 작다면, 그 특정 항을 무시할 수 있을 것이다. 여기서 (1.2.2)식의 양 변을 전향력의 규모인 fU로 나누어 보자.

$$
\begin{aligned}
\left(\frac{U}{fL}\right) & \left[\frac{\partial u^*}{\partial t^*} + \frac{\partial(u^*u^*)}{\partial x^*} + \frac{\partial(u^*v^*)}{\partial y^*} + \frac{\partial(u^*w^*)}{\partial z^*}\right] = \\
& -\left(\frac{p}{\rho fUL}\right)\frac{\partial P^*}{\partial x^*} - v^* \\
& + \left(\frac{A_h}{fL^2}\right)\left[\frac{\partial}{\partial x^*}\left(A_h^*\frac{\partial u^*}{\partial x^*}\right) + \frac{\partial}{\partial y^*}\left(A_h^*\frac{\partial u^*}{\partial y^*}\right)\right] \\
& + \left(\frac{A_z}{fH^2}\right)\frac{\partial}{\partial z^*}\left(A_z^*\frac{\partial u^*}{\partial z^*}\right)
\end{aligned}
\tag{1.2.3}
$$

이제 (1.2.3)식에서 괄호 내의 상수는 각 항의 전향력에 대한 상대적인 크기 비율을 나타낸다. 특정 항에 대한 다른 항의 상대적인 크기를 나타내는 비율은 단위가 없음에 유의하라. 이러한 수를 무차원 수(nondimensional number)라 부르며 각 항의 중요성을 판단하는 기준으로 사용한다. (1.2.3)식에서 전향력항에 대한 관성항의 상대적인 크기를 나타내는 무차원수는 U/fL이며 이를 로스비 수(Ro; Rossby number)라 부른다. 로스비 수가 1보다 매우 작은 경우를 생각해 보자. 이는 전향력이 관성항과 이류항보다 훨씬 크다는 것을 의미하며 크기가 작은 관성항과 이류항을 무시할 수 있음을 의미한다. 반대로 로스비 수가 1보다 큰 경우는 관성항과 이류항이 전향력항보다 커 전향력을 무시할 수 있음을 뜻한다. 이는 각 경우, 유체의 거동이 전혀 다른 시스템과 수식에 의해 지배되는 것으로 생각할 수 있다. 결과적으로 무차원 수에 따라 운동 방정식 내 중요 항이 바뀌게 되며, 즉 유체의 거동 형태가 크게 바뀌게 된다. 수평 방향과 연직 방향 와동 점성항의 상대적 크기를 나타내는 $A_h/(fL^2)$와 $A_z/(fH^2)$는 수평 에크만 수 (lateral Ekman number)와 연직 에크만 수(vertical Ekman number)라 부른다.

1.2.2 부시네스크 근사

(1.1.1)-(1.1.3)식에서 이류항 뿐만 아니라 압력 경사항 역시 비선형으로 간주되는데 이는 밀도가 결정되지 않은 미지수이기 때문이다. 이 압력 경사항의 비선형성은 운동

방정식의 해석을 극도로 어렵게 만든다. 다행히도 대부분의 유체의 거동에 있어 밀도의
변화량은 평균에 비해 매우 작고 이를 근거로 식을 간단히 나타낼 수 있다. 연직 방향
운동 방정식 (1.1.3)식의 양 변에 밀도를 곱해 아래와 같이 나타내자.

$$\rho \left(\frac{\partial w}{\partial t} + \frac{\partial (wu)}{\partial x} + \frac{\partial (wv)}{\partial y} + \frac{\partial (ww)}{\partial z} \right) =$$
$$-\frac{\partial P}{\partial z} + \rho \left(\frac{\partial}{\partial x} \left(A_h \frac{\partial w}{\partial x} \right) + \frac{\partial}{\partial y} \left(A_h \frac{\partial w}{\partial y} \right) + \frac{\partial}{\partial z} \left(A_z \frac{\partial w}{\partial z} \right) \right) - g\rho \tag{1.2.4}$$

앞서 언급하였듯이, 해양에서 밀도의 변화량 성분은 평균에 비해 매우 작다. 이는 (1.2.4)
식에서 대부분의 밀도를 상수로 간주할 수 있음을 의미한다. 부시네스크 근사(Boussi-
nesq approximation)란 중력항에 곱해진 밀도를 제외한 나머지 모든 밀도를 모두 상
수로 가정하는 것이다. 중력항에 곱해진 밀도를 상수로 가정할 수 없는 이유는 중력
가속도 g가 매우 큰 수이기 때문이다. 비록 밀도의 변동이 매우 작더라도 이에 곱해진
수 g가 매우 큰 편이라면 쉽게 무시할 수 없다. 따라서, (1.2.4)식에서 중력에 곱해진 밀
도 외 다른 밀도를 상수 ρ_0으로 바꾼 뒤 양변을 ρ_0으로 다시 나누면 부시네스크 근사가
적용된 연직 방향 운동 방정식을 얻을 수 있다.

$$\frac{\partial w}{\partial t} + \frac{\partial (wu)}{\partial x} + \frac{\partial (wv)}{\partial y} + \frac{\partial (ww)}{\partial z} =$$
$$-\frac{1}{\rho_0} \frac{\partial P}{\partial z} + \frac{\partial}{\partial x} \left(A_h \frac{\partial w}{\partial x} \right) + \frac{\partial}{\partial y} \left(A_h \frac{\partial w}{\partial y} \right) + \frac{\partial}{\partial z} \left(A_z \frac{\partial w}{\partial z} \right) - g\frac{\rho}{\rho_0} \tag{1.2.5}$$

결과적으로 압력 경사항에 곱해진 밀도가 상수로 바뀌었다. 이는 방정식의 해석을 전
과는 비교할 수 없을 정도로 쉽게 만들어 준다. 또한 중력항의 모양이 바뀌게 되는데 이
형태의 중력항을 감소 중력(reduced gravity)이라 부른다. 같은 방식으로 부시네스크
근사를 수평 방향 운동 방정식과 보존 방정식에 적용하자. 중력항은 연직 방향 운동
방정식에만 존재하기 때문에 수평 방향 운동 방정식과 보존 방정식의 모든 밀도항은
상수로 가정된다. 먼저 보존 방정식에 부시네스크 근사를 적용해 (1.1.4)식에서 밀도를
상수로 가정하면

$$\frac{\partial u}{\partial x} + \frac{\partial v}{\partial y} + \frac{\partial w}{\partial z} = 0 \tag{1.2.6}$$

을 얻을 수 있다. (1.2.6)식의 좌변을 발산(divergence)이라 부르는데, 특정 점으로 모여
드는 흐름이 빠져나가는 흐름보다 큰 경우 이 값은 음수가 되며, 반대로 이 점 바깥으로
빠져나가는 흐름이 모여드는 흐름보다 큰 경우 양수가 된다. 전자는 유체가 압축되
는 과정을 후자는 팽창하는 과정을 나타낸다. 부시네스크 근사를 적용한 보존 방정식

(1.2.6)식은 유체의 발산이 항상 0이 되어 압축과 팽창이 없음을 의미하며 이러한 유체를 비압축성 유체(incompressible flow)라 부른다. 부시네스크 근사를 수평 방향 운동 방정식 (1.1.1)식과 (1.1.2)식에 적용하면

$$\frac{\partial u}{\partial t} + \frac{\partial(uu)}{\partial x} + \frac{\partial(uv)}{\partial y} + \frac{\partial(uw)}{\partial z} = \\ -\frac{1}{\rho_0}\frac{\partial P}{\partial x} + \frac{\partial}{\partial x}\left(A_h\frac{\partial u}{\partial x}\right) + \frac{\partial}{\partial y}\left(A_h\frac{\partial u}{\partial y}\right) + \frac{\partial}{\partial z}\left(A_z\frac{\partial u}{\partial z}\right) \tag{1.2.7}$$

$$\frac{\partial v}{\partial t} + \frac{\partial(vu)}{\partial x} + \frac{\partial(vv)}{\partial y} + \frac{\partial(vw)}{\partial z} = \\ -\frac{1}{\rho_0}\frac{\partial P}{\partial y} + \frac{\partial}{\partial x}\left(A_h\frac{\partial v}{\partial x}\right) + \frac{\partial}{\partial y}\left(A_h\frac{\partial v}{\partial y}\right) + \frac{\partial}{\partial z}\left(A_z\frac{\partial v}{\partial z}\right) \tag{1.2.8}$$

을 얻을 수 있다. 연직 방향 운동 방정식과 마찬가지로 압력 경사항에 곱해진 밀도가 상수로 바뀌었음에 유의하라. 여기서 추가로 부시네스크 근사를 통해 이류항을 조금 더 간략화해 나타낼 수 있다. 예를 들어, x방향 운동량 이류항을 전개해서 나타내 보자.

$$\frac{\partial(uu)}{\partial x} + \frac{\partial(uv)}{\partial y} + \frac{\partial(uw)}{\partial z} = 2u\frac{\partial u}{\partial x} + u\frac{\partial v}{\partial y} + v\frac{\partial u}{\partial y} + u\frac{\partial w}{\partial z} + w\frac{\partial u}{\partial z} \\ = u\frac{\partial u}{\partial x} + v\frac{\partial u}{\partial y} + w\frac{\partial u}{\partial z} + u\left(\frac{\partial u}{\partial x} + \frac{\partial v}{\partial y} + \frac{\partial w}{\partial z}\right) \tag{1.2.9}$$

여기서 (1.2.9)식의 마지막 항을 (1.2.6)식으로 소거할 수 있다.

$$\therefore \frac{\partial(uu)}{\partial x} + \frac{\partial(uv)}{\partial y} + \frac{\partial(uw)}{\partial z} = u\frac{\partial u}{\partial z} + v\frac{\partial u}{\partial y} + w\frac{\partial u}{\partial z} \tag{1.2.10}$$

다른 방향의 운동 방정식을 비롯하여 수온과 염분의 수송 방정식을 포함한 (1.1.1)-(1.1.7)식에 존재하는 모든 이류항을 같은 방식으로 보다 간략히 나타낼 수 있다. 일반적으로 이류항을 명기할 때 (1.2.10)식의 우변 형태를 많이 사용한다. 하지만 좌변의 형태도 제법 자주 사용되는데 이는 좌변의 형태가 분석적으로 다루기 용이한 형태이기 때문이다.

1.2.3 정수압 근사

대부분의 중규모 이상 해양 현상에서 수평적 거리 규모가 연직적 거리 규모보다 훨씬 크다($H \ll L$). 이를 기반으로 연직 방향 운동 방정식을 규모 분석해 보자. 먼저 연직

방향 운동 방정식 (1.1.3)식에 (1.2.1)식을 대입해 무차원화하자.

$$
\begin{aligned}
\left(\frac{W}{T}\right)\frac{\partial w^*}{\partial t^*} + \left(\frac{UW}{L}\right)&\left(\frac{\partial(w^*u^*)}{\partial x^*} + \frac{\partial(w^*v^*)}{\partial y^*} + \frac{\partial(w^*w^*)}{\partial z^*}\right) = \\
&-\left(\frac{p}{\rho H}\right)\frac{\partial P^*}{\partial z^*} \\
&+\left(\frac{A_h W}{L^2}\right)\left[\frac{\partial}{\partial x^*}\left(A_h^*\frac{\partial w^*}{\partial x^*}\right) + \frac{\partial}{\partial y^*}\left(A_h^*\frac{\partial w^*}{\partial y^*}\right)\right] \\
&+\left(\frac{A_z W}{H^2}\right)\frac{\partial}{\partial z^*}\left(A_z^*\frac{\partial w^*}{\partial z^*}\right) - g
\end{aligned}
\tag{1.2.11}
$$

여기서 $W = H/T$, $T = L/U$로 정의할 수 있음에 유의하라. $W = H/T$에 $T = L/U$을 대입하면 $W = HU/L$을 얻을 수 있다. 이를 바탕으로 (1.2.11)식에 있는 모든 W를 HU/L로 바꾸고 T를 L/U로 바꾸면

$$
\begin{aligned}
\left(\frac{U^2}{L}\frac{H}{L}\right)\frac{\partial w^*}{\partial t^*} + \left(\frac{U^2}{L}\frac{H}{L}\right)&\left(\frac{\partial(w^*u^*)}{\partial x^*} + \frac{\partial(w^*v^*)}{\partial y^*} + \frac{\partial(w^*w^*)}{\partial z^*}\right) = \\
&-\left(\frac{p}{\rho H}\right)\frac{\partial P^*}{\partial z^*} \\
&+\left(A_h\frac{U}{L^2}\frac{H}{L}\right)\left[\frac{\partial}{\partial x^*}\left(A_h^*\frac{\partial w^*}{\partial x^*}\right) + \frac{\partial}{\partial y^*}\left(A_h^*\frac{\partial w^*}{\partial y^*}\right)\right] \\
&+\left(A_z\frac{U}{H^2}\frac{H}{L}\right)\frac{\partial}{\partial z^*}\left(A_z^*\frac{\partial w^*}{\partial z^*}\right) - g
\end{aligned}
\tag{1.2.12}
$$

를 얻을 수 있다. $H \ll L$이면 $H/L \ll 1$이므로 이 H/L이 들어간 모든 항을 무시할 수 있을 것이다. 결과적으로 연직 방향 운동 방정식 (1.1.3)식에서 w가 들어간 모든 항이 소거되고 압력 경사항과 중력항만 남게 된다.

$$
0 = -\frac{1}{\rho}\frac{\partial P}{\partial z} - g
\tag{1.2.13}
$$

이를 정수압 근사(hydrostatic approximation)라 부르며 (1.2.13)식을 정수압 방정식이라 칭한다. 정수압 방정식 (1.2.13)식을 해면 고도 η에서 특정 수심 z까지 적분하면 압력을 직접적으로 구할 수 있다.

$$
P = P(\eta) + g\int_z^\eta \rho dz
\tag{1.2.14}
$$

$P(\eta)$는 해면에서의 압력, 대기압을 의미하며 대부분의 이론 연구에서 무시하나($P(\eta) = 0$), 역기압 효과(inverse barometer effect)를 일으키며 해면의 시간적 변동에 있어 중요한 역할을 한다. 밀도가 상수인 경우, (1.2.14)식은 다음과 같이 간략화된다.

$$
P = \rho_0 g\eta - \rho_0 gz
\tag{1.2.15}
$$

정수압 근사는 수평적인 규모가 매우 큰 해양 현상 분석에 타당하다. 하지만 수평적 규모가 연직적 규모와 유사한 작은 규모 현상에는 적용할 수 없으며 (1.2.5)식을 근사 없이 직접적으로 해석해야 한다. 이러한 현상을 비정수압(non-hydrostatic) 현상이라 한다. 정수압 근사를 적용하더라도 연직 방향 유속 w은 존재함에 유의하라. 비록 연직 방향 운동 방정식 내 w는 모두 소거되었지만 보존 방정식에는 남아있다. 즉, 정수압 근사를 사용할 경우 연직 방향 유속은 보존 방정식에 의해 결정된다. 이후 논의할 대부분의 해양 현상에서 부시네스크와 정수압 근사를 기본적으로 가정하고 두 가정을 적용한 운동 방정식 (1.2.7), (1.2.8), (1.2.13)식과 보존 방정식 (1.2.6)식을 지배식으로 사용할 것이다.

1.3 간략화한 지배식

1.3.1 천해 방정식

수평 거리 규모가 연직 거리 규모보다 압도적으로 크다는 사실은 해양을 매우 얇은 하나의 층으로 간주할 수 있게 한다. 특히 이는 성층이 없을 때 매우 합당한 가정이 된다. 이러한 얇은 층의 흐름은 3차원 공간(x, y, z)이 아닌 2차원 평면(x, y) 위의 흐름으로 고려할 수 있어 지배식을 더 간단히 만들 수 있다. 앞서 논의한 운동 방정식과 보존 방정식을 연직 평균하면 2차원적인 거동에 대한 지배식을 얻을 수 있다. 이처럼 상수 밀도와 정수압 근사를 가정하고, 연직 평균한 관점에서의 운동 방정식과 보존 방정식을 천해 방정식(shallow water equations)이라 부른다. 이 장에서는 천해 방정식에 대한 이해를 돕기 위해, 지구 물리 규모에서 자주 무시하는 항을 소거해 식을 조금 간단히 만든 뒤 천해 방정식을 유도할 것이다. 소거가 없는 보다 더 일반적인 형태의 천해 방정식 유도는 다음 장에 이어 소개한다.

먼저 편의를 위해 모든 비선형항과 수평 방향 와동 점성항을 무시하자. 이 경우 지배식인 운동 방정식과 보존 방정식은

$$\frac{\partial u}{\partial t} - fv = -\frac{1}{\rho_0}\frac{\partial P}{\partial x} + A_z \frac{\partial^2 u}{\partial z^2} \tag{1.3.1}$$

$$\frac{\partial v}{\partial t} + fu = -\frac{1}{\rho_0}\frac{\partial P}{\partial y} + A_z \frac{\partial^2 v}{\partial z^2} \tag{1.3.2}$$

$$0 = \frac{1}{\rho_0}\frac{\partial P}{\partial z} - g \tag{1.3.3}$$

$$\frac{\partial u}{\partial x} + \frac{\partial v}{\partial y} + \frac{\partial w}{\partial z} = 0 \tag{1.3.4}$$

가 된다. 먼저 밀도를 상수로 가정했기 때문에 (1.3.3)식은 (1.2.15)식으로 나타낼 수 있다. 이를 수평 방향 운동 방정식 (1.3.1)식과 (1.3.2)식에 대입하자. (1.2.15)식을 이용해 압력 경사항은

$$-\frac{1}{\rho_0}\frac{\partial P}{\partial n} = -\frac{1}{\rho_0}\frac{\partial(\rho_0 g\eta - \rho_0 gz)}{\partial n} = -g\frac{\partial \eta}{\partial n} \tag{1.3.5}$$

로 나타낼 수 있다. 여기서 n은 x 또는 y이다. 이를 바탕으로 수평 방향 운동 방정식은

$$\frac{\partial u}{\partial t} - fv = -g\frac{\partial \eta}{\partial x} + A_z\frac{\partial^2 u}{\partial z^2} \tag{1.3.6}$$

$$\frac{\partial v}{\partial t} + fu = -g\frac{\partial \eta}{\partial y} + A_z\frac{\partial^2 v}{\partial z^2} \tag{1.3.7}$$

이 된다. 이제 (1.3.6)식과 (1.3.7)식을 표층($z = 0$)에서 바닥($z = -h$)까지 적분하고 h로 나누어 연직 평균하자. 여기서 추가로 상수 수심을 가정하자. 이는 적분과 미분의 순서를 자유롭게 바꾸어 쓸 수 있게 한다.

$$\frac{1}{h}\int_{-h}^{0}\left(\frac{\partial u}{\partial t} - fv = -g\frac{\partial \eta}{\partial x} + A_z\frac{\partial^2 u}{\partial z^2}\right)dz$$

$$\rightarrow \frac{\partial}{\partial t}\left(\frac{1}{h}\int_{-h}^{0}udz\right) - f\frac{1}{h}\int_{-h}^{0}vdz = -g\frac{\partial \eta}{\partial x}\frac{1}{h}\int_{-h}^{0}dz + \frac{1}{h}\left[A_z\frac{\partial u}{\partial z}\right]_{z=-h}^{z=0}$$

$$\rightarrow \frac{\partial \bar{u}}{\partial t} - f\bar{v} = -g\frac{\partial \eta}{\partial x} + \frac{1}{h}\left(A_z\frac{\partial u}{\partial z}\bigg|_{z=0} - A_z\frac{\partial u}{\partial z}\bigg|_{z=-h}\right) \tag{1.3.8}$$

$$\left(\bar{u} = \frac{1}{h}\int_{-h}^{0}udz, \quad \bar{v} = \frac{1}{h}\int_{-h}^{0}vdz\right)$$

여기서 $\bar{u}$와 $\bar{v}$는 연직 평균한 유속 성분을 의미한다. 이제 경계 조건으로

$$A_z\frac{\partial u}{\partial z}\bigg|_{z=0} = \frac{\tau_x^s}{\rho_0} \tag{1.3.9}$$

$$A_z\frac{\partial u}{\partial z}\bigg|_{z=-h} = \frac{\tau_x^b}{\rho_0} \tag{1.3.10}$$

을 고려하자. 이를 동역학적 경계 조건(dynamic boundary condition)이라 부르며 표층에는 대기와의 응력(τ_x^s)이 바닥에는 바닥과의 응력(τ_x^b)이 작용함을 나타낸다. 대기와의 응력을 바람 응력(wind stress)이라, 바닥과의 응력을 마찰 응력(frictional stress)이라

부른다. 바람 응력은 보통 바람에 비례하는 함수로 나타내며 마찰 응력은 유속에 비례하는 함수로 나타낸다. 특히, 많은 이론적 분석에서 마찰 응력은

$$\frac{\tau_x^b}{\rho_0} = \gamma\, u|_{z=-h} \approx \gamma\bar{u} \tag{1.3.11}$$

로 자주 정의한다. 이는 유속이 클 수록 마찰의 영향을 많이 받음을 나타낸다. γ는 비례 상수로 단위가 m/s임에 유의하라. (1.3.11)식에서 사용한 근사 $u|_{z=-h} \approx \bar{u}$는 유속의 연직 변화가 없음을 의미하는데, 이는 성층이 없는 환경에서 합당한 가정이다. 이에 대한 추가적인 논의는 향후 2.2.1.2장에서 이루어진다. 최종적으로, 경계 조건 (1.3.9)식과 (1.3.10)식을 (1.3.8)식에 대입하면, 연직 평균한 운동 방정식이

$$\frac{\partial \bar{u}}{\partial t} - f\bar{v} = -g\frac{\partial \eta}{\partial x} + \frac{\tau_x^s}{\rho_0 h} - \frac{\gamma}{h}\bar{u} \tag{1.3.12}$$

를 얻을 수 있다. 여기서 바닥 응력 τ_x^b는 (1.3.11)식을 사용해 나타냈다. 같은 방식을 y 방향 운동 방정식 (1.3.7)식은

$$\frac{\partial \bar{v}}{\partial t} + f\bar{u} = -g\frac{\partial \eta}{\partial y} + \frac{\tau_y^s}{\rho_0 h} - \frac{\gamma}{h}\bar{v} \tag{1.3.13}$$

으로 나타낼 수 있다. (1.3.12)식과 (1.3.13)식은 연직 평균한 운동 방정식을 나타낸다. 이제 보존 방정식 (1.3.4)식을 $z=0$에서 $z=-h$까지 연직 적분해 보자.

$$\int_{-h}^{0} \left(\frac{\partial u}{\partial x} + \frac{\partial v}{\partial y} + \frac{\partial w}{\partial z} = 0 \right) dz$$
$$\rightarrow \frac{\partial}{\partial x}\left(\int_{-h}^{0} u\,dz \right) + \frac{\partial}{\partial y}\left(\int_{-h}^{0} v\,dz \right) + [w]_{z=-h}^{z=0} = 0 \tag{1.3.14}$$
$$\rightarrow \frac{\partial(h\bar{u})}{\partial x} + \frac{\partial(h\bar{v})}{\partial y} + w|_{z=0} - w|_{z=-h} = 0$$

이제 (1.3.14)식에 η에 대한 경계 조건

$$w|_{z=0} = \frac{\partial \eta}{\partial t} \tag{1.3.15}$$

$$w|_{z=-h} = 0 \tag{1.3.16}$$

을 적용하자. 이를 운동학적 경계 조건(kinematic boundary condition)이라 부른다. (1.3.15)식은 $z=0$에서 물이 위/아래로 움직이면 해면이 상승/하강함을 나타내고

(1.3.16)식은 바닥을 뚫는 흐름이 없도록 바닥에서 연직 방향의 움직임이 없음을 의미한다. (1.3.15)식과 (1.3.16)식을 (1.3.14)식에 대입하면

$$\frac{\partial \eta}{\partial t} + \frac{\partial (h\bar{u})}{\partial x} + \frac{\partial (h\bar{v})}{\partial y} = 0 \tag{1.3.17}$$

을 얻을 수 있다. 최종적으로 3개의 변수$(\bar{u}, \bar{v}, \eta)$에 대한 3개의 지배식(1.3.12, 1.3.13, 1.3.17)이 마련되었으며 이가 천해 방정식이 된다. 한가지 유의할 점은 사용한 동역학적/운동학적 경계 조건 (1.3.9), (1.3.10), (1.3.15), (1.3.16)식은 비선형항을 무시한 선형화한 형태라는 것이다.

결국 천해 방정식은 원래 지배식을 연직 평균한 형태의 방정식임에 유의하라. 바닥 경계 조건을 제외하면, 원형의 지배식 (1.3.1)-(1.3.4), (1.3.9), (1.3.10)식과 연직 평균한 형태의 천해 방정식 (1.3.12), (1.3.13), (1.3.17)식 사이에는 어떠한 수학적 근사도 없다. 즉, 단순히 다른 형태로 나타낸 방정식이지 다른 식이 아니다. 연직 방향 와동 점성항은 천해 방정식에서 바람이 해양에 가하는 외력항과 바닥이 해양에 가하는 마찰항으로 바뀌어 나타났다. 또한 x, y, z에 대한 3차원 함수인 유속(u, v)이 x, y에 대한 2차원 함수인 연직 평균 유속$(\bar{u}, \bar{v})$으로 바뀌었다. 연직 방향 유속 w는 지배식에서 사라졌으며 대신 해면 고도 η에 대한 식이 마련되었다. 여기서 연직 적분한 보존 방정식 (1.3.17) 식에서 $h\bar{u}$와 $h\bar{v}$는 각 방향 유속을 연직으로 적분한 것이며 이를 수송(transport)이라 부른다. 연직 적분한 보존 방정식 (1.3.17)식은

$$\frac{\partial \eta}{\partial t} = -\nabla \cdot h\vec{\bar{u}}$$
$$\left(\nabla \cdot h\vec{\bar{u}} = \frac{\partial (h\bar{u})}{\partial x} + \frac{\partial (h\bar{v})}{\partial y} \right) \tag{1.3.18}$$

로 나타낼 수 있는데, 이는 연직 적분한 흐름인 수송이 수평적으로 발산하는 경우($\nabla \cdot h\vec{\bar{u}} > 0$) 해면 고도는 감소($\partial \eta/\partial t < 0$)하고, 반대로 수렴하는 경우($\nabla \cdot h\vec{\bar{u}} < 0$) 해면 고도는 증가($\partial \eta/\partial t > 0$)함을 나타낸다.

이 책에서는 여기서 소개한 선형 천해 방정식을 주로 사용해 해양 현상을 논의할 것이다. 다만 연안 해양학을 비롯해 상대적으로 작은 규모 유체 현상에서 종종 비선형성을 포함한 완전한 천해 방정식을 사용하기 때문에, 다음 장에 완전한 천해 방정식의 유도에 대해 논한다.

1.3.1.1 완전한 천해 방정식 유도

먼저 부시네스크, 정수압 근사, 상수 밀도를 가정하자. 이 경우, 운동 방정식은

$$
\begin{aligned}
\frac{\partial u}{\partial t} + \frac{\partial (u^2)}{\partial x} + \frac{\partial (uv)}{\partial y} + \frac{\partial (uw)}{\partial z} - fv = \\
- g\frac{\partial \eta}{\partial x} + \frac{\partial}{\partial x}\left(A_h \frac{\partial u}{\partial x}\right) + \frac{\partial}{\partial y}\left(A_h \frac{\partial u}{\partial y}\right) + \frac{\partial}{\partial z}\left(A_z \frac{\partial u}{\partial z}\right)
\end{aligned}
\tag{1.3.19}
$$

$$
\begin{aligned}
\frac{\partial v}{\partial t} + \frac{\partial (vu)}{\partial x} + \frac{\partial (v^2)}{\partial y} + \frac{\partial (vw)}{\partial z} - fv = \\
- g\frac{\partial \eta}{\partial y} + \frac{\partial}{\partial x}\left(A_h \frac{\partial v}{\partial x}\right) + \frac{\partial}{\partial y}\left(A_h \frac{\partial v}{\partial y}\right) + \frac{\partial}{\partial z}\left(A_z \frac{\partial v}{\partial z}\right)
\end{aligned}
\tag{1.3.20}
$$

가 된다. 여기서 수학적 편의를 위해 이류항을 부시네스크 근사를 적용하기 전 형태 그대로 두었음에 유의하라. 앞서 했던 것과 같은 방식으로 운동 방정식을 연직 적분하되, 이번에는 $z = \eta$에서 $z = -h$까지 적분하자. 앞서 표층을 $z = 0$으로 정의했는데, 이는 본질적으로 $\eta \ll h$을 가정한 형태임에 유의하라. 또한 앞서 미분과 적분의 순서를 별다른 언급 없이 바꾸었으나 사실 이는 라이프니츠 적분 법칙(Leibniz integral rule)을 바탕으로 이루어 져야한다. 이는

$$
\int_{-h}^{\eta} \frac{\partial u}{\partial x} dz = \frac{\partial}{\partial x}\int_{-h}^{\eta} u\, dz - u|_{z=\eta}\frac{\partial \eta}{\partial x} + u|_{z=-h}\frac{\partial (-h)}{\partial x}
\tag{1.3.21}
$$

로 주어진다. (1.3.21)식에서 적분 안에 있는 변수 u가 x로 미분되어 있고, 적분하는 구간의 양쪽 끝 η와 h가 x에 대한 함수임에 유의하라. 이 경우 단순한 교환 법칙이 성립하지 않고 추가적인 항이 나타난다. (1.3.19)식을 $z = \eta$에서 $z = -h$까지 적분하고 라이프니츠 적분 법칙을 바탕으로 적분과 미분의 순서를 바꾸어 나타내자. 이 경우, 관성항과 비선형 이류항은

$$
\begin{aligned}
\int_{-h}^{\eta} & \left(\frac{\partial u}{\partial t} + \frac{\partial (u^2)}{\partial x} + \frac{\partial (uv)}{\partial y} + \frac{\partial (uw)}{\partial z}\right) dz \\
&= \frac{\partial}{\partial t}\int_{-h}^{\eta} u\, dz - u|_{z=\eta}\frac{\partial \eta}{\partial t} + u|_{z=-h}\frac{\partial (-h)}{\partial t} \\
&\quad + \frac{\partial}{\partial x}\int_{-h}^{\eta} u^2\, dz - u^2|_{z=\eta}\frac{\partial \eta}{\partial x} + u^2|_{z=-h}\frac{\partial (-h)}{\partial x} \\
&\quad + \frac{\partial}{\partial y}\int_{-h}^{\eta} uv\, dz - uv|_{z=\eta}\frac{\partial \eta}{\partial y} + uv|_{z=-h}\frac{\partial (-h)}{\partial y} \\
&\quad + uw|_{z=\eta} - uw|_{z=-h}
\end{aligned}
$$

$$
\begin{aligned}
=&\frac{\partial}{\partial t}\int_{-h}^{\eta}udz+\frac{\partial}{\partial x}\int_{-h}^{\eta}u^2dz+\frac{\partial}{\partial y}\int_{-h}^{\eta}uvdz\\
&-u|_{z=\eta}\left(\frac{\partial\eta}{\partial t}+u|_{z=\eta}\frac{\partial\eta}{\partial x}+v|_{z=\eta}\frac{\partial\eta}{\partial y}-w|_{z=\eta}\right)\\
&-u|_{z=-h}\left(\frac{\partial h}{\partial t}+u|_{z=-h}\frac{\partial h}{\partial x}+v|_{z=-h}\frac{\partial h}{\partial y}-w|_{z=-h}\right)
\end{aligned}
\tag{1.3.22}
$$

의 형태로 나타난다. $\partial h/\partial t=0$이나 소거하지 않고 표기한 상태임에 유의하라. 여기에 비선형성을 고려한 운동학적 경계 조건

$$
w|_{z=\eta}=\frac{\partial\eta}{\partial t}+u|_{z=\eta}\frac{\partial\eta}{\partial x}+v|_{z=\eta}\frac{\partial\eta}{\partial y}
\tag{1.3.23}
$$

$$
w|_{z=-h}=\frac{\partial h}{\partial t}+u|_{z=-h}\frac{\partial h}{\partial x}+v|_{z=-h}\frac{\partial h}{\partial y}
\tag{1.3.24}
$$

를 적용하면

$$
\begin{aligned}
\int_{-h}^{\eta}&\left(\frac{\partial u}{\partial t}+\frac{\partial(u^2)}{\partial x}+\frac{\partial(uv)}{\partial y}+\frac{\partial(uw)}{\partial z}\right)dz\\
&=\frac{\partial}{\partial t}\int_{-h}^{\eta}udz+\frac{\partial}{\partial x}\int_{-h}^{\eta}u^2dz+\frac{\partial}{\partial y}\int_{-h}^{\eta}uvdz
\end{aligned}
\tag{1.3.25}
$$

를 얻을 수 있다. 이번에는 (1.3.19)-(1.3.20)식 내의 확산항을 연직 적분해 보자.

$$
\begin{aligned}
\int_{-h}^{\eta}&\left(\frac{\partial}{\partial x}\left(A_h\frac{\partial u}{\partial x}\right)+\frac{\partial}{\partial y}\left(A_h\frac{\partial u}{\partial y}\right)+\frac{\partial}{\partial z}\left(A_z\frac{\partial u}{\partial z}\right)\right)dz\\
&=\frac{\partial}{\partial x}\int_{-h}^{\eta}\left(A_h\frac{\partial u}{\partial x}\right)dz-A_h\frac{\partial u}{\partial x}\Big|_{z=\eta}\frac{\partial\eta}{\partial x}+A_h\frac{\partial u}{\partial x}\Big|_{z=-h}\frac{\partial(-h)}{\partial x}\\
&+\frac{\partial}{\partial y}\int_{-h}^{\eta}\left(A_h\frac{\partial u}{\partial y}\right)dz-A_h\frac{\partial u}{\partial y}\Big|_{z=\eta}\frac{\partial\eta}{\partial y}+A_h\frac{\partial u}{\partial y}\Big|_{z=-h}\frac{\partial(-h)}{\partial y}\\
&+A_h\frac{\partial u}{\partial z}\Big|_{z=\eta}-A_h\frac{\partial u}{\partial z}\Big|_{z=-h}\\
&=\frac{\partial}{\partial x}\int_{-h}^{\eta}\left(A_h\frac{\partial u}{\partial x}\right)dz+\frac{\partial}{\partial y}\int_{-h}^{\eta}\left(A_h\frac{\partial u}{\partial y}\right)dz\\
&+\left(-A_h\frac{\partial u}{\partial x}\Big|_{z=\eta}\frac{\partial\eta}{\partial x}-A_h\frac{\partial u}{\partial y}\Big|_{z=\eta}\frac{\partial\eta}{\partial y}+A_h\frac{\partial u}{\partial z}\Big|_{z=\eta}\right)\\
&-\left(A_h\frac{\partial u}{\partial x}\Big|_{z=-h}\frac{\partial h}{\partial x}+A_h\frac{\partial u}{\partial y}\Big|_{z=-h}\frac{\partial h}{\partial y}+A_h\frac{\partial u}{\partial z}\Big|_{z=-h}\right)
\end{aligned}
\tag{1.3.26}
$$

이제 (1.3.1.1)식에 동역학적 경계 조건

$$
-A_h\frac{\partial u}{\partial x}\Big|_{z=\eta}\frac{\partial\eta}{\partial x}-A_h\frac{\partial u}{\partial y}\Big|_{z=\eta}\frac{\partial\eta}{\partial y}+A_h\frac{\partial u}{\partial z}\Big|_{z=\eta}=\frac{\tau_x^s}{\rho_0}
\tag{1.3.27}
$$

$$A_h \frac{\partial u}{\partial x}\bigg|_{z=-h} \frac{\partial h}{\partial x} + A_h \frac{\partial u}{\partial y}\bigg|_{z=-h} \frac{\partial h}{\partial y} + A_h \frac{\partial u}{\partial z}\bigg|_{z=-h} = \frac{\tau_x^b}{\rho_0} \qquad (1.3.28)$$

을 적용하자. 결과적으로 연직 방향 적분한 형태의 확산항은

$$\int_{-h}^{\eta} \left(\frac{\partial}{\partial x} \left(A_h \frac{\partial u}{\partial x} \right) + \frac{\partial}{\partial y} \left(A_h \frac{\partial u}{\partial y} \right) + \frac{\partial}{\partial z} \left(A_z \frac{\partial u}{\partial z} \right) \right) dz$$
$$= \frac{\partial}{\partial x} \int_{-h}^{\eta} \left(A_h \frac{\partial u}{\partial x} \right) dz + \frac{\partial}{\partial y} \int_{-h}^{\eta} \left(A_h \frac{\partial u}{\partial y} \right) dz + \frac{\tau_x^s}{\rho_0} - \frac{\tau_x^b}{\rho_0} \qquad (1.3.29)$$

이다. 최종적으로 연직 적분한 형태의 x방향 운동 방정식 (1.3.19)식은

$$\frac{\partial}{\partial t} \int_{-h}^{\eta} u\,dz + \frac{\partial}{\partial x} \int_{-h}^{\eta} u^2 dz + \frac{\partial}{\partial y} \int_{-h}^{\eta} uv\,dz - f \int_{-h}^{\eta} v\,dz$$
$$= -gh\frac{\partial \eta}{\partial x} + \frac{\partial}{\partial x} \int_{-h}^{\eta} \left(A_h \frac{\partial u}{\partial x} \right) dz + \frac{\partial}{\partial y} \int_{-h}^{\eta} \left(A_h \frac{\partial u}{\partial y} \right) dz + \frac{\tau_x^s}{\rho_0} - \frac{\tau_x^b}{\rho_0}$$
$$(1.3.30)$$

이 된다. 같은 방식으로 y방향 운동 방정식 (1.3.20)식을 적분하면

$$\frac{\partial}{\partial t} \int_{-h}^{\eta} v\,dz + \frac{\partial}{\partial x} \int_{-h}^{\eta} uv\,dz + \frac{\partial}{\partial y} \int_{-h}^{\eta} v^2 dz + f \int_{-h}^{\eta} u\,dz$$
$$= -gh\frac{\partial \eta}{\partial y} + \frac{\partial}{\partial x} \int_{-h}^{\eta} \left(A_h \frac{\partial v}{\partial x} \right) dz + \frac{\partial}{\partial y} \int_{-h}^{\eta} \left(A_h \frac{\partial v}{\partial y} \right) dz + \frac{\tau_y^s}{\rho_0} - \frac{\tau_y^b}{\rho_0}$$
$$(1.3.31)$$

을 구할 수 있으며 (1.3.30)식과 (1.3.31)식이 연직 방향 적분한 형태의 운동 방정식이 된다. 같은 방정식으로 보존 방정식 (1.3.4)식을 연직 적분하고 운동학적 경계 조건 (1.3.23)식과 (1.3.24)식을 적용하면 연직 적분한 보존 방정식

$$\frac{\partial \eta}{\partial t} + \frac{\partial}{\partial x} \int_{-h}^{\eta} u\,dz + \frac{\partial}{\partial x} \int_{-h}^{\eta} v\,dz = 0 \qquad (1.3.32)$$

를 얻을 수 있다. 운동 방정식인 (1.3.30), (1.3.31)식과 보존 방정식 (1.3.32)식이 완전한 형태의 천해 방정식이 된다. 많은 서적에서 기본으로 자주 사용하는 형태의 천해 방정식은

$$\frac{\partial \bar{u}}{\partial t} + \bar{u}\frac{\partial \bar{u}}{\partial x} + \bar{v}\frac{\partial \bar{u}}{\partial y} - f\bar{v} =$$
$$- g\frac{\partial \eta}{\partial x} + \frac{A_h}{h} \left(\frac{\partial}{\partial x} \left(h\frac{\partial \bar{u}}{\partial x} \right) + \frac{\partial}{\partial y} \left(h\frac{\partial \bar{u}}{\partial y} \right) \right) + \frac{\tau_x^s}{\rho_0 h} - \frac{\tau_x^b}{\rho_0 h} \qquad (1.3.33)$$

$$\frac{\partial \bar{v}}{\partial t} + \bar{u}\frac{\partial \bar{v}}{\partial x} + \bar{v}\frac{\partial \bar{v}}{\partial y} + f\bar{u} =$$
$$- g\frac{\partial \eta}{\partial y} + \frac{A_h}{h} \left(\frac{\partial}{\partial x} \left(h\frac{\partial \bar{v}}{\partial x} \right) + \frac{\partial}{\partial y} \left(h\frac{\partial \bar{v}}{\partial y} \right) \right) + \frac{\tau_y^s}{\rho_0 h} - \frac{\tau_y^b}{\rho_0 h} \qquad (1.3.34)$$

$$\frac{\partial \eta}{\partial t} + \frac{\partial (\bar{u}(\eta + h))}{\partial x} + \frac{\partial (\bar{v}(\eta + h))}{\partial y} = 0 \tag{1.3.35}$$

이다. 이 역시 약간의 간략화가 이루어진 형태임에 유의하라.

1.3.2 와도 방정식

연직 적분 혹은 평균한 형태의 천해 방정식은 원래의 식에 비하면 간단하지만, 이 식이 어떤 흐름을 만들어 내는지를 식 자체로 파악하기에 여전히 복잡한 편이다. 따라서 변수의 수를 줄이고 식이 내포하고 있는 물리적인 의미를 조금 더 잘 나타낼 수 있는 형태인 와도 방정식(vorticity equation)으로 바꾸어 사용하는 경우가 많다. 먼저 와동 점성항이 무시할 수 있을 만큼 작은 경우를 가정하자. 이 경우 (1.3.33)-(1.3.34)식에서 수평 방향 와동 점성항 뿐 아니라 연직 방향 와동 점성항에서 유도되는 바람 응력과 바닥 마찰 응력항을 무시할 수 있다. 이 가정이 적용된 유체를 비점성(inviscid) 유체라 부른다.

$$\frac{\partial \bar{u}}{\partial t} + \bar{u}\frac{\partial \bar{u}}{\partial x} + \bar{v}\frac{\partial \bar{u}}{\partial y} - f\bar{v} = -g\frac{\partial \eta}{\partial x} \tag{1.3.36}$$

$$\frac{\partial \bar{v}}{\partial t} + \bar{u}\frac{\partial \bar{v}}{\partial x} + \bar{v}\frac{\partial \bar{v}}{\partial y} + f\bar{u} = -g\frac{\partial \eta}{\partial y} \tag{1.3.37}$$

$$\frac{\partial \eta}{\partial t} + \frac{\partial (\bar{u}(\eta + h))}{\partial x} + \frac{\partial (\bar{v}(\eta + h))}{\partial y} = 0 \tag{1.3.38}$$

압력 경사항을 소거하기 위해 y방향 운동 방정식 (1.3.37)식을 x로 미분하고 x방향 운동 방정식 (1.3.36)식을 y로 미분한 뒤 빼주자.

$$\frac{\partial}{\partial t}\left(\frac{\partial \bar{v}}{\partial x} - \frac{\partial \bar{u}}{\partial y}\right) + \bar{u}\frac{\partial}{\partial x}\left(\frac{\partial \bar{v}}{\partial x} - \frac{\partial \bar{u}}{\partial y}\right) + \bar{v}\frac{\partial}{\partial y}\left(\frac{\partial \bar{v}}{\partial x} - \frac{\partial \bar{u}}{\partial y}\right)$$
$$+ \frac{\partial \bar{u}}{\partial x}\left(\frac{\partial \bar{v}}{\partial x} - \frac{\partial \bar{u}}{\partial y}\right) + \frac{\partial \bar{v}}{\partial y}\left(\frac{\partial \bar{v}}{\partial x} - \frac{\partial \bar{u}}{\partial y}\right) + \bar{u}\frac{\partial f}{\partial x} + \bar{v}\frac{\partial f}{\partial y} + f\left(\frac{\partial \bar{u}}{\partial x} + \frac{\partial \bar{v}}{\partial y}\right) = 0 \tag{1.3.39}$$

이를 정리하면

$$\frac{\partial (f + \xi)}{\partial t} + \bar{u}\frac{\partial (f + \xi)}{\partial x} + \bar{v}\frac{\partial (f + \xi)}{\partial y} + (f + \xi)\left(\frac{\partial \bar{u}}{\partial x} + \frac{\partial \bar{v}}{\partial y}\right) = 0$$
$$\left(\xi = \frac{\partial v}{\partial x} - \frac{\partial u}{\partial y}\right) \tag{1.3.40}$$

을 얻을 수 있다. $\partial f/\partial t = 0$을 이용해 관성항의 모양을 다르게 나타냈음에 유의하라. 여기서 ξ를 상대 와도(relative vorticity)라 부르며 유체의 회전 경향을 나타낸다. 흐름이 시계 방향으로 회전하는 유속에서 ξ의 값은 음이 되며 반시계 방향으로 회전하는 경우 그 값은 양이 된다. 이제 보존 방정식을 전개해서 정리하면

$$\frac{\partial \eta}{\partial t} + (\eta + h)\left(\frac{\partial \bar{u}}{\partial x} + \frac{\partial \bar{v}}{\partial y}\right) + \bar{u}\frac{\partial(\eta + h)}{\partial x} + \bar{v}\frac{\partial(\eta + h)}{\partial y} = 0$$
$$\therefore \frac{\partial \bar{u}}{\partial x} + \frac{\partial \bar{v}}{\partial y} = -\frac{1}{\eta + h}\left(\frac{\partial(\eta + h)}{\partial t} + \bar{u}\frac{\partial(\eta + h)}{\partial x} + \bar{v}\frac{\partial(\eta + h)}{\partial y}\right) \tag{1.3.41}$$

을 얻을 수 있다. 여기서 $\partial h/\partial t = 0$을 이용했다. 이를 (1.3.40)식에 대입하고 양 변을 $\eta + h$로 나누자.

$$\frac{1}{\eta + h}\frac{\partial(f + \xi)}{\partial t} - \frac{f + \xi}{(\eta + h)^2}\frac{\partial(\eta + h)}{\partial t}$$
$$+ \bar{u}\left(\frac{1}{\eta + h}\frac{\partial(f + \xi)}{\partial x} - \frac{f + \xi}{(\eta + h)^2}\frac{\partial(\eta + h)}{\partial x}\right) \tag{1.3.42}$$
$$+ \bar{v}\left(\frac{1}{\eta + h}\frac{\partial(f + \xi)}{\partial y} - \frac{f + \xi}{(\eta + h)^2}\frac{\partial(\eta + h)}{\partial y}\right) = 0$$

마지막으로 미분 연쇄 법칙 $(f/g)' = f'/g - fg'/g^2$을 이용해 식을 정리해 주면

$$\frac{\partial q}{\partial t} + \bar{u}\frac{\partial q}{\partial x} + \bar{v}\frac{\partial q}{\partial y} = 0 \quad \therefore \frac{Dq}{Dt} = 0$$
$$\left(\frac{D}{Dt} = \frac{\partial}{\partial t} + \bar{u}\frac{\partial}{\partial x} + \bar{v}\frac{\partial}{\partial y}, \quad q = \frac{f + \xi}{\eta + h}\right) \tag{1.3.43}$$

을 구할 수 있으며 여기서 $q = (f + \xi)/(\eta + h)$를 잠재 와도(potential vorticity)라 부른다. (1.3.43)식은 잠재 와도가 라그랑지 관점에서 보존됨을 의미한다. 이 와도 보존은 수평 방향 와동 점성과 바람 응력, 바닥 마찰항이 없거나 적어도 무시할 수 있을 만큼 작은 경우에 합당함에 유의하라. 바람 응력은 상대 와도를 공급하는 역할을, 바닥 마찰은 감쇄하는 역할을 하여 잠재 와도의 비보존적 거동을 만들어 낸다.

1.3.2.1 오일러 관측자 시점과 라그랑지 관측자 시점

유체의 거동을 관측하는 두 가지 관점은 오일러(Eulerian) 관측자와 라그랑지(Lagrangian) 관측자이다. 오일러 관측자는 고정된 지점을 관측하는 시점이고 라그랑지 관측자는 관측 대상(유체 입자)을 따라가며 관측하는 시점이다. 위성 자료처럼 격자 체계를 사용하는 자료가 전자의 예시이며 표층 뜰개(surface drifter)와 같이 이동하며 해양을 관측하는 자료가 후자에 해당한다. 특정 흐름에 이동하고 있는 물 입자의 수온을 관측하는 경우를 생각해 보자. 물 입자에 어떠한 가열이나 냉각, 열 교환이 없는

경우 이 입자의 수온 변화는 없을 것이다. 즉, 라그랑지 관점에서 수온의 시간에 대한 변화는

$$\frac{DT}{Dt} = 0 \qquad (1.3.44)$$

로 표현할 수 있다. 라그랑지 관점에서 대상의 수온 T는 시간에 대한 단일 변수 함수로 고려할 수 있음에 유의하라. 반면 오일러 관점에서 수온은 시간 뿐만 아니라 공간에 대한 함수 $T(x(t), y(t), z(t), t)$이다. 여기서 x, y, z는 오일러 관측 시점에서 물 입자의 위치 좌표이며 입자가 이동하고 있기 때문에 시간에 따라 변화한다. 이에 대한 시간에 대한 변화, 즉 미분은 다변수 함수의 연쇄 법칙에 따라

$$\frac{\partial}{\partial t} T(x, y, z, t) = 0 \rightarrow = \frac{\partial T}{\partial t} + \frac{\partial T}{\partial x}\frac{\partial x}{\partial t} + \frac{\partial T}{\partial y}\frac{\partial y}{\partial t} + \frac{\partial T}{\partial z}\frac{\partial z}{\partial t} = 0$$
$$\therefore \frac{\partial T}{\partial t} + u\frac{\partial T}{\partial x} + v\frac{\partial T}{\partial y} + w\frac{\partial T}{\partial z} = 0 \qquad (1.3.45)$$

가 되며 여기서 물 입자 위치의 시간에 대한 변화는 결국 속력임($\partial x/\partial t = u$, $\partial y/\partial t = v$, $\partial z/\partial t = w$)을 사용했다. 라그랑지 관점의 (1.3.44)식과 오일러 관점의 (1.3.45)식은 관점에 따라 다르게 나타냈지만 모두 수온의 시간 변화를 나타내는 같은 식이다.

간략화한 천해 방정식 (1.3.36)-(1.3.38)식은 고정된 격자 체계의 원시 방정식을 기반으로 하며, 이는 오일러 관점이다. 이 오일러 관점의 식은 흐름이 어떤 성질을 가지는지 알기에는 너무 복잡하다. 반면 라그랑지 관점으로 나타낸 와도 방정식 (1.3.43)식은 흐름이 잠재 와도라 정의한 $q = (f + \xi)/(\eta + h)$ 값을 보존하는 성질을 가짐을 보여준다. 예시로 수심이 충분히 깊고($\eta \ll h$) 상대 와도가 전향력 계수에 비해 매우 작은($\xi \ll f$)은 경우를 생각해 보자. 이 경우, 잠재 와도를 $q \approx f/h$로 근사할 수 있다. 추가적으로 전향력의 변동이 매우 작아 상수로 생각할 수 있는 경우, q가 변하지 않기 위해 h가 상수여야 한다. 이는 라그랑지 관점에서 물 입자가 경험하는 수심의 변화가 없어야함을 나타낸다. 즉, 흐름이 등수심선을 따라 나타남을 의미한다. 이처럼 라그랑지 관점으로 나타낸 잠재 와도 보존식은 별도의 수학적 해석 없이도 특정 상황과 가정 하에 나타나는 흐름에 대한 정보를 손 쉽게 제공한다.

Chapter 2

회전 유체의 기초 역학

2.1 기본적인 규모 분석의 적용

2.1그림은 2006년 12월 나타난 울릉 소용돌이(eddy)에 대한 10일 동안의 관측을 보여 준다. 고도 위성 자료(altimetry)로부터 해면 고도 η에 대한 정보를, 표층 뜰개로부터 유속에 대한 정보를 얻을 수 있다. 해면 고도 자료는 코페르니쿠스 해양 환경 서비스 (https://data.marine.copernicus.eu/product/SEALEVEL_GLO_PHY_CLIMATE _L4_MY_008_057/description)에서, 뜰개 자료는 미국 해양대기청 전구 표층 뜰개 프로그램(https://www.aoml.noaa.gov/data-products/#drifterdata)에서 다운 받을 수 있다. 이 소용돌이를 대상으로 간단한 규모 분석을 시행해 보자. 소용돌이의 지름은 약 120 km, 주변 유속은 0.45 m/s, 수심은 2000 m 정도이다. 이로부터 각 변수에 대한 규모를 $L \approx 10^5\,m$, $U \approx 10^{-1}\,m/s$, $H \approx 10^3\,m$, $T \approx 10\,d \approx 10^6\,s$으로 어림잡자. 규모 분석은 말 그대로 개괄적인 규모를 분석하는 것이지 정밀한 수치를 요하지 않는 다. 수평 방향과 연직 방향 와동 점성 계수는 대략 $A_h \approx 10^2\,m^2 s^{-1}$, $A_z \approx 1\,m^2 s^{-1}$ 정도이며 전향력 계수는 약 $f \approx 10^{-4}\,s^{-1}$이다. 이제 이 규모를 이용하여 운동 방정식 (1.1.1)식 내 각 항의 규모를 계산해 보자. 무차원화한 운동 방정식 (1.2.2)식을 바탕으

그림 2.1: 고도 위성와 표층 뜰개로 관측한 울릉 소용돌이. 흑색 실선은 등수심선을 적색 실선은 표층 뜰개의 궤적을 나타내며 배경의 색은 고도 위성으로 관측한 해면 고도를 의미한다.

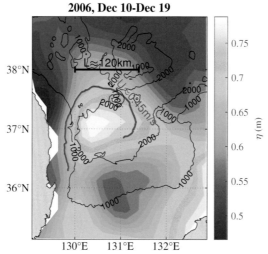

로한 각 항의 규모는

$$\frac{\partial u}{\partial t} : \frac{U}{T} \approx 10^{-7}$$

$$u\frac{\partial u}{\partial x} + v\frac{\partial u}{\partial y} + w\frac{\partial u}{\partial z} : \frac{U^2}{L} \approx 10^{-7}$$

$$fv : fU \approx 10^{-5} \tag{2.1.1}$$

$$\frac{\partial}{\partial x}\left(A_h\frac{\partial u}{\partial x}\right) + \frac{\partial}{\partial y}\left(A_h\frac{\partial u}{\partial y}\right) : \frac{A_hU}{L^2} \approx 10^{-9}$$

$$\frac{\partial}{\partial z}\left(A_z\frac{\partial u}{\partial z}\right) : \frac{A_zU}{H^2} \approx 10^{-7}$$

정도로 추정할 수 있다. 크기가 가장 큰 항은 전향력 항으로, 다른 항보다 적어도 100배 이상 더 큰 것을 알 수 있다. 즉, 다른 항들은 무시할 수 있을 만큼 작으며 압력 경사와 균형을 이루는 힘은 전향력임을 암시한다. (2.1.1)식을 바탕으로 로스비 수를 계산해 보면 $Ro = 1/(fT) = U/(fL) \approx 10^{-2}$으로 1보다 매우 작음을 알 수 있다. 이는 방정식 내 시간에 대한 변동항을 무시할 수 있음을 나타내며, 이처럼 시간에 대한 변동이 없는 상태를 정상 상태(steady-state condition)라 부른다. 규모 분석은 비단 운동 방정식 뿐 아니라 어떠한 수식에도 적용 가능하며 복잡한 시스템을 손쉽게 분석할 수 있게 해주는 매우 강력한 수단이다. 규모 분석에 대한 보다 심층적인 논의는 Price (2005)의 강의록 (https://www.whoi.edu/staff/jprice)을 참고하라.

2.2 회전에 의한 흐름

2.2.1 지형류

자연에서 나타나는 여러 해양 현상은 공간적인 규모가 크며 자전하는 지구 위에서 일어난다. 즉, 해양 현상은 회전하는 좌표계에서 발생하는 공간 규모가 큰 유체 현상이며, 로스비 수가 매우 작은 유체 현상이라 표현할 수 있다. 로스비 수($Ro = U/fL$)는 공간적인 규모가 큰 경우 감소하며 $Ro \ll 1$는 관성항과 이류항보다 전향력의 크기가 훨씬 큼을 의미한다. 앞 장에서 시행한 규모 분석이 나타내듯, 공간적인 규모가 충분히 큰 해양 현상은 전향력과 압력 경사항이 다른 항에 비해 매우 크다. 이를 바탕으로 상대적으로 크기가 작은 다른 모든 항을 무시하고 전향력과 압력 경사 2개 항만을 고려하자.

$$-fv = -\frac{1}{\rho_0}\frac{\partial P}{\partial x}, \quad fu = -\frac{1}{\rho_0}\frac{\partial P}{\partial y} \tag{2.2.1}$$

(2.2.1)식을 u와 v에 대해 정리하면

$$u = -\frac{1}{\rho_0 f}\frac{\partial P}{\partial y}, \quad v = \frac{1}{\rho_0 f}\frac{\partial P}{\partial x} \tag{2.2.2}$$

를 얻을 수 있다. (2.2.2)식을 통해 구해진 유속을 지형류(geostrophic current)라 부른다. 이 두 힘은 큰 규모의 해양에서 가장 지배적이기 때문에, 지형류는 (2.2.1)식에서 무시한 다른 항들이 만드는 유속 성분보다 훨씬 크기가 크다. 결과적으로 지형류는 큰 규모의 해양에서 나타나는 가장 지배적인 유속 성분으로 볼 수 있다. 지형류는 단순히 압력에 대한 함수로 나타남에 유의하라. 즉, (2.2.2)식은 압력을 통해 유속을 진단할 수 있게 해 준다. 여기서 압력은 정수압 방정식 (1.2.13)식으로부터 얻을 수 있다.

2.2.1.1 순압 성분

밀도를 상수로 가정하면 정수압 방정식 (1.2.13)식은 (1.2.15)식으로 간략히 나타낼 수 있다. 이를 (2.2.2)식에 대입하면

$$u = -\frac{g}{f}\frac{\partial \eta}{\partial y}, \quad v = \frac{g}{f}\frac{\partial \eta}{\partial x} \tag{2.2.3}$$

그림 2.2: 고도 위성으로 관측한 해면 고도와 (2.2.3)식을 이용해 계산한 지형류. 표층 뜰개의 궤적은 지형류의 방향과 잘 일치한다.

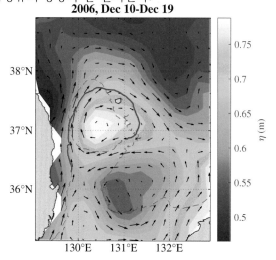

을 얻을 수 있다. (1.2.15)식은 압력이 물이 얼마나 쌓여있는가, 즉 해면의 고도 η에 의해 결정됨을 나타낸다. 여기서 수심에 따른 압력 증가는 압력의 수평 방향 경사에는 아무런 영향의 주지 않음에 유의하라. 결과적으로 압력 경사는 해면의 경사에 의해 결정되고 지형류 역시 이 해면 경사에 의해 결정된다. (2.2.3)식은 지형류의 속도가 해면이 기울어진 정도와 비례하며 방향은 해면의 등고선의 접선 방향임을 나타내고 있다. 이는 지형류가 해면 고도의 등치선을 따라 흐름을 나타내기도 한다.

전향력 계수가 양수인 북반구에서 볼록히 쌓인 형태의 해면 고도를 생각해 보자. 이 경우 지형류는 시계 방향의 흐름을 만들며, 반대로 오목히 패인 해면 고도에서는 반시계 방향의 흐름을 만든다. 남반구의 경우 전향력 계수가 음이되어 지형류의 방향이 반대가 되어 볼록한 해면 고도에 대해 반시계 방향의, 오목한 해면 고도에서 시계 방향의 지형류가 생성된다. 2.2그림은 고도 위성으로 관측한 해면 고도를 기반으로, (2.2.3)식을 사용해 계산한 지형류를 보여주며, 이는 표층 뜰개로 관측한 실제 흐름과 잘 일치한다. 2.3그림은 해면 고도 자료를 이용해 추산한 지형류 유속과 표층 뜰개로 실제 관측한 유속의 양적 비교 결과인데, 상당히 잘 일치하는 것을 알 수 있다. 상관 관계는 약 0.89, 그 제곱 값은 0.80에 달하는데, 이는 적어도 해당 지역에서 해류 변동성의 80%를 지형류가 설명함을 의미한다.

그림 2.3: 표층 뜰개로 관측한 실제 해류와 해면 고도를 통해 산출한 지형류의 양적 비교. 실측과 지형류의 상관 관계는 해당 지역에서 0.89에 달하며 그 제곱은 0.80에 해당한다. 이는 변동성의 80%를 지형류가 설명함을 암시한다.

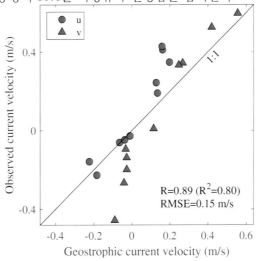

전향력 계수가 0인 적도 지역에서 (2.2.3)식은 지형류의 유속이 무한임을 나타내지만 이는 물리적으로 유의하지 않다. (2.2.3)식의 원형인 (2.2.1)식에 $f = 0$을 대입할 경우 압력 경사가 0이여야만 한다는 식을 얻을 수 있으며 이는 수학적으로 아무 의미가 없는 자명해에 해당한다. (2.2.1)식은 전향력이 다른 항에 비해 상대적으로 매우 크다는 가정하에 세워진 식이며, 전향력이 약한 적도 부근에서는 이 가정이 성립하지 않는다. 결과적으로 적도에서는 전향력이 아닌 다른 항들과 압력 경사에 의해 흐름이 지배된다.

2.2.1.2 테일러-프라우드만 이론

(2.2.3)식에서 해면 고도 η는 x와 y에 대한 함수이며 z와 독립적이다. 따라서 (2.2.3)식을 z에 대해 미분하면

$$\frac{\partial u}{\partial z} = -\frac{g}{f}\frac{\partial}{\partial y}\left(\frac{\partial \eta}{\partial z}\right) = 0$$

$$\frac{\partial v}{\partial z} = \frac{g}{f}\frac{\partial}{\partial x}\left(\frac{\partial \eta}{\partial z}\right) = 0 \tag{2.2.4}$$

$$\therefore \frac{\partial u}{\partial z} = 0, \quad \frac{\partial v}{\partial z} = 0$$

를 얻을 수 있다. 이를 테일러-프라우드만 이론(Taylor–Proudman theorem)이라 부르며 밀도가 상수일 때 지형류의 연직적 변화가 없음(u와 v가 z에 대해 독립임)을 의미한다. 이처럼 상수 밀도에서 유속의 연직적인 변화가 없는 지형류 흐름을 순압성 (barotropic) 흐름이라 부른다. 이 지형류의 순압성은 유체가 수평 방향의 2차원적 거동 특성을 띄도록 만든다. 이 이론은 물기둥(water column)의 두께가 변하지 않음을 의미하기도 한다. 이는 전향력 계수를 상수로 가정하고 (2.2.3)식을 연직 적분한 보존 방정식에 대입하여 증명할 수 있다. 먼저 연직 적분한 보존 방정식을 전개하면

$$\frac{\partial \eta}{\partial t} + \frac{\partial \left(\bar{u}(\eta + h)\right)}{\partial x} + \frac{\partial \left(\bar{v}(\eta + h)\right)}{\partial y} = 0$$
$$\rightarrow \frac{\partial \eta}{\partial t} + (\eta + h)\left(\frac{\partial \bar{u}}{\partial x} + \frac{\partial \bar{v}}{\partial y}\right) + \bar{u}\frac{\partial \left(\eta + h\right)}{\partial x} + \bar{v}\frac{\partial \left(\eta + h\right)}{\partial y} = 0 \tag{2.2.5}$$

가 된다. 여기서 좌변의 두 번째 항에 (2.2.3)식을 대입해 보자. 이 때, 편의를 위해 전향력 계수 f를 상수로 가정하자. 이를 f평면 가정(f-plane approximation)이라 부른다.

$$\frac{\partial \bar{u}}{\partial x} + \frac{\partial \bar{v}}{\partial y} = -\frac{g}{f}\frac{\partial^2 \eta}{\partial x \partial y} + \frac{g}{f}\frac{\partial^2 \eta}{\partial x \partial y} = 0 \quad \therefore \frac{\partial \bar{u}}{\partial x} + \frac{\partial \bar{v}}{\partial y} = 0$$
$$\left(u = -\frac{g}{f}\frac{\partial \eta}{\partial y}, \quad v = \frac{g}{f}\frac{\partial \eta}{\partial x}\right) \tag{2.2.6}$$

여기서 지형류의 지배식 (2.2.3)식에서 유속이 z에 독립이기 때문에

$$\bar{u} = \frac{1}{h}\int_{-h}^{0} u\, dz = u, \quad \bar{v} = \frac{1}{h}\int_{-h}^{0} v\, dz = v \tag{2.2.7}$$

임에 유의하라. (2.2.6)식은 f평면에서 지형류의 수렴과 발산이 없음을 나타낸다. 선형의 연직 적분 보존 방정식 (1.3.18)식에 상수 수심을 가정하고 (2.2.3)식을 대입하면 $\partial \eta / \partial t = 0$을 얻을 수 있으며 이는 f평면 상수 수심에서 지형류에 의한 해면의 시간적인 변동이 없음을 의미한다. 즉, 지형류는 해면 고도의 경사에 의해 발생하지만, 역으로 지형류가 해면 고도를 변화시키지는 못한다. 해면 고도의 변화는 지형류 지배식 (2.2.3)식에서 무시한 항들이 만드는 다른 유속 성분에 의해 나타나며, 이러한 유속 성분을 지형류가 아닌 흐름이라는 뜻에서 비지형류(ageostrophic current)라 부른다. 전향력 계수나 수심이 상수가 아닌 경우 이는 성립하지 않으며 지형류 자체가 수렴과 발산을 가져 흔히 말하는 β효과(β-effect)를 야기한다. 이제 (2.2.5)식의 좌변에 $\partial h / \partial t$ 를 더하자. 수심 h는 시간 t에 대해 독립이다. 따라서 $\partial h / \partial t = 0$이며 0을 더하는 것은 문제가 되지 않는다. 이 과정은 수식의 모양을 더 이해하기 쉽게 만들어 준다. 최종적으로

(2.2.5)식은

$$\frac{\partial H}{\partial t} + \bar{u}\frac{\partial H}{\partial x} + \bar{v}\frac{\partial H}{\partial y} = 0, \quad (H = \eta + h) \tag{2.2.8}$$

로 나타낼 수 있다. (2.2.8)식은 라그랑지안 관점에서 물기둥의 두께 H가 변하지 않음을 의미한다. 만약 해면 고도의 변화가 수심의 변화에 비해 매우 작다면, (2.2.8)식에서 η에 대한 모든 항들을 무시할 수 있고 이는 해류가 항상 등수심선을 따라 흐름을 의미한다. 실제로 큰 규모의 해류는 등수심선을 따라 흐르는 성질을 보여준다. 수평적인 크기가 충분히 큰 해산이 존재하는 수심 지형에서, 해류가 산을 향해 흐르는 경우, 해류는 어떤 식으로 흐르게 될지 생각해 보자. 해산을 가로질러 올라가는 흐름은 라그랑지 관점에서 물기둥의 두께를 감소시키게 되며 이는 (2.2.8)식에 위배된다. 물기둥의 두께가 보존되려면 물기둥이 지형의 변화가 없는 주변 등수심선을 따라 흘러야만 한다. 이처럼 해저 산이 있으면 해저 산 위에 마치 기둥이 있어 흐름을 막는 것처럼 해류가 해저 산을 올라가지 못하고 주변으로 돌아 흐르는 현상을 테일러 기둥(Taylor column) 이라 부른다.

2.2.2 에크만 흐름

앞서 지형류 논의를 위한 규모 분석에서 연직 규모로 전체 수심을 사용했다. 2.4그림 은 울릉 소용돌이의 연직 수온 구조에 대한 실측을 보여 주는데, 표층과 심층이 서로 구분되는 수온을 가진 것을 볼 수 있다. 실측 자료는 수산과학원 한국 해양 자료 센터 에서 내려 받을 수 있다(https://www.nifs.go.kr/kodc/soo_list.kodc). 특히 표층 100 m 위의 혼합층은 바람에 의해 잘 섞여져 있음을 보여준다. 이번에는 전체 수심이 아닌 표층의 혼합층 두께를 연직 공간 규모로 정의하고($H \approx 10^2\,m$) 운동 방정식 (1.2.2)식을 규모 분석해 보자. 다른 변수의 규모를 그대로 두었을 때 연직 와동 점성항의 규모는

$$\frac{\partial}{\partial z}\left(A_z\frac{\partial u}{\partial z}\right) : \frac{A_z U}{H^2} \approx 10^{-5} \tag{2.2.9}$$

로 바뀌며 다른 항들의 규모는 변화없이 (2.1.1)식에서 정의한 규모와 같다. 이 경우, 와동 점성항의 규모는 가장 지배적이 었던 전향력의 규모와 같아진다. 즉, 수층 전체 두께를 연직 공간 규모로 잡았을 때 이 연직 와동 점성항의 규모는 전향력항에 비해 매우 작지만, 상대적으로 규모가 연직적으로 좁고 작은 표층의 두께를 연직 공간 규모로 정의했을 때 와동 점성항은 전향력항만큼 중요해짐을 나타낸다.

그림 2.4: 울릉 소용돌이의 연직 수온 구조. 표층은 심층과 다른 환경에 놓여 있음을 암시한다. 적색 점은 관측 위치를 나타낸다.

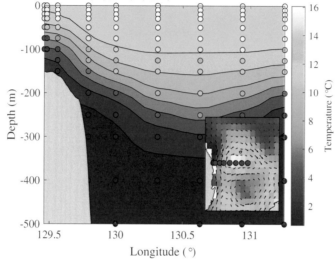

간략화한 운동 방정식으로

$$-fv = -\frac{1}{\rho_0}\frac{\partial P}{\partial x} + A_z \frac{\partial^2 u}{\partial z^2}$$
$$fu = -\frac{1}{\rho_0}\frac{\partial P}{\partial y} + A_z \frac{\partial^2 v}{\partial z^2}$$

(2.2.10)

을 생각하고, 추가적으로 압력 경사는 단순히 주어진 상수로 간주하자. 이 지배식은 미분 방정식으로 해석을 위해 (1.3.9)식과 (1.3.11)식 같은 경계 조건을 필요로 하며, 이 경계 조건은 각각 대기와 바닥이 해양에 가하는 외력과 마찰을 모사하는 역할을 한다. 만약 연직 와동 점성항을 무시하면 지배식은 더 이상 z에 대한 미분방정식이 아니고 물리적으로 중요한 역할을 하는 연직 경계 조건을 수학적으로 적용할 방법이 없다. 이 는 큰 규모 관점에서 무시할 수 있을 만큼 작은 항이라도 지역적으로는 매우 커져 경계 조건을 적용하고 만족시킬 수 있게 함을 시사한다.

2.2.2.1 표층 에크만 흐름

앞서 언급했듯 지형류는 가장 지배적인 해류 성분이지만, 지형류를 지배하는 해면 고도 는 비지형류 유속 성분에 의해 결정된다. 해면 고도의 변동을 일으키는 가장 대표적인 비지형류 중 하나가 바람에 의한 취송류이다. 앞 장에서 운동 방정식을 규모 분석한 결과를 토대로, 전향력과 연직 와동 점성항이 지배적인 경우를 생각하자. 이 연직 와동 점상항과 전향력항의 균형이 취송류를 만들어 낸다.

$$-fv = A_z \frac{\partial^2 u}{\partial z^2}, \quad fu = A_z \frac{\partial^2 v}{\partial z^2} \tag{2.2.11}$$

(2.2.11)식은 z에 대한 2계 상미분 연립 방정식으로 이를 해석하기 위해 각 변수에 대해 2개의 경계 조건이 필요하다. 경계 조건으로

$$A_z \frac{\partial u}{\partial z}\bigg|_{z=0} = \frac{\tau_x^s}{\rho_0}, \quad A_z \frac{\partial v}{\partial z}\bigg|_{z=0} = \frac{\tau_y^s}{\rho_0} \tag{2.2.12}$$

$$\lim_{z \to -\infty} u = 0, \quad \lim_{z \to -\infty} v = 0 \tag{2.2.13}$$

을 고려하자. 추가로 수심 역시 무한이나 다름없을 정도로 깊은 상황을 가정하자. 표층 경계 조건 (2.2.12)식은 바람이 해양 표면에 전단력을 가함을 의미한다. 바닥 경계 조건 (2.2.13)식은 수심이 깊어지고 외력이 작용하는 표층에서 멀어짐에 따라 유속이 없어짐을 뜻한다. 간단히 (2.2.11)식을 연직 방향으로 적분해 수심 평균한 천해 방정식 관점에서 취송류를 해석해 보자. (2.2.11)식을 표층부터 적분하면

$$-f \int_{-\infty}^{0} v\,dz = A_z \frac{\partial u}{\partial z}\bigg|_{z=0} - A_z \frac{\partial u}{\partial z}\bigg|_{z=-\infty}$$
$$f \int_{-\infty}^{0} u\,dz = A_z \frac{\partial v}{\partial z}\bigg|_{z=0} - A_z \frac{\partial v}{\partial z}\bigg|_{z=-\infty} \tag{2.2.14}$$

를 얻을 수 있다. 여기서 바닥 경계 조건 (2.2.14)식으로부터

$$A_z \frac{\partial u}{\partial z}\bigg|_{z=-\infty} = 0, \quad A_z \frac{\partial v}{\partial z}\bigg|_{z=-\infty} = 0 \tag{2.2.15}$$

임을 알 수 있다. 이와 표층 경계 조건 (2.2.12)식을 (2.2.14)식에 대입하고 정리하면

$$h\bar{v} = -\frac{\tau_x^s}{f\rho_0}, \quad h\bar{u} = \frac{\tau_y^s}{f\rho_0} \tag{2.2.16}$$

이 된다. (2.2.16)식은 전향력 계수가 양수인 북반구에서 북쪽으로 부는 바람($0 < \tau_y^s$)에 대해 동쪽으로 수송($0 < h\bar{u}$)이 일어나고, 동쪽으로 부는 바람($0 < \tau_x^s$)에 남쪽으로 수송($h\bar{v} < 0$)이 일어남을 나타낸다. 결과적으로 북반구($f > 0$)에서 바람이 부는 방향 우측 직각 방향으로 수송이 일어난다. 이 문제는 최초 Ekman (1905)이 제기하고 수학적으로 논의하였으며, 그 이름을 따 에크만 수송(Ekman transport)이라 부른다.

연직 적분 없이 (2.2.11)식을 직접 해석하여 취송류의 연직적인 구조를 조금 더 자세히 알 수 있다. 이를 위해 (2.2.11)식에서 y방향 운동 방정식에 허수 i를 곱한 뒤 x 방향 운동 방정식에 더해 나타내자.

$$\left(-fv = A_z \frac{\partial^2 u}{\partial z^2} \right) + i \left(fu = A_z \frac{\partial^2 v}{\partial z^2} \right)$$

$$\therefore if\vec{u} = A_z \frac{\partial^2 \vec{u}}{\partial z^2} \tag{2.2.17}$$

여기서 $\vec{u} = u + iv$이며 이러한 과정을 복소 좌표계(complex coordinate)로 나태냈다 칭한다. 이처럼 식을 복소 좌표계로 나타내면 두 개의 변수(u와 v)와 각 변수에 해당하는 두 개의 식이, 하나의 변수($\vec{u}$)와 하나의 식으로 줄어들어 수학적인 계산이 보다 편해진다. 같은 방식으로 경계 조건 (2.2.12)식과 (2.2.13)식도

$$A_z \frac{\partial \vec{u}}{\partial z}\bigg|_{z=0} = \frac{\vec{\tau^s}}{\rho_0} \tag{2.2.18}$$

$$\lim_{z \to -\infty} \vec{u} = 0 \tag{2.2.19}$$

로 나타낼 수 있다. 여기서 $\vec{\tau^s} = \tau_x^s + i\tau_y^s$이다. (2.2.17)식은 2계 제차 상미분 방정식임에 유의하라. 일반적인 상미분 방정식의 해법과 같이 해의 기저를 $\vec{u} = e^{jz}$로 가정하고 이를 (2.2.17)식에 대입해 j를 결정하자.

$$if = A_z j^2 \quad \therefore j = \pm\sqrt{i\frac{f}{A_z}} \tag{2.2.20}$$

결과적으로 (2.2.17)식의 일반해는

$$\vec{u} = C_1 e^{\sqrt{i(f/A_z)}z} + C_2 e^{-\sqrt{i(f/A_z)}z} \tag{2.2.21}$$

이 된다. 여기서 $\sqrt{i}$를 오일러의 법칙($e^{ix} = \cos x + i\sin x$)을 바탕으로

$$e^{i\pi/2} = \cos\left(\frac{\pi}{2}\right) + i\sin\left(\frac{\pi}{2}\right) = i \quad \therefore i = e^{i\pi/2}$$

$$\sqrt{i} = e^{i\pi/4} = \cos\left(\frac{\pi}{4}\right) + i\sin\left(\frac{\pi}{4}\right) = \frac{1}{\sqrt{2}}(1+i) \quad \therefore \sqrt{i} = \frac{1}{\sqrt{2}}(1+i) \tag{2.2.22}$$

로 나타낼 수 있다. 이를 (2.2.21)식에 대입하고 정리하면

$$\vec{u} = C_1 e^{z/D_e} e^{iz/D_e} + C_2 e^{-z/D_e} e^{-iz/D_e} \tag{2.2.23}$$

을 얻을 수 있다. 여기서 $D_e = \sqrt{2A_z/f}$이며 이를 에크만 수심(Ekman depth)이라 부른다. 이제 (2.2.23)식에 경계 조건 (2.2.18)식과 (2.2.19)식을 적용하자. 바닥 경계

조건 (2.2.19)식을 만족하기 위해서는 $C_2 = 0$이여야 한다. 그리고 표층 경계 조건을 통해 C_1을 결정할 수 있다.

$$A_z \frac{\partial \vec{u}}{\partial z}\bigg|_{z=0} = C_1 A_z \frac{1+i}{D_e} = \frac{\vec{\tau^s}}{\rho_0}$$
$$\therefore C_1 = \frac{\vec{\tau^s}}{\rho_0 f} \frac{1-i}{D_e} \tag{2.2.24}$$

최종적으로 해는

$$\vec{u} = \frac{\vec{\tau^s}}{\rho_0 f} \frac{1-i}{D_e} e^{z/D_e} e^{iz/D_e} \tag{2.2.25}$$

가 된다. 실수부는 u를 허수부는 v를 나타낸다. 여기서 에크만 수심의 정의로부터 와동 점성 계수를 $A_z = f D_e{}^2 /2$로 나타냈음에 유의하라. (2.2.25)식에서 e^{iz/D_e} 부분은 오일러의 법칙에 따라 단순히 삼각 함수를 나타내고 e^{z/D_e} 부분은 지수 함수로써 수심이 깊어짐($z \to -\infty$)에 따라 크기가 지수적으로 감소함을 나타낸다. 결국 $z/De \ll -1$, 즉 $z \ll -D_e$인 경우 유속은 0으로 수렴한다. 이는 바닥 경계 조건 (2.2.19)에 상응하는 결과이다.

(2.2.25)식을 가시화하면 취송류의 방향은 수심이 깊어짐에 따라 회전하는 구조를 가지는데 이를 에크만 나선(Ekman spiral)이라 부른다. 당연한 결과지만, (2.2.25)식을 연직 적분하면 정확히 (2.2.16)식이 된다. 즉, 이 나선 구조는 연직 적분한 관점에서 바람의 직각 방향으로 수송을 일으키며, 이는 에크만 수송에 해당한다.

2.2.2.2 일반화한 에크만 이론과 바닥 에크만 흐름

앞서 표층 에크만 흐름 논의에서, 경계 조건 (2.2.19)식은 본질적으로 무한히 깊은 수심을 가정하며 또한 압력 경사항을 무시했다. 조금 더 문제를 일반화하여 지배식으로

$$-fv = -g\frac{\partial \eta}{\partial x} + A_z \frac{\partial^2 u}{\partial z^2} \tag{2.2.26}$$

$$fu = -g\frac{\partial \eta}{\partial y} + A_z \frac{\partial^2 v}{\partial z^2} \tag{2.2.27}$$

을 고려하고 경계 조건으로

$$A_z \frac{\partial u}{\partial z}\bigg|_{z=0} = \frac{\tau_x^s}{\rho_0}, \quad A_z \frac{\partial v}{\partial z}\bigg|_{z=0} = \frac{\tau_y^s}{\rho_0} \tag{2.2.28}$$

$$u|_{z=-h} = 0, \quad v|_{z=-h} = 0 \tag{2.2.29}$$

그림 2.5: (2.2.25)식이 나타내는 에크만 흐름의 연직적 구조. 적색 화살표는 바람의 방향을 뜻한다. 북반구 기준, 바람 응력의 우측 45° 방향으로 표층 해류가 나타나며 수심이 깊어질수록 해류의 방향은 시계 방향으로 회전하고 그 세기는 지수적으로 감소한다. 연직 적분 관점에서, 수송은 바람 우측 직각 방향으로 일어난다. 가시화에 사용한 계수는 $\vec{\tau}^s = 0.1\,Pa$, $\rho_0 = 1025\,kg/m^3$, $f = 10^{-4}s^{-1}$, $D_e = 10\,m$이다.

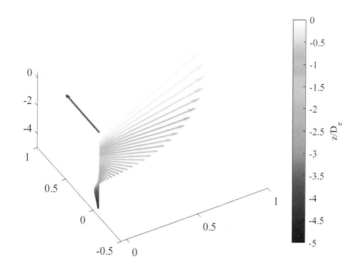

를 사용하자. 이제 운동 방정식에서 압력 경사를 추가적으로 고려하고 경계 조건에서 유한한 수심을 고려한다. 이 일반화한 문제는 Ekman (1905)과 Welander (1957)가 논의하였다. 이를 복소 좌표계로 나타내면

$$if\vec{u} = -g\frac{\partial \eta}{\partial \vec{n}} + A_z\frac{\partial^2 \vec{u}}{\partial z^2} \quad \left(\frac{\partial \eta}{\partial \vec{n}} = \frac{\partial \eta}{\partial x} + i\frac{\partial \eta}{\partial y}\right) \tag{2.2.30}$$

$$A_z\frac{\partial \vec{u}}{\partial z}\bigg|_{z=0} = \frac{\vec{\tau}^s}{\rho_0} \tag{2.2.31}$$

$$\vec{u}|_{z=-h} = 0 \tag{2.2.32}$$

가 된다. (2.2.4)식에서 테일러-프라우드만 이론이 나태내듯 지배식 (2.2.30)식에서 압력 경사항은 z에 대한 함수가 아닌 상수이다. 결과적으로 (2.2.30)식은 압력 경사항을 외력으로 두는 2계 비제차 상미분 방정식으로 생각할 수 있고 미정계수법을 사용해 해를 구할 수 있다. 이를 위해, 해를 제차 성분($\vec{u}_h$)과 비제차 성분($\vec{u}_p$)으로 나누자

$(\vec{u} = \vec{u}_h + \vec{u}_p)$. 각 성분의 지배식은

$$i f \vec{u}_h = A_z \frac{\partial^2 \vec{u}_h}{\partial z^2} \qquad (2.2.33)$$

$$i f \vec{u}_p = -g \frac{\partial \eta}{\partial \vec{n}} + A_z \frac{\partial^2 \vec{u}_p}{\partial z^2} \qquad (2.2.34)$$

가 된다. 여기서 외력인 압력 경사항이 z에 대한 상수이기 때문에 비제차 성분도 상수일 것으로 가정하고 비제차 성분의 지배식 (2.2.34)식에 대입하자. 이 때, z에 대한 미분이 존재하는 우변 마지막 연직 확산항이 소거되며 아래의 식을 얻을 수 있다.

$$i f \vec{u}_p = -g \frac{\partial \eta}{\partial \vec{n}} \quad \therefore \vec{u}_p = i \frac{g}{f} \frac{\partial \eta}{\partial \vec{n}} \qquad (2.2.35)$$

결과적으로 (2.2.33)식은 에크만 흐름에 대한 지배식이, (2.2.35)식은 지형류에 대한 지배식이 된다. 이는 제차 성분이 에크만 흐름 성분을, 비제차 성분이 지형류 성분을 의미함을 나타낸다. 제차 성분의 지배식 (2.2.33)식의 해는 앞서 구한 (2.2.21)식과 같고 비제차 성분은 (2.2.35)식이 되어 일반해는

$$\begin{aligned} \vec{u} &= \vec{u}_h + \vec{u}_p \\ &= C_1 e^{jz} + C_2 e^{-jz} + i \frac{g}{f} \frac{\partial \eta}{\partial \vec{n}} \end{aligned} \qquad (2.2.36)$$

이 된다. 여기서 $j = (1+i)/D_e$이다. 이제 경계 조건을 이용하여 C_1과 C_2를 결정하면 해를 구할 수 있다. 표층 경계 조건 (2.2.31)식과 바닥 경계 조건 (2.2.32)식을 적용하면 각각

$$\rho A_z \frac{\partial \vec{u}}{\partial z} \bigg|_{z=0} = \vec{\tau^s} \quad \rightarrow \quad \rho A_z (j C_1 - j C_2) = \vec{\tau^s}$$
$$\therefore C_1 - C_2 = \frac{\vec{\tau^s}}{\rho A_z j} \qquad (2.2.37)$$

$$u|_{z=-h} = 0 \quad \rightarrow \quad e^{-jh} C_1 + e^{jh} C_q + i \frac{g}{f} \frac{\partial \eta}{\partial \vec{n}} = 0$$
$$\therefore e^{-jh} C_1 + e^{jh} C_2 = -i \frac{g}{f} \frac{\partial \eta}{\partial \vec{n}} \qquad (2.2.38)$$

을 얻을 수 있다. 여기서 (2.2.37)식을 C_1에 대해 정리해서 (2.2.38)식에 대입하고, 같은 방식으로 C_2에 대해 정리해서 대입하는 방식으로 연립하자.

$$\begin{aligned} C_1 &= \frac{1}{2 \cosh(jh)} \left(-i \frac{g}{f} \frac{\partial \eta}{\partial \vec{n}} + \frac{\vec{\tau^s}}{\rho A_z j} e^{jh} \right) \\ C_2 &= \frac{1}{2 \cosh(jh)} \left(-i \frac{g}{f} \frac{\partial \eta}{\partial \vec{n}} - \frac{\vec{\tau^s}}{\rho A_z j} e^{-jh} \right) \end{aligned} \qquad (2.2.39)$$

여기서 $\cosh(x) = (e^x + e^{-x})/2$이다. 이를 일반해 (2.2.36)식에 대입하고 정리하면 최종적인 해

$$\vec{u} = \frac{\vec{\tau^s}}{\rho A_z j} \frac{\sinh(j(z+h))}{\cosh(jh)} - i\frac{g}{f}\frac{\partial\eta}{\partial\vec{n}}\frac{\cosh(jz)}{\cosh(jh)} + i\frac{g}{f}\frac{\partial\eta}{\partial\vec{n}} \tag{2.2.40}$$

을 구할 수 있다. 여기서 $\sinh(x) = (e^x - e^{-x})/2$이다. (2.2.40)식에서 첫 번째 항은 바람 응력에 의해 발생하는 취송류 성분을 의미하며 마지막 항은 지형류 성분이다. 두 번째 항이 이 지형류와 바닥 간 마찰로 인해 발생하는 바닥 에크만 성분을 의미한다. 조금 더 문제를 간단히 만들기 위해 $\partial\eta/\partial y = 0$와 $\vec{\tau^s} = 0$을 가정해 바람이 없고 북쪽으로 향하는 지형류만 존재하는 경우를 생각하자. 이 경우 (2.2.40)식은

$$\vec{u} = -i\frac{g}{f}\frac{\partial\eta}{\partial x}\frac{\cosh(jz)}{\cosh(jh)} + i\frac{g}{f}\frac{\partial\eta}{\partial x} \tag{2.2.41}$$

로 간략화된다. (2.2.41)식을 가시화하면 북반구 기준으로 지형류 방향의 좌측으로 에크만 나선이 나타나는 것을 볼 수 있다(그림 2.6). 전향력은 북반구에서 힘이 작용하는 방향의 오른쪽으로 향하는 흐름을 만들어 낸다. 마찰력은 흐름의 반대 방향으로 작용함에 유의하라. 북향하는 지형류에 대한 마찰력은 남쪽 방향으로 작용하고, 이 마찰력에 대한 에크만 흐름은 오른쪽인 서쪽을 향한다.

이제 연직 적분을 통해 바닥 에크만 흐름이 만들어내는 수송의 방향을 알아보자. (2.2.41)식을 표층에서 바닥까지 적분하면

$$\begin{aligned}\int_{-h}^0 \vec{u}dz &= -i\frac{g}{f}\frac{\partial\eta}{\partial x}\frac{1}{\cosh(jh)}\int_{-h}^0 \cosh(jz)dz + i\frac{g}{f}\frac{\partial\eta}{\partial x}\int_{-h}^0 dz \\ &= -i\frac{g}{f}\frac{\partial\eta}{\partial x}\frac{1}{\cosh(jh)}\left[\frac{1}{j}\sinh(jz)\right]_{-h}^0 + i\frac{g}{f}\frac{\partial\eta}{\partial x}[z]_{-h}^0 \\ &= -\frac{i}{j}\frac{g}{f}\frac{\partial\eta}{\partial x}\tanh(jh) + ih\frac{g}{f}\frac{\partial\eta}{\partial x}\end{aligned} \tag{2.2.42}$$

가 된다. 여기서 $\tanh(x) = \sinh(x)/\cosh(x) = (e^x - e^{-x})/(e^x + e^{-x})$이다. 이 때, $\tanh(x)$는 $x \to \infty$일 때 1로 수렴한다. 따라서 수심이 에크만 수심보다 매우 깊은 경우, $\tanh(jh) \approx 1$로 쓸 수 있고, (2.2.42)식을 전개하고 정리해 실수 부분과 허수 부분을 구분해 나누면

$$\int_{-h}^0 \vec{u}dz = -\frac{i}{j}\frac{g}{f}\frac{\partial\eta}{\partial x} + ih\frac{g}{f}\frac{\partial\eta}{\partial x}$$
$$\to \int_{-h}^0 udz + i\int_{-h}^0 vdz = \left(-\frac{D_e}{2}\frac{g}{f}\frac{\partial\eta}{\partial x}\right) + i\left(-\frac{D_e}{2}\frac{g}{f}\frac{\partial\eta}{\partial x} + h\frac{g}{f}\frac{\partial\eta}{\partial x}\right) \tag{2.2.43}$$

그림 2.6: (2.2.41)식이 나타내는 바닥 에크만 흐름의 연직적 구조. 배경 흐름(지형류)의 반대 방향으로 바닥 마찰력이 작용하고 북반구 기준 마찰력의 우측 방향으로 흐름이 나타난다. 결과적으로 배경 흐름의 좌측을 향하는 바닥 에크만 흐름이 나타난다. 가시화에 사용한 계수는 $(g/f)\partial\eta/\partial x = 0.05 \, m/s$, $D_e = 10 \, m$, $h = 100 \, m$이다.

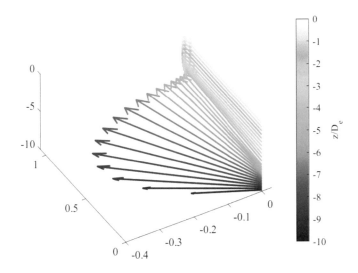

으로 나타낼 수 있다. 최종적으로 x방향 수송은

$$h\bar{u} = \int_{-h}^{0} u\,dz = -\frac{D_e}{2}\frac{g}{f}\frac{\partial\eta}{\partial x} = -\frac{D_e}{2}v_p \qquad (2.2.44)$$

가 된다. 이는 북향하는 지형류($0 < v_p$)에 대해 음의 방향인 서쪽으로 수송이 일어남을 나타낸다. 즉, 북반구에서 바닥 에크만 흐름은 지형류의 좌측 직각 방향을 향한다. 마찰력은 흐름의 반대 방향으로 작용하고, 전향력이 이 힘의 우측 직각 방향으로 흐름을 만듦을 생각하면 바닥 에크만 흐름의 방향을 쉽게 이해할 수 있다.

문제 1.

일반화한 에크만 이론의 지배식 (2.2.26)식과 (2.2.27)식을 표층 경계 조건 (2.2.12)식과 바닥 경계 조건

$$A_z \frac{\partial u}{\partial z}\bigg|_{z=-h} = \gamma u, \quad A_z \frac{\partial v}{\partial z}\bigg|_{z=-h} = \gamma v \qquad (2.2.45)$$

를 이용해 연직 적분하여 아래의 천해 방정식을 유도하라.

$$-f\bar{v} = -g\frac{\partial \eta}{\partial x} + \frac{\tau_x^s}{\rho h} - \frac{\gamma}{h}\bar{u}$$

$$f\bar{u} = -g\frac{\partial \eta}{\partial y} + \frac{\tau_y^s}{\rho h} - \frac{\gamma}{h}\bar{v}$$

$$\left(\bar{u} = \frac{1}{h}\int_0^{-h} u\,dz,\ \bar{v} = \frac{1}{h}\int_0^{-h} v\,dz\right)$$

(2.2.46)

문제 2.

유도한 천해 방정식 (2.2.46)식에서 편의를 위해 바람 응력이 없고 북향하는 지형류 성분만 존재한다 생각하자. 이 경우 y방향 운동 방정식은

$$f\bar{u} = -g\frac{\partial \eta}{\partial y} - \frac{\gamma}{h}\bar{v}$$

(2.2.47)

로 간략화된다. (2.2.47)식에서 유속 성분을 지형류 성분과 에크만 흐름 성분으로 나누고($\bar{u} = \bar{u_g} + \bar{u_e}$, $\bar{v} = \bar{v_g} + \bar{v_e}$) 규모 분석을 시행하라. 이 때, 지형류 성분이 에크만 성분보다 훨씬 지배적인 경우, 북반구에서($f > 0$) 에크만 성분은 지형류 성분 방향의 좌측 직각 방향을 향함을 보여라. 결국 이는 바닥 에크만 수송을 의미한다.

문제 3.

여기서 규모 분석을 통해 지형류 성분이 에크만 성분보다 지배적인 경우는 $\sqrt{A_z/f} \ll h$ 인 경우임을 보여라. 이 때, 바닥 경계 조건의 규모 분석하면 얻을 수 있는 $A_z/h \approx \gamma$을 사용하라. $\sqrt{A_z/f}$는 에크만 수심에 상응하고 결국 이는 전체 수심이 에크만 수심보다 깊은 경우를 의미한다.

문제 4.

Welander (1957)가 바닥 경계 조건으로 사용한 (2.2.32)식은 미끌어짐 없음을 나타낸다. 일반화한 에크만 이론의 지배식 (2.2.26)식과 (2.2.27)식을 바닥 경계 조건 (2.2.45)식을 이용하여 해를 구하라(D. Kim et al., 2023). 표층 경계 조건은 (2.2.12)식을 그대로 사용하라.

문제 5.

위의 문제에서 바닥 경계 조건 (2.2.27)식을 사용해 구한 해는 $\gamma \to \infty$일 때, Welander (1957)의 해인 (2.2.40)식으로 수렴함을 보여라(D. Kim et al., 2023). 미끌어짐 없음 경계 조건이 의미하는 바는 무엇인가?

Chapter 3

선형 천해

3.1 풍성 순환

바람이 해양에 가하는 응력은 순환을 일으키는 가장 큰 외력이며 대규모의 순환을 만들어 낸다. 로스비 수가 1보다 매우 작은 규모의 균일 밀도 해양에서 운동 방정식과 보존 방정식은 아래와 같이 간략히 나타낼 수 있다.

$$-fv = -g\frac{\partial \eta}{\partial x} + \frac{\partial}{\partial z}\left(A_z \frac{\partial u}{\partial z}\right) \tag{3.1.1}$$

$$fu = -g\frac{\partial \eta}{\partial y} + \frac{\partial}{\partial z}\left(A_z \frac{\partial v}{\partial z}\right) \tag{3.1.2}$$

$$\frac{\partial u}{\partial x} + \frac{\partial v}{\partial y} + \frac{\partial w}{\partial z} = 0 \tag{3.1.3}$$

1.3.1장에서 천해 방정식을 유도한 것과 같은 방식으로, (3.1.1)-(3.1.3)식을 바닥에서 해면까지 연직 방향으로 적분하고 선형 동역학적 경계 조건과 운동학적 경계 조건을 사용해 지배식을 천해 방정식으로 나타내면

$$-f\bar{v} = -g\frac{\partial \eta}{\partial x} + \frac{\tau_x^s}{\rho_0 h} - \frac{\gamma}{h}\bar{u} \tag{3.1.4}$$

$$f\bar{u} = -g\frac{\partial \eta}{\partial y} + \frac{\tau_y^s}{\rho_0 h} - \frac{\gamma}{h}\bar{v} \tag{3.1.5}$$

$$\frac{\partial \bar{u}}{\partial x} + \frac{\partial \bar{v}}{\partial y} = 0 \tag{3.1.6}$$

가 된다. 여기서 연직 적분한 보존 방정식 (3.1.6)식에서 정상 상태를 가정해 $\partial\eta/\partial t$를 소거했으며 상수 수심을 가정하고 있음에 유의하라. x방향 운동 방정식 (3.1.4)식을 y로 미분하고 y방향 운동 방정식 (3.1.5)식을 x로 미분한 뒤 두 식을 빼 압력 경사항을 소거하자.

$$-\frac{\partial f}{\partial y}\bar{v} - f\left(\frac{\partial \bar{u}}{\partial x} + \frac{\partial \bar{v}}{\partial y}\right) = \frac{1}{\rho_0 h}\left(\frac{\partial \tau_x^s}{\partial y} - \frac{\partial \tau_y^s}{\partial x}\right) - \frac{\gamma}{h}\left(\frac{\partial \bar{u}}{\partial y} - \frac{\partial \bar{v}}{\partial x}\right) \qquad (3.1.7)$$

이는 와도 방정식에 상응한다. 전향력의 회전에서 유도되는 좌변 첫 번째 항을 행성 β 효과(planetary beta effect)항이라 부른다. 우변의 첫 번째 항과 두 번째 항은 바람 응력의 회전과 바닥 마찰 응력의 회전을 나타낸다. 여기서 보존 방정식 (3.1.6)식을 대입해 좌변 두 번째 항을 소거할 수 있다. 앞서 와도 보존 방정식 (1.3.43)식의 유도에서는 여기에 상대 와도 ξ라는 고계(higher order) 변수를 도입해 식을 간단한 형태로 만들었다. 풍성 순환 문제를 비롯하여 지구 물리 규모의 정상 상태 흐름에 자주 사용되는 고계 변수는 유선 함수(stream function)로

$$\bar{u} = -\frac{\partial \psi}{\partial y}, \quad \bar{v} = \frac{\partial \psi}{\partial x} \qquad (3.1.8)$$

로 정의된다. 여기서 ψ가 유선 함수이다. 이러한 고계 변수를 도입하는 첫 번째 이유는 u와 v, 두 개의 변수가 하나의 고계 변수로 통합되는 것이다. 더욱이, 이 유선 함수의 정의인 (3.1.8)식을 보존 방정식 (3.1.6)식의 좌변에 대입해 보면

$$\frac{\partial \bar{u}}{\partial x} + \frac{\partial \bar{v}}{\partial y} = -\frac{\partial^2 \psi}{\partial x \partial y} + \frac{\partial^2 \psi}{\partial x \partial y} = 0 \qquad (3.1.9)$$

가 되어 0이 되는데, 이는 유선 함수 ψ가 무엇이 되었든 그 정의에 있어 보존 방정식 (3.1.6)식을 항상 만족하는 함수임을 의미한다. 유선 함수 (3.1.8)식을 (3.1.7)식에 대입하여, 지배식을 유선 함수에 대한 식으로 나타내면

$$
\begin{aligned}
-\frac{\partial f}{\partial y}\frac{\partial \psi}{\partial x} &= \frac{1}{\rho_0 h}\left(\frac{\partial \tau_x^s}{\partial y} - \frac{\partial \tau_y^s}{\partial x}\right) - \frac{\gamma}{h}\left(-\frac{\partial^2 \psi}{\partial y^2} - \frac{\partial^2 \psi}{\partial x^2}\right) \\
\therefore \frac{\gamma}{h}&\left(\frac{\partial^2 \psi}{\partial x^2} + \frac{\partial^2 \psi}{\partial y^2}\right) + \frac{\partial f}{\partial y}\frac{\partial \psi}{\partial x} = \frac{1}{\rho_0 h}\left(\frac{\partial \tau_y^s}{\partial x} - \frac{\partial \tau_x^s}{\partial y}\right)
\end{aligned}
\qquad (3.1.10)
$$

이 된다. 바람 응력이

$$\tau_x^s = -\tau_0 \cos(\frac{\pi y}{L_y}), \quad \tau_y^s = 0 \qquad (3.1.11)$$

그림 3.1: (3.1.11)식이 나타내는 바람 응력의 공간적 분포와 바람 응력 회전. 이는 북반구에서 나타나는 바람장을 간단히 나타낸 것이다. 가시화에 사용한 계수는 $L_x = 10^7\,m$, $L_y = 2\pi \times 10^6\,m$, $\tau_0 = 0.1\,Pa$, $\rho = 1025\,kg/m^3$이다.

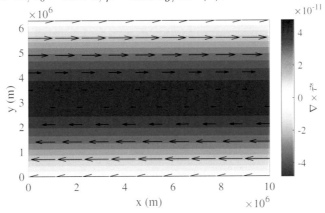

로 주어진 경우를 생각하자. 이는 북반구의 남쪽에서 서향하는 무역풍이 북쪽에서 동향하는 편서풍이 부는 것을 모사한 것이다. 이 경우, 바람 응력의 회전은

$$\nabla \times \vec{\tau}^s = \frac{\partial \tau_y^s}{\partial x} - \frac{\partial \tau_x^s}{\partial y} = -\frac{\tau_0 \pi}{L_y}\sin(\frac{\pi y}{L_y}) \tag{3.1.12}$$

가 된다. 3.1그림은 가시화한 바람 응력과 그 회전을 보여준다. 최종적으로 이 풍성 순환 문제에서 유선 함수 ψ의 지배식은

$$\frac{\gamma}{h}\left(\frac{\partial^2 \psi}{\partial x^2} + \frac{\partial^2 \psi}{\partial y^2}\right) + \frac{\partial f}{\partial y}\frac{\partial \psi}{\partial x} = -\frac{\tau_0 \pi}{\rho_0 h L_y}\sin(\frac{\pi y}{L_y}) \tag{3.1.13}$$

이 된다. 경계 조건으로

$$\psi|_{x=0} = 0 \tag{3.1.14}$$

$$\psi|_{x=L_x} = 0 \tag{3.1.15}$$

$$\psi|_{y=0} = 0 \tag{3.1.16}$$

$$\psi|_{y=L_y} = 0 \tag{3.1.17}$$

을 사용하자. 이렇게 경계에서의 유선 함수 값을 0으로 고정하면 경계와 평행한 방향의 경사가 없다. 이는 유선 함수의 정의에 따라 경계 법선 방향 흐름이 없음을 나타낸다. 결과적으로 이 경계 조건은 사방이 육지로 닫혀있는 경우를 나타낸다. 하지만 경계에서

ψ의 값이 0이라고 해서(예를 들어, $\psi|_{x=0}$), 경계 법선 방향의 기울기를 뜻하는 미분 값($\partial\psi/\partial x|_{x=0} = \bar{v}|_{x=0}$)이 0이라는 법은 없다. 이는 경계에서 경계와 평행한 방향의 흐름을 허용함을 나타내며 미끄러짐 경계 조건(free slip boundary condition)이라 부른다.

3.1.1 f평면에서의 풍성 순환

만약 전향력 계수가 상수인 f평면의 경우($\partial f/\partial y = 0$), (3.1.7)식에서 첫 번째 항이 소거된다.

$$\frac{1}{\rho_0 h}\nabla \times \vec{\tau}^s = \frac{\gamma}{h}\nabla \times \vec{u}$$
$$\left(\nabla \times \vec{\tau}^s = \frac{\partial \tau_y^s}{\partial x} - \frac{\partial \tau_x^s}{\partial y}, \nabla \times \vec{u} = \frac{\partial \bar{v}}{\partial x} - \frac{\partial \bar{u}}{\partial y}\right) \tag{3.1.18}$$

(3.1.18)식은 바람 응력의 회전(curl)과 같은 방향으로 유속이 회전함을 나타낸다. 지배식 (3.1.1)식과 (3.1.2)식에는 단순히 지형류와 취송류 2개의 유속 성분만 존재한다. 시계 방향으로 회전하는 바람(음의 회전)이 해양에 가해지는 경우를 생각해 보자. 이 경우 취송류에 의한 에크만 수송은 안쪽을 향하며 수렴하는 흐름을 만들고, 이는 해수를 쌓아 올려 해면 고도의 증가를 야기한다. 이렇게 쌓여진 해면은 시계 방향의 지형류를 만들게 된다. 전향력 계수와 수심이 상수인 경우, 지형류는 해면을 변동시키지 못함을 상기하라. 하지만 지형류와 바닥 간의 마찰은 바닥 에크만 흐름을 만들고, 시계 방향 지형류 흐름이 만드는 바닥 에크만 흐름의 수송은 쌓인 물의 바깥 방향을 향한다. (3.1.18)식은 바닥 에크만 흐름의 발산이 표층 에크만 흐름의 수렴을 상충할 수 있을 때, 해면의 변화는 멈추고 정상 상태에 도달함을 암시한다. 같은 방식으로 양의 회전을 가지는 반시계 방향 바람은 발산하는 에크만 수송을 만들고 이는 해면 고도를 감소시켜 반시계 방향의 지형류를 만든다. 이에 대한 바닥 에크만 수송은 물이 패인 방향으로 수렴하며 표층 에크만 수송(발산)을 상충한다. 결과적으로 큰 규모 해양의 거동에서 가장 지배적인 유속 성분은 지형류이지만, 지형류와 그를 결정하는 해면 고도는 비지형류에 의해 결정되는 구조가 나타나는 것을 알 수 있다.

3.1.2 β평면에서의 풍성 순환

3.1.2.1 스베드럽 균형

전향력 계수가 상수가 아닌 경우를 생각해 보자. 많은 이론 연구에서 전향력 계수를 y에 대한 선형 함수 $f = \beta y + f_0$로 정의하는데, 이를 β평면 가정(β-plane approximation)이라 부른다. β평면에서는 (3.1.7)식의 첫 번째 항을 무시할 수 없다.

$$\beta \bar{v} + \frac{\gamma}{h} \nabla \times \vec{u} = \frac{1}{\rho_0 h} \nabla \times \vec{\tau}^s \tag{3.1.19}$$

(3.1.19)식을 간략히 만들기 위해 규모 분석을 시행하자. 여기서 우변의 바람 응력 회전항은 규모 분석에 고려할 필요가 없는데 이는 바람 응력 회전이 외력이기 때문이다. 주어진 외력이 어떠한 항과 어떠한 비율로 균형을 이루는 지가 시스템의 역학을 결정한다. (3.1.19)식에 $\bar{u} = U\bar{u}^*$, $\bar{v} = U\bar{v}^*$, $x = Lx^*$, $y = Ly^*$을 대입해 무차원화하면

$$(\beta U)\,\bar{v}^* + \left(\frac{\gamma U}{hL}\right) \nabla \times \vec{u}^* = \frac{1}{\rho_0 h} \nabla \times \vec{\tau}^s \tag{3.1.20}$$

이 된다. 전향력의 구배에서 유도되는 첫 번째 항과 마찰력의 회전을 나타내는 두 번째 항의 상대적인 중요성을 살펴보자. 수평적 공간 규모가 충분히 큰 해양 경우 첫 번째항이 더 지배적으로 작용함을 알 수 있으며, 이를 근거로 두 번째 항을 무시하자. 전향력의 변화는 매우 큰 수평 규모의 해양에서 고려됨을 상기하라.

$$\beta \bar{v} = \frac{1}{\rho_0 h} \nabla \times \vec{\tau}^s \tag{3.1.21}$$

이 식은 y방향 유속 성분이 바람 응력 회전에 의해 결정됨을 보여준다. 이러한 개념은 Sverdrup (1947)이 처음 논의해 (3.1.21)식을 스베드럽 균형(Sverdrup balance)이라 부른다. x방향 유속 성분은 보존 방정식을 통해 산출된다. 유선 함수를 도입하면 보다 용이하게 수평 방향의 유속장을 얻을 수 있다. (3.1.21)식에 유선 함수의 정의 (3.1.8)식을 대입해, 지배식을 유선 함수를 사용해 나타내면

$$\beta \frac{\partial \psi}{\partial x} = \frac{1}{\rho_0 h} \nabla \times \vec{\tau}^s \tag{3.1.22}$$

가 되고 이를 x로 적분하여 유선 함수를 구할 수 있다.

$$\psi = \int_0^{L_x} \frac{1}{\rho_0 h \beta} \nabla \times \vec{\tau}^s \, dx \tag{3.1.23}$$

그림 3.2: 가시화한 스베드럽 균형의 분석해 (3.1.25). 모든 흐름이 남쪽을 향하며 북향하는 흐름은 존재하지 않는다. 사용한 계수는 $h = 200\,m$, $\beta = 10^{-11}\,s^{-1}m^{-1}$이며 그외 계수는 그림 3.1에 사용한 값과 같다.

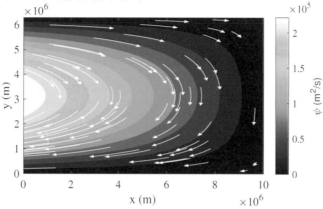

바람 응력 회전 (3.1.12)식을 (3.1.23)식에 대입하고 적분을 시행하여 유선 함수를 결정하자.

$$\psi = \left(-\frac{\tau_0 \pi}{\rho_0 L_y h \beta} \sin(\pi y/L_y) \right) x + C \tag{3.1.24}$$

여기서 C는 x에 독립인 적분 상수이며 y에 대한 함수가 될 수 있다. 이 적분 상수는 경계 조건을 통해 결정된다. 경계 조건으로 (3.1.15)식을 사용하자. 이를 사용해 적분 상수를 구하면

$$\psi = \left(-\frac{\tau_0 \pi}{\rho_0 L_y h \beta} \sin(\pi y/L_y) \right) (x - L_x) \tag{3.1.25}$$

를 얻을 수 있다. 주어진 바람 응력 회전 (3.1.12)식은 항상 0보다 작음거나 같음에 유의하라. 이 경우, 스베드럽 균형 (3.1.21)식에 따라 y방향 유속 성분 역시 항상 0보다 작거나 같아야 하며 이는 흐름이 항상 남쪽을 향함을 나타낸다. 스베드럽 균형의 분석해에 해당하는 유선 함수 (3.1.25)식을 가시화하면 이 특징이 잘 나타난다(그림 3.2). 하지만 보존 방정식의 관점에서 남쪽으로 향한 흐름은 어딘가에서 북향하여 되돌아가야하나 이는 스베드럽 균형에 나타나지 않는다. 이는 스베드럽 균형 지배식의 한계라 할 수 있다. 북향류는 스베드럽 균형에서 고려하지 못한 나머지 경계 $x = 0$에서 나타날 것으로 예상할 수 있다. 경계 조건은 $x = L_x$ 뿐만 아니라 $x = 0$에도 적용되어야 하지만, 원형의 지배식 (3.1.13)식에서 2계 미분항을 소거해 버린 (3.1.22)식은 1계 미분 방정식이 되어 단 하나의 경계 조건만을 고려할 수 있다. 앞서 에크만 흐름에서

논의 했던 것과 유사하게, 넓은 관점에서 마찰항에서 유도된 2계 미분항은 무시할 수 있을 정도로 작지만, 적어도 $x = 0$ 경계 주변의 좁은 지역에서 중요한 역할을 함을 암시한다.

3.1.2.2 스톰멜 풍성 순환과 서안 강화 해류

스베드럽 균형의 분석해는 풍성 순환 문제의 내부해(interior solution)라고도 불린다. 이는 스베드럽 균형식이 규모가 크고 마찰이 무시할 수 있을 정도로 작은 해양의 넓은 내부 영역에서만 합당한 식이기 때문이다. 앞서 언급한 대로, 스베드럽 균형식이 고려하지 못한 나머지 한 쪽 경계에서 흐름은 전혀 모사하지 못하며, 여기에는 마찰이 지배적으로 작용하는 다른 역학이 존재할 것이다. 이를 이론적으로 다루기 위한 방법은 마찰을 무시하는 근사없이 지배식 (3.1.19)식의 해를 직접 구하는 것이다. 유선 함수를 사용해 나타낸 형태인 (3.1.13)식은 선형 2계 비제차 편미분 방정식으로 해를 비교적 쉽게 구할 수 있다. 이는 Stommel (1948)이 처음 논의해 스톰멜 풍성 순환 문제라 불리기도 한다.

먼저 해를 제차 성분(ψ_h)과 비제차 성분(ψ_p)으로 나누자($\psi = \psi_h + \psi_p$). 각 성분에 대한 지배식은

$$\frac{\gamma}{h}\left(\frac{\partial^2 \psi_h}{\partial x^2} + \frac{\partial^2 \psi_h}{\partial y^2}\right) + \beta\frac{\partial \psi_h}{\partial x} = 0 \tag{3.1.26}$$

$$\frac{\gamma}{h}\left(\frac{\partial^2 \psi_p}{\partial x^2} + \frac{\partial^2 \psi_p}{\partial y^2}\right) + \beta\frac{\partial \psi_p}{\partial x} = -\frac{\tau_0 \pi}{\rho_0 h L_y}\sin(\pi y/L_y) \tag{3.1.27}$$

이다. 이제 비제차 성분을 결정하자. 미정계수법에 따라 비제차 성분을 외력의 형태와 같은 삼각 함수 $\psi_p = A\sin(\pi y/L_y)$로 가정하고 지배식 (3.1.27)식에 대입해 A를 결정하면

$$\psi_p = \frac{\tau_0 L_y}{\rho_0 \gamma \pi}\sin(\pi y/L_y) \tag{3.1.28}$$

을 구할 수 있다. 제차 성분을 구하기 위해 해를 $\psi_h = X(x)Y(y)$ 형태로 가정하고 (3.1.26)식에 대입하자.

$$\frac{\gamma}{h}\left(X''Y + XY''\right) + \beta X'Y = 0$$
$$\therefore \frac{X'' + (h\beta/\gamma)X'}{X} = -\frac{Y''}{Y} = \lambda \tag{3.1.29}$$

위의 식에서 x에 대한 함수인 좌변과 y에 대한 함수인 우변이 같기 위해선 두 함수가 모두 상수(λ)일 수 밖에 없다. 이를 이용하면 편미분 방정식 문제인 (3.1.26)식을 2개의

상미분 방정식 문제($X'' + (h\beta/\gamma)X' = \lambda X$, $Y'' = -\lambda Y$)로 나타낼 수 있다. 먼저 비교적 간단한 $-Y''/Y = \lambda$을 살펴보자. 해를 $Y = e^{ly}$로 가정하고 지배식 $-Y''/Y = \lambda$에 대입하면

$$l^2 = -\lambda \to l = \pm\sqrt{-\lambda}$$
$$\therefore Y = e^{\pm\sqrt{-\lambda}y}$$
(3.1.30)

을 얻을 수 있다. 이는 λ의 부호에 따라 Y의 형태가 크게 달라지는 것을 암시하는데, $\lambda < 0$인 경우 Y는 지수 함수의 형태를, $\lambda > 0$인 경우 삼각 함수의 형태를, $\lambda = 0$인 경우 1차 다항식의 형태를 가진다. 경계 조건 (3.1.16)식과 (3.1.17)식을 사용하면

$$\psi(x,0) = \psi_h(x,0) + \psi_p(x,0) = X(x)Y(0) + 0 = 0 \quad \therefore Y(0) = 0$$
$$\psi(x,L_y) = \psi_h(x,L_y) + \psi_p(x,L_y) = X(x)Y(L_y) + 0 = 0 \quad \therefore Y(L_y) = 0$$
(3.1.31)

을 알 수 있는데, 지수 함수나 1차 다항식은 이 경계 조건을 만족할 수 없다. 따라서 경계 조건을 충족하기 위해선 $\lambda > 0$가 되어 Y는 삼각 함수 형태를 가져야 한다. 결국 Y의 일반해는 $Y = C_1 \sin(\sqrt{\lambda}y) + C_2 \cos(\sqrt{\lambda}y)$가 된다. 여기에 경계 조건 (3.1.31)식을 적용하면 C_1과 C_2를 구할 수 있다.

$$Y(0) = C_1 \sin(0) + C_2 \cos(0) = 0 \quad \therefore C_2 = 0$$
$$Y(L_y) = C_1 \sin(\sqrt{\lambda}L_y) = 0$$
(3.1.32)

두 번째 식은 $C_1=0$ 또는 $\sin(\sqrt{\lambda}L_y) = 0$을 나타내는데 전자는 자명해($Y = 0$)에 해당하며 후자로부터 $\sqrt{\lambda}L_y = n\pi$임을 알 수 있다. 여기서 n은 임의의 자연수이다. 결과적으로 λ는 $\lambda = (n\pi/L_y)^2$으로 결정되고 Y는

$$Y = \sum_{n=1}^{\infty} C_n \sin(n\pi y/L_y)$$
(3.1.33)

이 된다. 같은 방식으로 X의 형태를 $X = e^{kx}$로 가정하고 그 지배식 $X'' + (h\beta/\gamma)X' = \lambda X$에 대입하는 방식으로 일반해를 구하면

$$X = C_3 e^{k_+ x} + C_4 e^{k_- x}$$
$$\left(k_+ = \frac{-h\beta/\gamma + \sqrt{(h\beta/\gamma)^2 + 4\lambda}}{2}, \; k_- = \frac{-h\beta/\gamma - \sqrt{(h\beta/\gamma)^2 + 4\lambda}}{2}\right)$$
(3.1.34)

를 알 수 있다. 이제 (3.1.28), (3.1.33), (3.1.34)식을 바탕으로 ψ의 일반해는

$$
\begin{aligned}
\psi &= \psi_h + \psi_p \\
&= \left(C_3 e^{k_+ x} + C_4 e^{k_- x}\right) \sum_{n=1}^{\infty} C_n \sin(n\pi y/L_y) + \frac{\tau_0 L_y}{\rho_0 \gamma \pi} \sin(\pi y/L_y)
\end{aligned}
\tag{3.1.35}
$$

가 된다. 여기에 나머지 경계 조건 (3.1.14)식과 (3.1.15)식을 적용해 보자. 먼저 경계 조건 (3.1.14)식을 사용하자.

$$
\begin{aligned}
\psi(0,y) &= (C_3 + C_4) \sum_{n=1}^{\infty} C_n \sin(n\pi y/L_y) + \frac{\tau_0 L_y}{\rho_0 \gamma \pi} \sin(\pi y/L_y) = 0 \\
(C_3 + C_4) &\sum_{n=1}^{\infty} C_n \sin(n\pi y/L_y) = -\frac{\tau_0 L_y}{\rho_0 \gamma \pi} \sin(\pi y/L_y) \\
&\therefore C_1 C_3 + C_1 C_4 = -\frac{\tau_0 L_y}{\rho_0 \gamma \pi}
\end{aligned}
\tag{3.1.36}
$$

여기서 좌변과 우변의 삼각 함수 부분을 맞추려면 $n=1$을 제외한 $n>1$인 모든 C_n이 0이 되어야 함에 유의하라. 이는 문제를 매우 간단하게 만들며 삼각 함수 형태의 외력을 사용할 때 얻는 이점이다. 이 스톰멜의 풍성 순환 문제 뿐 아니라 많은 이론 연구에서 수학적 편의를 위해 삼각 함수 형태의 외력을 사용한다. 나머지 경계 조건 (3.1.15)식을 적용하면

$$
\begin{aligned}
\psi(L_x,y) &= (C_3 e^{k_+ L_x} + C_4 e^{k_- L_x})C_1 \sin(\pi y/L_y) + \frac{\tau_0 L_y}{\rho_0 \gamma \pi} \sin(\pi y/L_y) = 0 \\
&\therefore C_1 C_3 e^{k_+ L_x} + C_1 C_4 e^{k_- L_x} = -\frac{\tau_0 L_y}{\rho_0 \gamma \pi}
\end{aligned}
\tag{3.1.37}
$$

을 얻을 수 있다. 마지막으로 (3.1.36)식과 (3.1.37)식을 연립해 합쳐진 적분 상수 $C_1 C_3$와 $C_1 C_4$를 구하면 ψ가 완벽히 결정된다.

$$
\begin{aligned}
\psi &= -\frac{\tau_0 L_y}{\rho_0 \gamma \pi} \sin(\pi y/L_y) \left(\frac{(e^{k_- L_x}-1)e^{k_+ x} + (1-e^{k_+ L_x})e^{k_- x}}{e^{k_- L_x} - e^{k_+ L_x}} - 1 \right) \\
k_+ &= \frac{-h\beta/\gamma + \sqrt{(h\beta/\gamma)^2 + 4\lambda}}{2} \\
k_- &= \frac{-h\beta/\gamma - \sqrt{(h\beta/\gamma)^2 + 4\lambda}}{2} \\
\lambda &= \left(\frac{\pi}{L_y}\right)^2
\end{aligned}
\tag{3.1.38}
$$

이 해는 계수 β에 따라 풍성 순환이 어떻게 변하는지 잘 보여준다. 전향력 계수가 상수여서 $\beta=0$인 경우, 유선 함수는 좌우 대칭을 이루며 바람 응력의 회전 방향과 같은

그림 3.3: 가시화한 스톰멜 풍성 순환 문제의 해 (3.1.38). β가 커짐에 따라 해면이 서쪽으로 쏠리며 서안 강화 현상이 나타난다. 사용한 계수는 $h = 200\,m$, $\beta = 10^{-11}\,s^{-1}m^{-1}$, $\gamma = 5 \times 10^{-4}$이며 그 외 계수는 3.1그림에 사용한 값과 같다.

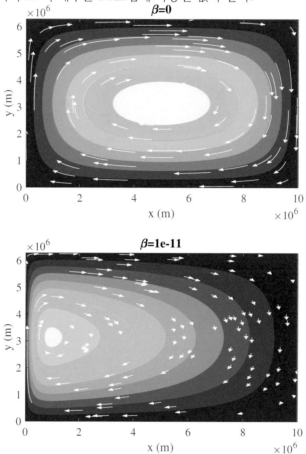

방향의 흐름을 보여준다. β가 증가함에 따라 유선 함수는 좌측으로 쏠리며 서안 경계에 가파른 유선 함수의 경사가 나타내는데, 이는 $\beta = 0$인 경우에 비해 서안에서의 지형류가 강화함을 의미한다. 이를 서안 강화(westerly intensification) 현상이라 부른다. 천해 방정식의 바닥 마찰 응력항에서 마찰은 유속과 비례하기 때문에, 서안 강화 해류 처럼 유속이 강한 경우 마찰이 지배적으로 작용할 수 밖에 없다. 스베드럽 균형이 나타나지 않는 f평면에서는 서안 강화 현상도 나타나지 않는다. f평면에서 지형류는 해면의 고도에 영향을 주지 못하지만 β평면에서 지형류 자체가 해면을 변동 시킬 수 있다. β

평면에서는 전향력 계수 f가 작은 남쪽의 지형류가 북쪽보다 강하다. 따라서 서쪽의 북향류에 대해 남쪽에서 북향하는 지형류가 북쪽에서 북향하는 지형류보다 강해 수렴하는 흐름이 나타나고 이는 해면 고도를 증가시킨다. 같은 원리로 동쪽에서는 남쪽에서 남향하는 지형류가 북쪽에서 남향하는 지형류보다 강해 발산하는 흐름이 나타나 해면 고도가 감소한다. 결과적으로 서쪽의 해면은 증가하고 동쪽의 해면은 감소해 해면을 한쪽으로 이동시켜 치우치게 한다. 이를 β효과(β-effect)라 부른다. 이렇게 비대칭으로 변한 해면에서 경사가 더 급격한 서쪽의 지형류가 동쪽보다 매우 커진다. 이처럼 β효과는 해면을 동에서 서로 이동시키는 역할을 하며 자세한 논의는 3.2.7장에서 이어진다.

3.1.2.3 교란 이론을 이용한 근사해와 경계층 문제

앞서 전형적인 선형 편미분 방정식의 해법에 따라 풍성 순환 문제의 정확한 해(exact solution)를 구했다면, 이번에는 Pedlosky (1987)의 저서(5.5 Stommel's Model: Bottom Friction Layer)에서 소개한 근사해(approximated solution)를 구해보자. 많은 해양 현상에서 지배식은 복잡한 미분 방정식이며 정해를 얻을 수 있는 경우는 매우 제한되어 있어 근사해를 구하는 방법을 사용한다. 더군다나 근사해의 수식은 정해보다 훨씬 간단하기 때문에 추가적인 수학적 분석이 용이하고 물리적 해석에 있어 더 나은 직관을 제공하기도 한다.

먼저 유선 함수의 지배식 (3.1.13)식에, $x = Lx^*$, $y = Ly^*$, $\psi = \Psi\psi^*$를 대입해 무차원화해 보자.

$$
\begin{aligned}
&\frac{\gamma}{h}\left(\frac{\partial^2\psi}{\partial x^2} + \frac{\partial^2\psi}{\partial y^2}\right) + \beta\frac{\partial\psi}{\partial x} = \frac{1}{\rho_0 h}\nabla\times\vec{\tau}_s \\
&\rightarrow \left(\frac{\gamma\Psi}{hL^2}\right)\left(\frac{\partial^2\psi^*}{\partial x^{*2}} + \frac{\partial^2\psi^*}{\partial y^{*2}}\right) + \left(\frac{\beta\Psi}{L}\right)\frac{\partial\psi^*}{\partial x^*} = \left(\frac{\beta\Psi}{L}\right)\nabla\times\vec{\tau}_s^* \qquad (3.1.39)\\
&\rightarrow \epsilon\left(\frac{\partial^2\psi^*}{\partial x^{*2}} + \frac{\partial^2\psi^*}{\partial y^{*2}}\right) + \frac{\partial\psi^*}{\partial x^*} = \nabla\times\vec{\tau}_s^* \quad \left(\epsilon = \frac{L_S}{L}, \quad L_S = \gamma/(h\beta)\right)
\end{aligned}
$$

여기서 외력항인 바람 응력 회전의 규모는 1이 될 수 있게 β효과항의 규모와 같게 정의하였다. 무차원수 ϵ에 따라 근사해가 결정되는데, 상대적으로 큰 공간 규모에 대해 ϵ이 1보다 매우 작은 수임을 알 수 있다. 즉, $\epsilon \ll 1$이며 공간 규모 L이 $L_S = \gamma/(h\beta)$보다 매우 큰 경우를 나타낸다. 이 때, 지배식은 스베드럽 균형 (3.1.22)식으로 근사할 수 있으며 이 경우의 유선 함수는 그 해인 (3.1.25)식으로 근사한다. 반면 스베드럽 균형이 고려하지 못한 $x = 0$ 경계 주변의 상대적으로 좁은 지역($L \ll L_S$)에서는 마찰항이 중요하게 작용하는 다른 흐름 성분이 존재할 것이다. 이를 역학적으로 논하기 위해 이번에는 L_S를 x의 규모로 잡고($x = L_S x^* = \gamma/(h\beta)x^*$) 지배식 (3.1.13)식을 무차원화해 보자.

$$\frac{\gamma}{h}\left(\frac{\partial^2 \psi}{\partial x^2} + \frac{\partial^2 \psi}{\partial y^2}\right) + \beta\frac{\partial \psi}{\partial x} = \frac{1}{\rho_0 h}\nabla \times \vec{\tau}_s$$
$$\rightarrow \left(\frac{\gamma\Psi}{hL_S{}^2}\right)\frac{\partial^2 \psi^*}{\partial x^{*2}} + \left(\frac{\gamma\Psi}{hL^2}\right)\frac{\partial^2 \psi^*}{\partial y^{*2}} + \left(\frac{\beta\Psi}{L_S}\right)\frac{\partial \psi^*}{\partial x^*} = \left(\frac{\beta\Psi}{L}\right)\nabla \times \vec{\tau}_s{}^* \quad (3.1.40)$$
$$\rightarrow \frac{\partial^2 \psi^*}{\partial x^{*2}} + \epsilon^2\frac{\partial^2 \psi^*}{\partial y^{*2}} + \frac{\partial \psi^*}{\partial x^*} = \epsilon\nabla \times \vec{\tau}_s{}^*$$

(3.1.12)식에서 정의한 외력항인 바람 응력 회전은 x에 독립이기 때문에 외력항의 규모는 변화없음에 유의하라. 이 경우 가장 지배적인 힘의 균형은 좌변의 첫 번째 항(y 방향 유속의 마찰항)과 세 번째 항(β효과항)이다. 이를 바탕으로 이 좁은 경계 지역에서 지배적인 흐름 성분에 대한 지배식은

$$\frac{\gamma}{h}\frac{\partial^2 \psi}{\partial x^2} + \beta\frac{\partial \psi}{\partial x} = 0 \quad (3.1.41)$$

로 간략화할 수 있다. 이제 유선 함수를 내부 성분과 경계 성분으로 나누고($\psi = \psi_I + \psi_B$), 내부 성분(ψ_I)은 스베드럽 균형 (3.1.22)식이, 경계 성분(ψ_B)은 (3.1.41)식이 지배한다 생각하자. x에 대한 선형 상미분 방정식인 (3.1.41)식의 일반해는

$$\psi_B = C_1 e^{-(\beta h/r)x} + C_2 \quad (3.1.42)$$

이다. 적분 상수 C_1과 C_2는 x에 대한 상수이며 y에 대해서는 함수일 수 있음에 유의하라. 이는 경계 조건으로 결정할 수 있다. 경계 조건 역시 간략화해 보자. 만약 x가 좌측 경계에서 매우 멀리 떨어진 $L_S \ll x$에서는 경계 성분의 영향이 거의 없고 내부 성분만 남아 있을 것이다. 따라서 간략화한 경계 조건으로

$$\lim_{x\to\infty} \psi = \psi_I \quad \rightarrow \quad \lim_{x\to\infty} \psi_B = 0 \quad (3.1.43)$$

을 생각할 수 있고 이를 바탕으로 $C_2 = 0$임을 알 수 있다. 좌측 경계 조건 (3.1.14)식은

$$\psi|_{x=0} = \psi_I|_{x=0} + \psi_B|_{x=0} = 0$$
$$\therefore \psi_B|_{x=0} = -\psi_I|_{x=0} = -\psi_I \quad (3.1.44)$$

로 나타낼 수 있다. 경계 성분의 지배식 (3.1.41)식에는 외력항이 없음에 유의하라. 경계 성분에 대한 외력은 위의 경계 조건 (3.1.44)식을 통해 주어지며, 내부 성분(ψ_I)이 경계 성분에 대한 외력으로 작용한다. 이는 경계 성분을 만들어내는 직접적인 외력이 바람이 아닌 내부 흐름임을 암시한다. 여기서 ψ_I는 (3.1.25)식과 같다. 이 경계 조건 (3.1.44)식을 이용해 (3.1.42)식에서 C_1을 추가로 결정하면 $\psi_B = -\psi_I e^{x/L_S}$가 되는데, 이는 경계 성분이 좌측 경계에서 멀어질수록 지수적으로 가파르게 감쇄해 평평해 짐을 나타낸다. 유선 함수의 정의($\bar{v} = \partial\psi/\partial x$)를 생각해 보면, ψ_B의 경사가 가파른 $x \ll L_x$ 에서 경계 흐름이 나타남을 유추할 수 있다. 결국 L_S는 스톰멜 풍성 순환 문제에서 서안 강화 해류의 너비에 해당한다. 이렇게 결정한 경계 성분과 내부 성분의 해 (3.1.25)식을 바탕으로 근사해는

$$\psi = -\frac{\tau_0 \pi}{\rho_0 L_y h \beta} \sin(\pi y/L_y) \left(L_x e^{-x/L_S} + x - L_x \right) \tag{3.1.45}$$

가 된다.

이 근사해는 정해와 분명히 다르며 더군다나 정해가 포함하고 있는 몇 가지 역학을 포함하지 못한다. 예를 들어 정해 (3.1.38)식은 $\beta = 0$인 경우의 순환을 모사할 수 있지만 근사해 (3.1.45)식은 분모에 β를 가지고 있어 $\beta = 0$인 경우에 ψ가 결정되지 않는다. 앞서 근사해의 유도에 있어 내부에서는 스베드럽 균형이 지배적임을 가정했음에 유의하라. β가 0에 가까운 경우, β효과 항은 내부에서도 마찰항에 비해 매우 작아 근사해 유도에 사용한 기본적인 가정이 깨어진다. 하지만 적어도 β가 충분히 큰 범위에 한 해서는, 근사해는 충분히 정해와 비슷하며(3.4그림), 정해가 보여주는 가장 큰 특징인 β 계수 증가에 따른 유선 함수의 질적인 변화 역시 정해와 일치한다. 특히 현상의 논의에 있어 중요하지 않은 부분들을 제거함으로써 수식이 간단해 지고, 이는 더 강한 역학적 직관을 제공한다.

이처럼 정해가 아닌 근사해를 구하는 대표적인 실용 수학이 교란 이론(perturbation theory)이다. 이 근사해 역시 교란 이론에서 경계층 문제(boundary layer problem) 해법을 바탕으로 한다. 교란 이론을 조금 더 체계적으로 적용하는 예시는 3.2.4장에서 논의한다.

그림 3.4: 가시화한 스톰멜 풍성 순환 문제의 정해 (3.1.38)식과 근사해 (3.1.45)식의 비교. 근사해는 정해와 충분히 비슷하나 β가 작은 경우 양적으로 차이를 보인다. 사용한 계수는 그림 (3.3)에서 사용한 값과 같다.

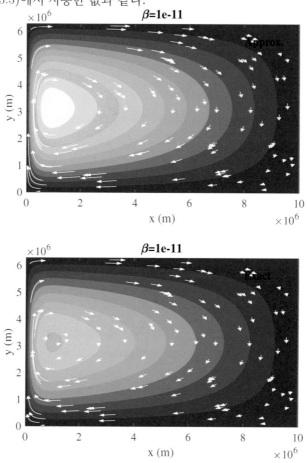

문제 6.

(3.1.4)-(3.1.6)식에 의해 지배되는 시스템에서 마찰이 없는 경우$(\gamma = 0)$ 해가 존재하는가? 이 시스템에서 해는 정상 상태의 존재를 나타냄에 유의하라.

문제 7.

스베드럽 균형의 또 다른 한계는 내부 흐름이 시계 방향인지 반시계 방향인지 알 수 없다는 것이다. (3.1.24)식에서 $\psi|_{x=0} = 0$을 경계 조건으로 사용하여 적분 상수를 결정해 유선 함수를 구하고 가시화하라. 이 경우 반시계 방향의 흐름이 나타난다.

문제 8.

마찰을 고려한 관점에서 반시계 방향 흐름의 스베드럽 균형이 합당하지 못한 물리적인 이유는 무엇인가?

3.1.2.4 멍크 순환

앞서 Stommel (1948)이 논의했던 풍성 순환 문제에서 수평 와동 점성항을 무시하고 바닥 경계 조건을 통해 바닥 마찰만을 고려했다. 하지만 서안의 좁고 북향하는 유속 성분이 매우 강한 서안에서는 수평 와동 점성항을 무시할 수 없을 지도 모른다. 바닥 마찰이 아닌 서안 경계와 흐름 간의 수평적인 마찰이 지배적인 경우의 풍성 순환은 Munk (1950)가 처음 논의했다. 지배식으로

$$-f\bar{v} = -g\frac{\partial \eta}{\partial x} + \frac{\tau_x^s}{\rho_0 h} \tag{3.1.46}$$

$$f\bar{u} = -g\frac{\partial \eta}{\partial y} + \frac{\tau_y^s}{\rho_0 h} + A_h\frac{\partial^2 \bar{v}}{\partial x^2} \tag{3.1.47}$$

$$\frac{\partial \bar{u}}{\partial x} + \frac{\partial \bar{v}}{\partial y} = 0 \tag{3.1.48}$$

을 생각하자. 여기서 (3.1.47)식의 x방향 와동 점성항 외 다른 수평 와동 점성항을 모두 무시했다. 이는 수평 와동 점성항이 지배적인 서안 지역이 x방향으로 좁고 y방향으로 매우 길고 $\bar{u}$보다 $\bar{v}$유속 성분이 훨씬 강함을 바탕으로한 간략화이다. 앞서 행했던 것과 같은 방식으로 (3.1.47)식을 x로 미분하고 (3.1.46)식을 y로 미분한 뒤 빼주면

$$\beta\bar{v} = \frac{1}{\rho_0 h}\nabla \times \vec{\tau}_s + A_h\frac{\partial^3 v}{\partial x^3} \tag{3.1.49}$$

가 되고 여기에 유선 함수 (3.1.8)식을 대입해, 지배식을 유선 함수로 나타내고 정리하면

$$A_h\frac{\partial^4 \psi}{\partial x^4} - \beta\frac{\partial \psi}{\partial x} = -\frac{1}{\rho_0 h}\nabla \times \vec{\tau}_s \tag{3.1.50}$$

을 얻을 수 있으며 이가 멍크 풍성 순환 문제의 지배식이다. 이는 4계 선형 미분 방정 식으로 앞서 소개한 근사해를 구하는 방법으로 비교적 손쉽게 근사해를 구할 수 있다. 경계 조건으로

$$\psi|_{x=0} = 0 \tag{3.1.51}$$

$$\frac{\partial \psi}{\partial x}\bigg|_{x=0} = 0 \tag{3.1.52}$$

$$\lim_{x \to \infty} \psi = \psi_I \tag{3.1.53}$$

를 고려하자. 여기서 경계 조건 (3.1.52)식은 서안 경계에서 $\bar{v} = 0$을 나타내는데 이는 미끄러지지 않음 경계 조건(no slip boundary condition)을 의미한다. 동안에 필요한 2개의 경계 조건은 근사한 경계 조건 (3.1.53)식으로 대체한 것이다. 먼저 $x = Lx^*$, $y = Ly^*$, $\psi = \Psi\psi^*$를 대입해 규모 분석을 시행하자.

$$A_h \frac{\partial^4 \psi}{\partial x^4} - \beta \frac{\partial \psi}{\partial x} = -\frac{1}{\rho_0 h} \nabla \times \vec{\tau}_s$$
$$\rightarrow \left(A_h \frac{\Psi}{L^4} \right) \frac{\partial^4 \psi^*}{\partial x^{*4}} - \left(\beta \frac{\Psi}{L} \right) \frac{\partial \psi^*}{\partial x^*} = \left(\beta \frac{\Psi}{L} \right) \nabla \times \vec{\tau}_s^{\,*} \tag{3.1.54}$$
$$\rightarrow \epsilon^3 \frac{\partial^4 \psi^*}{\partial x^{*4}} - \frac{\partial \psi^*}{\partial x^*} = \nabla \times \vec{\tau}_s^{\,*} \quad \left(\epsilon = \frac{L_M}{L}, \; L_M = \left(\frac{A_h}{\beta} \right)^{1/3} \right)$$

이는 넓은 공간 규모에 대해 첫 번째 항이 매우 작음을 보여준다. 따라서 내부 영역에서 지배식은 스베드럽 균형으로 근사할 수 있고 내부 성분(ψ_I)은 스톰멜 풍성 순환 문제와 마찬가지로 (3.1.25)식으로 생각할 수 있다. 이번에는 경계 성분을 구하기 위해 공간 규모를 $x = L_M x^* = (A_h/\beta)^{1/3} x^*$로 잡고 규모 분석을 시행하면

$$A_h \frac{\partial^4 \psi}{\partial x^4} - \beta \frac{\partial \psi}{\partial x} = -\frac{1}{\rho_0 h} \nabla \times \vec{\tau}_s$$
$$\rightarrow \left(A_h \frac{\Psi}{L_M^4} \right) \frac{\partial^4 \psi^*}{\partial x^{*4}} - \left(\beta \frac{\Psi}{L_M} \right) \frac{\partial \psi^*}{\partial x^*} = \left(\beta \frac{\Psi}{L} \right) \nabla \times \vec{\tau}_s^{\,*} \tag{3.1.55}$$
$$\rightarrow \frac{\partial^4 \psi^*}{\partial x^{*4}} - \frac{\partial \psi^*}{\partial x^*} = \epsilon \nabla \times \vec{\tau}_s^{\,*}$$

가 되며 이를 바탕으로 경계 성분(ψ_B)에 대한 지배식은

$$A_h \frac{\partial^4 \psi_B}{\partial x^4} - \beta \frac{\partial \psi_B}{\partial x} = 0 \tag{3.1.56}$$

으로 근사할 수 있다. 일반해를 구하기 위해 해를 $\psi_B = e^{kx}$로 가정하고 (3.1.56)식에 대입하면

$$A_h k^4 - \beta k = 0 \; \rightarrow \; k(k^3 - (1/L_M)^3) = 0$$
$$\rightarrow \; k(k - 1/L_M)(k^2 + k/L_M + (1/L_M)^2) = 0 \tag{3.1.57}$$
$$\therefore k = 0, \; \frac{1}{L_M}, \; \frac{-1 + i\sqrt{3}}{2L_M}, \; \frac{-1 - i\sqrt{3}}{2L_M}$$

을 구할 수 있다. 여기서 세 번째와 네 번째 k에 대한 기저를 오일러 법칙을 사용해

그림 3.5: 가시화한 멍크 풍성 순환 문제의 근사해 (3.1.65)식과 스톰멜 풍성 순환 문제의 근사해 (3.1.45)식의 비교. 멍크 순환 문제에 대해 $A_h = 100m^2/s$를 사용했으며 그외 계수는 그림 3.4에서 사용한 값과 같다.

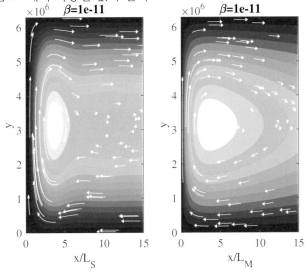

나타내면

$$\psi_{B3} = e^{(-1+i\sqrt{3})x/(2L_M)} = e^{-x/(2L_M)}e^{i\sqrt{3}x/(2L_M)}$$
$$= e^{-x/(2L_M)}\left(\cos\left(\frac{\sqrt{3}x}{2L_M}\right) + i\sin\left(\frac{\sqrt{3}x}{2L_M}\right)\right) \tag{3.1.58}$$

$$\psi_{B4} = e^{(-1-i\sqrt{3})x/(2L_M)} = e^{-x/(2L_M)}e^{-i\sqrt{3}x/(2L_M)}$$
$$= e^{-x/(2L_M)}\left(\cos\left(\frac{\sqrt{3}x}{2L_M}\right) - i\sin\left(\frac{\sqrt{3}x}{2L_M}\right)\right) \tag{3.1.59}$$

가 된다. 중첩의 법칙에 따라 기저에 상수를 곱하고 기저끼리 더한 것 역시 기저가 될 수 있음에 유의하라. 이를 바탕으로 새로운 기저를

$$\psi'_{B3} = \frac{\psi_{B3} + \psi_{B4}}{2} = e^{-x/(2L_x)}\cos\left(\frac{\sqrt{3}x}{2L_M}\right) \tag{3.1.60}$$

$$\psi'_{B4} = \frac{\psi_{B3} - \psi_{B4}}{2i} = e^{-x/(2L_x)}\sin\left(\frac{\sqrt{3}x}{2L_M}\right) \tag{3.1.61}$$

으로 정의하면 허수 부분이 없는 형태의 기저를 얻을 수 있다. 이는 일반적인 상미분 방정식의 해법에서 삼각 함수 형태의 기저를 얻을 때 사용하는 방법과 같다. 따라서

(3.1.56)식의 일반해는

$$\psi_B = C_1 + C_2 e^{x/L_M} + C_3 e^{-x/(2L_M)}\cos\left(\frac{\sqrt{3}x}{2L_M}\right) + C_4 e^{-x/(2L_M)}\sin\left(\frac{\sqrt{3}x}{2L_M}\right) \tag{3.1.62}$$

가 된다. 이제 경계 조건을 적용하면 적분 상수를 결정할 수 있다. 근사한 경계 조건 (3.1.53)식을 통해 $C_1 = C_2 = 0$을 알 수 있다. C_3과 C_4는 나머지 조건 (3.1.51)식과 (3.1.52)식으로 결정할 수 있는데, 여기서 (3.1.51)식은

$$\psi(0,y) = \psi_I(0,y) + \psi_B(0,y) = 0 \quad \therefore \psi_B(0,y) = -\psi_I(0,y)$$
$$\to C_3 = -\frac{\tau_0 \pi L_x}{\rho_0 h \beta L_y}\sin\left(\frac{\pi y}{L_y}\right) \tag{3.1.63}$$

이 되며, (3.1.52)식은 서안 경계에서 $\bar{v}$가 내부 성분이 지배적임을 이용해

$$\left.\frac{\partial \psi}{\partial x}\right|_{x=0} \approx \left.\frac{\partial \psi_B}{\partial x}\right|_{x=0} = 0$$
$$\to -C_3 + \sqrt{3}C_4 = 0 \tag{3.1.64}$$

로 근사할 수 있다. (3.1.63)식과 (3.1.64)식을 이용해 남은 적분 상수를 결정하면

$$
\begin{aligned}
\psi &= \psi_B + \psi_I \\
&= -\frac{\tau_0 \pi}{\rho_0 h \beta L_y}\sin\left(\frac{\pi y}{L_y}\right) \\
&\quad \times \left(x - L_x + L_x e^{-x/(2L_M)}\left(\cos\left(\frac{\sqrt{3}x}{2L_M}\right) + \frac{1}{\sqrt{3}}\sin\left(\frac{\sqrt{3}x}{2L_M}\right)\right)\right)
\end{aligned} \tag{3.1.65}
$$

를 얻을 수 있다. 3.5그림은 스톰멜과 멍크의 풍성 순환 문제 근사해를 보여주는데, 서안 강화가 나타나는 것은 일관되나 서안 강화 해류의 세부적인 구조가 차이가 나는 것을 보여준다. 특히 멍크 순환은 서안에서 조금 떨어진 지역에 반류(countercurrent)와 재순환(recirculation)이 나타나는 것이 특징적이다.

3.2 파동과 시간 변동성

3.2.1 관성 진동

먼저 전향력의 존재가 관성 운동에 어떤 영향을 주는지 알아보자. 해양에 압력 경사를 포함한 어떠한 외력도 가해지지 않는 경우를 생각하고 관성항과 전향력을 제외한 모든

항을 무시하자. 이 경우, 운동 방정식은 아래와 같이 간략화된다.

$$\frac{\partial \bar{u}}{\partial t} - f\bar{v} = 0$$
$$\frac{\partial \bar{v}}{\partial t} + f\bar{u} = 0 \tag{3.2.1}$$

전향력이 없는 경우($f = 0$), 지배식은 $\partial \bar{u}/\partial t = 0$과 $\partial \bar{v}/\partial t = 0$이 되며 이는 유속이 시간에 따라 변하지 않는 상수로 등속도 운동함을 나타낸다. 전향력이 존재하는 경우를 논의하기 위해 (3.2.1)식의 직접적인 해를 구해보자. 먼저 (3.2.1)식을 복소 좌표계로 나타내자. y방향 운동 방정식에 허수 i를 곱하고 x방향 운동방정식에 더하면

$$\frac{\partial \vec{u}}{\partial t} + if\vec{u} = 0 \tag{3.2.2}$$

가 된다. 여기서 $\vec{u} = \bar{u} + i\bar{v}$이다. (3.2.2)식은 1계 상미분 방정식으로 쉽게 해석할 수 있다. 해의 기저로 $\vec{u} = e^{-wt}$를 가정하고 (3.2.2)식에 대입하면 $w = if$를 얻을 수 있고, 일반해는 $\vec{u} = Ce^{-ift}$가 된다. 초기 조건으로 $\vec{u}|_{t=0} = \vec{U}_0 = U_0 + iV_0$을 생각하자. 이를 통해 C를 결정하면 최종적인 해

$$\vec{u} = \vec{U}_0 e^{-ift} \tag{3.2.3}$$

을 얻을 수 있다. 여기서 (3.2.3)식에서 지수 함수 부분을 오일러의 법칙을 사용해 $e^{-ift} = \cos(-ft) + i\sin(-ft)$로 나타낼 수 있다. 이를 이용해 (3.2.3)식을 풀어쓰면

$$\bar{u} + i\bar{v} = (U_0 + iV_0)(\cos(ft) - i\sin(ft))$$
$$= (U_0\cos(ft) + V_0\sin(ft)) + i(V_0\cos(ft) - U_0\sin(ft)) \tag{3.2.4}$$
$$\therefore \bar{u} = U_0\cos(ft) + V_0\sin(ft) \quad \bar{v} = V_0\cos(ft) - U_0\sin(ft)$$

가 된다. 결과적으로 전향력이 존재하는 경우($f \neq 0$), 유속은 3.6그림처럼 $2\pi/f$ 주기로 진동하는 삼각 함수로 나타내며, 이를 관성 진동(inertial oscillation)이라 부른다. 이 관성 진동은 실제 해양에서 유속을 직접 관측한 시계열에서 쉽게 볼 수 있으며 관성 진동이 아닌 다른 유속 성분을 연구하기 위해선 이 관성 진동 성분을 제거하는 과정을 거친다.

이렇게 구한 유속을 시간에 대해 적분하여 위치에 대한 정보를 얻어 보자. 여기서 위치는 물 입자의 궤적을 나타낸다. f평면을 가정하고 (3.2.4)식을 시간에 대해 적분하면

$$X = \int \bar{u}\,dt = \frac{U_0}{f}\sin(ft) - \frac{V_0}{f}\cos(ft) + C_1 \tag{3.2.5}$$

그림 3.6: 가시화한 관성 진동의 이론해 (3.2.4). 각 유속 성분은 $2\pi/f$의 주기로 진동한다. 유속과 물 입자의 궤적은 원을 그리며 움직인다. 가시화에 사용한 계수는 $f = 10^{-4}\,s^{-1}$, $U_0 = 0\,m/s$, $V_0 = 0.1\,m/s$이다.

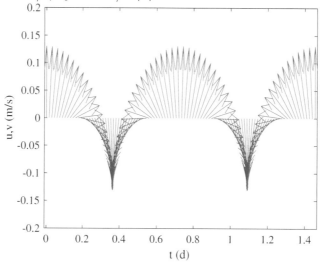

$$Y = \int \bar{v}\,dt = \frac{V_0}{f}\sin(ft) + \frac{U_0}{f}\cos(ft) + C_2 \tag{3.2.6}$$

을 얻을 수 있다. 여기서 X와 Y는 각각 물 입자의 x방향과 y방향 좌표를 나타낸다. 적분 상수 C_1과 C_2는 물 입자의 초기 조건으로 결정할 수 있다. (3.2.5)식과 (3.2.6)식에서 우변의 적분 상수를 좌편으로 옮긴 뒤 제곱하여 더하고 정리하면

$$(X - C_1)^2 + (Y - C_2)^2 = \frac{{U_0}^2 + {V_0}^2}{f^2} \tag{3.2.7}$$

을 얻을 수 있다. 이는 원의 방정식임에 유의하라. 결과적으로 관성 진동에 의한 물 입자의 궤적은 원을 그리는 것을 알 수 있다. 이러한 원의 궤적은 표층 뜰개를 사용한 관측에서 자주 나타난다.

문제 9.

천해 방정식에서 관성 진동을 나타내는 관성항과 전향력 항 외에 압력 경사항을 추가로 고려하자. 이 경우, 지배식은

$$\begin{aligned}
\frac{\partial u}{\partial t} - fv &= -fv_g \\
\frac{\partial v}{\partial t} + fu &= fu_g
\end{aligned} \tag{3.2.8}$$

로 쓸 수 있다. 여기서 u_g와 v_g는 지형류 성분을 나타낸다. 이를 상수로 가정하고 초기 조건으로 $u = U_0$과 $v = V_0$을 사용해 연립 미분 방정식 (3.2.8)식을 풀어 u와 v를 결정하라.

문제 10.

위의 문제에서 구한 유속을 시간에 대해 적분하여 물 입자의 궤적을 구하고 가시화하라. 편의를 위해 f평면을 가정하라. 이 물 입자 궤적에 대한 정해는 입자 추적 수치 프로그램의 검증을 위해 사용하곤 한다(Fabbroni, 2009).

3.2.2 공명

이번에는 천해 방정식에서, 관성 진동에 추가로 바람 응력항을 고려해 보자. 이 경우, 지배식은

$$\frac{\partial \bar{u}}{\partial t} - f\bar{v} = \frac{\tau_x^s}{\rho h}$$
$$\frac{\partial \bar{v}}{\partial t} + f\bar{u} = \frac{\tau_y^s}{\rho h} \tag{3.2.9}$$

가 된다. y방향 운동 방정식에 i를 곱하고 x방향 운동 방정식에 더해 이를 복소 좌표계로 나타내자.

$$\frac{\partial \vec{u}}{\partial t} + i f\vec{u} = \frac{\vec{\tau}^s}{\rho h} \tag{3.2.10}$$

여기서 $\vec{u} = \bar{u} + i\bar{v}$, $\vec{\tau}^s = \tau_x^s + i\tau_y^s$이다. 바람 응력은 많은 경우 주기성을 가지고 있다. 연안 지역에서 바람은 육지와 바다의 온도 차이에 의해 구동되며 계절 변동에 의한 계절풍(monsoon)은 1년 주기를, 밤과 낮 일일 변동에 의한 해풍(sea breeze)과 육풍(land breeze)은 하루의 주기를 가진다. 따라서 바람 응력을 아래와 같이 정의하자.

$$\vec{\tau}^s = \vec{\tau}_0^s e^{-iw_0 t} \tag{3.2.11}$$

이는 오일러의 법칙에 따라 바람 응력을 삼각 함수 형태로 정의하는 것과 같음에 유의하라. $\vec{\tau}_0^s$와 ω_0는 시간에 독립적인 임의의 상수이며 각각 바람 응력의 진폭과 주파수를 의미한다. 결국 지배식 (3.2.10)식은 바람 응력을 외력으로 가지는 비제차 1계 상미분 방정식이 된다. 문제의 초기 조건으로 $\vec{u}|_{t=0} = 0$을 고려하자. 해를 제차 성분($\vec{u_h}$)과 비제차 성분($\vec{u_p}$)으로 나누었을 때($\vec{u} = \vec{u_h} + \vec{u_p}$), 각 성분의 지배식은

$$\frac{\partial \vec{u_h}}{\partial t} + i f\vec{u_h} = 0 \tag{3.2.12}$$

$$\frac{\partial \vec{u_p}}{\partial t} + if\vec{u_p} = \frac{\vec{\tau_0^s}}{\rho h}e^{-iw_0 t} \tag{3.2.13}$$

이 된다. 제차 성분 지배식 (3.2.12)식은 관성 진동의 지배식과 같고 이 식의 일반해는 관성 진동의 일반해 $\vec{u_h} = Ce^{-ift}$가 된다. 미정 계수법에 따라, 비제차 성분의 기저를 외력항과 같은 형태 $\vec{u_p} = Ae^{Bt}$로 가정하고 (3.2.13)식에 내입해 계수를 결정하면

$$\frac{\partial \vec{u_p}}{\partial t} + if\vec{u_p} = \frac{\vec{\tau_0^s}}{\rho h}e^{-iw_0 t} \rightarrow A(B + if)e^{Bt} = \frac{\vec{\tau_0^s}}{\rho h}e^{-iw_0 t}$$

$$\therefore A = \frac{\vec{\tau_0^s}}{\rho h}\frac{1}{i(f - w_0)}, \quad B = -iw_0 \tag{3.2.14}$$

를 알 수 있다. 최종적으로 비제차 성분은

$$\vec{u_p} = \frac{\vec{\tau_0^s}}{\rho h}\frac{1}{i(f - w_0)}e^{-iw_0 t} \tag{3.2.15}$$

가 된다. 마지막으로 초기 조건을 이용해 제차 성분의 적분 상수 C를 결정하면 해를 결정할 수 있다.

$$\vec{u} = \vec{u_h} + \vec{u_p} = Ce^{-ift} + \frac{\vec{\tau_0^s}}{\rho h}\frac{1}{i(f - w_0)}e^{-iw_0 t}$$

$$\vec{u}|_{t=0} = 0 \rightarrow C + \frac{\vec{\tau_0^s}}{\rho h}\frac{1}{i(f - w_0)} = 0 \tag{3.2.16}$$

$$\therefore C = -\frac{\vec{\tau_0^s}}{\rho h}\frac{1}{i(f - w_0)}$$

$$\therefore \vec{u} = \frac{\vec{\tau_0^s}}{\rho h}\frac{1}{i(f - w_0)}\left(e^{-iw_0 t} - e^{-ift}\right) \tag{3.2.17}$$

(3.2.17)식에서 $e^{-iw_0 t} - e^{-ift}$ 부분은 오일러의 법칙에 따라 삼각 함수이며 그 앞에 곱해진 부분이 삼각 함수의 진폭에 해당한다. 여기서 진폭의 분모 부분에 $f - w_0$에 유의하라. 바람의 주파수가 f에 가까워 질 수록($w_0 \rightarrow f$) 진폭은 점점 커지며 무한 대로 수렴한다. 이처럼 외력의 주파수(ω_0)가 시스템 자체가 지니는 고유의 주파수(f) 와 가까울 수록 진폭이 커지는 것을 공명(resonance) 현상이라 부른다. 이 공명 현상은 비단 관성 진동과 바람 응력 사이 뿐 아니라 어떤 형태의 외력이든 그 주파수가 시스템 자체의 주파수와 같아지는 경우 항상 일어남에 유의하라. 때때로 조석과 같은 주기적인 성분이 다른 외력과 공명하는 경우도 많다.

문제 11.

(3.2.13)식에서 바람 응력의 주파수가 정확히 f인 경우($\omega_0 = f$)의 특수해를 구하라. 이 경우, 비제차 성분의 기저를 $\vec{u}_p = Ae^{Bt}$로 가정하면 비제차 성분은 제차 성분의 기저와 같아져 제차 성분과 구분되는 비제차 성분을 결정할 수 없다. 독립 변수 t를 곱한 $\vec{u}_p = Ate^{Bt}$를 비제차 성분의 기저로 가정하라.

문제 12.

앞서 언급한 대로, 연안에서 흔히 나타나는 해풍과 육풍은 하루 주기를 가진다($\omega_0 = 2\pi\, day^{-1}$). 특정 위도에서 해풍-육풍이 관성 진동과 공명하는데(S. Y. Kim & Crawford, 2014), 이 위도는 어디인가?

3.2.3 마찰 감쇠

바람 응력이 아닌 바닥 마찰을 고려해 보자. 지배식은

$$\frac{\partial \bar{u}}{\partial t} - f\bar{v} = -\frac{\gamma}{h}\bar{u}$$
$$\frac{\partial \bar{v}}{\partial t} + f\bar{u} = -\frac{\gamma}{h}\bar{v}$$
(3.2.18)

이 되고 앞 장에서 한 것과 같은 방식으로 복소 좌표계로 나타내면

$$\frac{\partial \vec{u}}{\partial t} + fi\vec{u} = -\frac{\gamma}{h}\vec{u}$$
(3.2.19)

를 얻을 수 있다. 초기 조건으로 $\vec{u}|_{t=0} = \vec{U}_0$을 생각하자. 이 경우, (3.2.19)식의 해는

$$\vec{u} = \vec{U}_0 e^{-(if+\gamma/h)t} = \vec{U}_0 e^{-ift}e^{-(\gamma/h)t}$$
(3.2.20)

이다. 여기서 e^{-ift}는 오일러의 법칙으로 삼각 함수로 나타낼 수 있고 이는 출렁이는 관성 진동을 의미한다. 나머지 부분 $e^{-(\gamma/h)t}$은 진폭의 지수적인 감소를 나타내고 이는 마찰로 인한 감쇠를 나타낸다. 감쇠 계수는 γ/h이며 그 역수 h/γ는 시간 단위를 가짐에 유의하라. 이 시간 규모(h/γ)를 마찰 조정 시간(frictional adjustment time)이라 부른다. 시간이 마찰 조정 시간보다 길게 흐른 경우($t > h/\gamma$), 초기 조건으로 주어진 움직임이 마찰에 의해 감쇠되어 거의 없어짐을 나타낸다.

문제 13.

문제를 일반화해 바람 응력과 바닥 마찰 모두를 고려하는

$$\frac{\partial \bar{u}}{\partial t} - f\bar{v} = \frac{\tau_x^s}{\rho_0 h} - \frac{\gamma}{h}\bar{u}$$
$$\frac{\partial \bar{v}}{\partial t} + f\bar{u} = \frac{\tau_y^s}{\rho_0 h} - \frac{\gamma}{h}\bar{v}$$

$$(3.2.21)$$

의 정해를 구하라. 여기서 바람 응력은 상수로 가정하고 $\bar{u}|_{t=0} = 0$을 초기 조건으로 사용하라. 이 시스템을 결정하는 무차원수를 모두 찾고 각각의 무차원수가 무엇을 결정하는지 논하라.

3.2.4   기초적인 교란 이론 적용

(3.2.19)식은 매우 간단한 상미분 방정식으로 손쉽게 그 정해를 구할 수 있지만, 이 식을 대상으로 교란 이론을 적용해 근사해를 구해보자. 이를 통해 교란 이론의 체계적인 적용 연습이 가능할 뿐만 아니라 그 한계와 의미를 조금 더 자세히 알 수 있다. 먼저 (3.2.19)식에 $\vec{u} = U\vec{u}^*$와 $t = Tt^*$를 대입해 무차원화하고 양 변을 관성항의 규모 U/T로 나누면

$$\frac{\partial \vec{u}}{\partial t} + fi\vec{u} = -\frac{\gamma}{h}\vec{u}$$
$$\rightarrow \left(\frac{U}{T}\right)\frac{\partial \vec{u}^*}{\partial t^*} + (fU)\,i\vec{u}^* = -\left(\frac{\gamma}{h}U\right)\vec{u}^*$$
$$\rightarrow \frac{\partial \vec{u}^*}{\partial t^*} + (fT)\,i\vec{u}^* = -\left(\frac{\gamma T}{h}\right)\vec{u}^*$$
$$\therefore \frac{\partial \vec{u}^*}{\partial t^*} + \frac{1}{Ro}i\vec{u}^* = -\epsilon\vec{u}^*$$

$$(3.2.22)$$

를 얻을 수 있다. 여기서 $Ro = 1/(fT)$와 $\epsilon = \gamma T/h$이며, 이는 각각 로스비 수와 에크만 수를 의미한다. 편의를 위해 $Ro = 1$인 경우를 생각하면 지배식은 무차원수 ϵ에 대해 변화한다. 추가로 $\epsilon \ll 1$라 가정했을 때, 마찰항을 무시할 수 있을 것이다.

3.7그림은 마찰항을 고려한 경우($\gamma = 5 \times 10^{-4}$)와 고려하지 않은 경우($\gamma = 0$)의 (3.2.19)식의 해를 보여준다. 마찰이 작지만 분명히 존재한다 생각했을 때, 마찰을 고려한 경우가 정해에 해당하며 고려하지 않은 경우는 $\epsilon \ll 1$을 바탕으로 한 근사해이다. 마찰을 무시하는 근사해(그림 3.7의 청색 실선)는 초기의 마찰 조정 시간보다 짧은 시간 규모($t \ll h/\gamma$)에 대해 어느 정도 합리적으로 정해(3.7그림의 청색 실선)에 가깝다. 하지만 상대적으로 긴 시간이 흐른 뒤($t \gg h/\gamma$), 근사해와 정해의 차이는 매우 커 진다.

여기서 $\epsilon = \gamma T/h \ll 1$는 $T \ll h/\gamma$로 나타낼 수 있음에 유의하라. 따라서 시간이 h/γ 보다 큰 경우($h\gamma \ll T$), $\epsilon \ll 1$라 가정한 것이 깨어진다 생각할 수 있다.

이번에는 교란 이론을 사용해 매우 작다고 가정한 마찰항의 영향을 고려해 보자. 먼저 유속 $\vec{u}$를 규모에 따라 나누어

$$\vec{u} = \vec{u}_0 + \vec{u}_1 + \vec{u}_2 \cdots = \sum_0^\infty \vec{u}_n$$

$$\vec{u}^* = \vec{u}_0^* + \epsilon\vec{u}_1^* + \epsilon^2\vec{u}_2^* \cdots = \sum_0^\infty \epsilon^n \vec{u}_n^* \tag{3.2.23}$$

의 형태로 정의하자. 여기서부터 무차원화한 형태를 두 번째 줄에 표기하겠다. 유속 성분 $\vec{u}_n$은 규모가 $\epsilon^n U$인 유속 성분을 나타낸다. 즉, $\vec{u}_0$은 가장 지배적인 유속 성분 ($\vec{u}_0 = U\vec{u}_0^*$)이며, $\vec{u}_1$은 $\vec{u}_0$보다 규모가 ϵ배수 만큼 작은 교란 성분($\vec{u}_1 = \epsilon U\vec{u}_1^*$)을 나타 낸다. (3.2.23)식을 지배식 (3.2.19)식에 대입한 뒤, 규모가 같은 항끼리 묶어 나타내면

$$\left(\frac{\partial\vec{u}_0}{\partial t} + fi\vec{u}_0\right) + \left(\frac{\partial\vec{u}_1}{\partial t} + fi\vec{u}_1 + \frac{\gamma}{h}\vec{u}_0\right) + \left(\frac{\partial\vec{u}_2}{\partial t} + fi\vec{u}_2 + \frac{\gamma}{h}\vec{u}_1\right) \cdots = 0$$

$$\left(\frac{\partial\vec{u}_0^*}{\partial t} + i\vec{u}_0^*\right) + \epsilon\left(\frac{\partial\vec{u}_1^*}{\partial t^*} + i\vec{u}_1^* + \vec{u}_0^*\right) + \epsilon^2\left(\frac{\partial\vec{u}_2^*}{\partial t^*} + i\vec{u}_2^* + \frac{\gamma}{h}\vec{u}_1^*\right) \cdots = 0 \tag{3.2.24}$$

그림 3.7: $\gamma = 5 \times 10^{-4}$인 경우와 $\gamma = 0$인 경우의 (3.2.19)식의 해 실수 부분. 이는 마찰이 없는 경우와 있는 경우의 관성 진동하는 u유속 성분을 나타낸다. 외의 계수는 $h = 100\,m$, $f = 10^{-4}\,s^{-1}$, $U_0 = 0.1\,m/s$, $V_0 = 0\,m/s$를 사용했다.

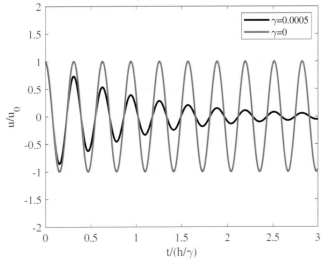

가 된다. 이제 규모가 같은 항들이 서로 균형을 이룬다 생각하자. 먼저 규모가 $1(=\epsilon^0)$ 인 0순위 균형은

$$\frac{\partial \vec{u}_0}{\partial t} + fi\vec{u}_0 = 0$$
$$\frac{\partial \vec{u}_0^*}{\partial t} + i\vec{u}_0^* = 0 \tag{3.2.25}$$

이다. (3.2.25)식은 유속 성분 $\vec{u}_0$에 대한 지배식으로 이를 풀어 $\vec{u}_0$을 구할 수 있다. 이는 마찰항을 완전히 무시한 경우에 해당함에 유의하라. 같은 방식으로 규모가 ϵ인 1순위 균형은

$$\frac{\partial \vec{u}_1}{\partial t} + fi\vec{u}_1 + \frac{\gamma}{h}\vec{u}_0 = 0$$
$$\frac{\partial \vec{u}_1^*}{\partial t} + i\vec{u}_1^* + \vec{u}_0^* = 0 \tag{3.2.26}$$

이고 이는 유속 성분 $\vec{u}_1$에 대한 지배식이다. 여기서 $\vec{u}_0$은 (3.2.25)식을 풀어서 이미 구한 수식이다. 즉, (3.2.26)식은 $\vec{u}_0$을 외력항으로 두는 상미분 방정식이 된다. 같은 방식으로 (3.2.26)식을 풀어 $\vec{u}_1$을 구하고 이를 2순위 균형식에 사용해 $\vec{u}_2$를 구할 수 있다. 이러한 과정을 무한히 반복할 수 없기 때문에 주로 특정 규모까지만 고려한다. 예를 들어 규모가 ϵ^2 이하의 성분을 완전히 무시하면, $\vec{u} \approx \vec{u}_0 + \vec{u}_1$이고 (3.2.24)식에서 규모가 ϵ^2 이하의 균형이 없어져 (3.2.25)식과 (3.2.26)식까지만 풀어 근사해를 결정할 수 있다.

실질적으로 이를 시행해 보자. 초기 조건으로 $\vec{u}|_{t=0} = \vec{U}_0$을 생각하자. (3.2.23)식을 이 초기 조건에 대입하면

$$\vec{u}_0(t=0) + \vec{u}_1(t=0) + \vec{u}_2(t=0)\cdots = \vec{U}_0$$
$$\vec{u}_0^*(t=0) + \epsilon\vec{u}_1^*(t=0) + \epsilon^2\vec{u}_2^*(t=0)\cdots = \vec{U}_0^* \tag{3.2.27}$$

이다. 마찬가지로 이 초기 조건에서도 규모가 같은 항끼리 균형을 이룬다 가정하자. 여기서 임의의 상수인 초기 유속 $\vec{U}_0$을 0순위로 두면($\vec{U}_0 = U\vec{U}_0^*$), 초기 조건의 0순위 균형은 $\vec{u}_0(t=0) = \vec{U}_0$이고, 1순위 균형은 $\vec{u}_1(t=0) = 0$이 된다. 0순위 초기 조건 $\vec{u}_0|_{t=0} = \vec{U}_0$을 사용해 (3.2.25)식을 풀어 내면

$$\vec{u}_0 = \vec{U}_0 e^{-ift}$$
$$\vec{u}_0^* = \vec{U}_0^* e^{-it^*} \tag{3.2.28}$$

을 얻을 수 있다. 이는 앞서 관성 진동을 논의할 때 풀었던 문제 (3.2.1)식과 수학적으로 완전히 같음에 유의하라. 이렇게 구해낸 0순위 성분 (3.2.28)식을 1순위 성분 지배식

(3.2.26)식에 대입하면

$$\frac{\partial \vec{u}_1}{\partial t} + fi\vec{u}_1 = -\frac{\gamma}{h}\vec{U}_0 e^{-ift}$$
$$\frac{\partial \vec{u}_1^*}{\partial t} + i\vec{u}_1^* = -\vec{U}_0^* e^{-it^*}$$

(3.2.29)

가 된다. (3.2.29)식은 비제차 미분 방정식으로, 이를 풀기 위해 $\vec{u}_1$을 제차 성분 $\vec{u}_{1h}$ 과 비제차 성분 $\vec{u}_{1p}$으로 나누어($\vec{u}_1 = \vec{u}_{1h} + \vec{u}_{1p}$) 해석하자. 먼저 제차 성분을 구하면 $\vec{u}_{1h} = Ce^{-ift}$(무차원화한 형태는 $\vec{u}_{1h}^* = C^* e^{-it}$)가 된다. 비제차 성분을 미정 계수법 을 통해 구하면 $\vec{u}_{1p} = -(\gamma/h)\vec{U}_0 te^{-ift}$ (무차원화한 형태는 $\vec{u}_{1p} = -\vec{U}_0^* t^* e^{-it^*}$)이다. 여기서 외력항의 형태와 제차 성분의 형태가 e^{-ift}로 같다. 이러한 경우, 비제차 성분의 기저를 비제차 성분과 완전히 같은 $\vec{u}_{1p} = Ae^{-ift}$로 잡으면 A를 결정할 수 없어 독립 변수 t를 곱한 형태 $\vec{u}_{1p} = Ate^{-ift}$를 비제차 성분의 기저로 잡아야 함에 유의하라. 마지막으로 1순위 초기 조건 $\vec{u}_1|_{t=0} = 0$을 사용해 적분 상수 C를 구하면 $C = 0$으로 1 순위 성분은

$$\vec{u}_1 = -\frac{\gamma}{h}\vec{U}_0 te^{-ift}$$
$$\vec{u}_1^* = -\epsilon\vec{U}_0^* t^* e^{-it^*}$$

(3.2.30)

이 된다. 따라서 1순위 성분까지 고려한 근사해는

$$\vec{u} \approx \vec{u}_0 + \vec{u}_1 = \vec{U}_0 e^{-ift} - \frac{\gamma}{h}\vec{U}_0 te^{-ift} = \vec{U}_0 e^{-ift}\left(1 - \frac{\gamma}{h}t\right)$$
$$\vec{u}^* \approx \vec{u}_0^* + \vec{u}_1^* = \vec{U}_0^* e^{-it^*} - \epsilon\vec{U}_0^* t^* e^{-it^*} = \vec{U}_0^* e^{-it}\left(1 - \epsilon t^*\right)$$

(3.2.31)

이다.

3.8그림은 0순위 성분만 고려하는 근사해와 1순위 성분까지 고려하는 근사해를 보 여준다. 초기 짧은 시간 규모 $t \ll h/\gamma$에 대해, 1순위 성분을 고려하는 근사해가 마찰을 아예 고려하지 않는 0순위 근사해보다 훨씬 더 정해에 가까운 것을 보여준다. 특히 1 순위 성분을 고려하는 근사해는 진폭이 감소한다는 정해의 성질을 적어도 시간 규모 $t \approx h/\gamma$까지 잘 나타내고 있다. 하지만 $h/\gamma \ll t$에서 도리어 진폭이 커지는 성질을 보여주며 정해와의 오차가 비약적으로 커진다.

이는 $h/\gamma \ll t$에 대해 근사해의 유도에 사용한 가정이 깨지기 때문이다. 앞서 1순위 성분을 0순위 성분 규모의 ϵ배 정도인 성분으로 정의하고 $\epsilon \ll 1$을 가정했다. 이는 1 순위 성분이 0순위 성분보다 ϵ배 만큼 상대적으로 작은 성분으로 가정함을 의미한다. 하지만 (3.2.30)식은 1순위 성분의 규모가 시간에 대해 선형적으로 커짐을 나타낸다.

그림 3.8: 0순위 근사해(청색 실선)와 1순위 성분까지 고려하는 근사해(적색 실선). 1순위 성분을 고려하는 경우, 초기 시간 규모에서 훨씬 정해(흑색 실선)와 차이가 줄어든다. 하지만 매우 긴 시간 규모에서 정해와 큰 차이를 보여준다. 가시화에 사용한 계수는 3.7그림에 사용한 값과 같다.

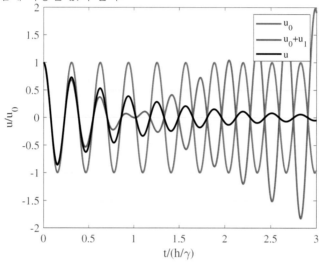

이러한 항을 영년항(secular term)이라 부른다. 이 영년항 때문에, 특정 시간 규모 이후로는 1순위 성분이 0순위 성분보다 작다는 가정이 깨어진다. 앞서 구한 $\vec{u}_0$과 $\vec{u}_1$을 사용해 이 성분 규모 비를 직접 구해보면

$$\frac{|\vec{u}_1|}{|\vec{u}_0|} = \frac{\left|-\frac{\gamma}{h}\vec{U}_0 t e^{-ift}\right|}{\left|\vec{U}_0 e^{-ift}\right|} = \frac{\gamma}{h}t \ll 1 \tag{3.2.32}$$

이다. 이는 1순위 성분의 0순위 성분에 대한 상대적 크기가 시간 t에 대한 함수임을 보여준다. 즉, 시간 t가 작을 때는($t \ll h/\gamma$) 1순위 성분이 0순위 성분보다 작다는 가정이 성립하지만, 시간이 클 때($h/\gamma \ll t$)는 이 가정이 깨짐을 나타낸다.

위의 문제에서 1순위 성분까지만 고려하였지만, 고려하는 성분의 수를 늘릴수록 근사해의 정확성이 올라가며, 결국 고려하는 성분의 수가 무한히 많아지면 교란 이론을 통해 구한 이 간단한 문제의 근사해는 정해로 수렴한다. 하지만 보다 복잡한 많은 문제에서 근사해가 정해로 수렴하지 않는다. 이러한 성질은 교란 이론을 통한 근사해가 완벽하지 않음을 보여준다. 하지만 교란 이론은 가정이 성립하는 범위 내에서는 근사해가 정해와 같은 성질(시간에 따른 진폭의 감소)을 보여줌에 유의하라.

문제 14.

(3.2.19)식에 교란 이론을 적용하되, 규모가 ϵ^2인 성분까지 고려해 2순위 균형에 대한 지배식을 얻고 $\bar{u}_2$를 결정하라. 이를 통해 n순위 균형의 지배식과 $\bar{u}_n$을 추정해 구하라. $n \to \infty$인 경우(즉, $\bar{u}_{n-1}$로 $\bar{u}_n$을 구하는 과정을 무한히 반복하는 경우), 교란 이론을 통해 구한 근사해가 정해로 수렴함을 확인하라(참조: $e^{-x} = 1 - x + x^2/2! - x^3/3! \cdots$). 이 문제에 대해서는 근사해가 정해로 수렴하지만, 모든 문제에서 근사해가 정해로 수렴하진 않음에 유의하라.

3.2.5 파동 방정식과 기초적인 파역학

큰 규모의 해양에서 나타나는 다양한 파동에 대해 논하기 전에 먼저 가장 기본적인 형태인 표면 중력파(surface gravity wave)에 대해 알아보자. 천해 방정식에서 선형과 비점성을 가정하고 작은 규모를 생각해 전향력을 무시하자. 추가로 $\bar{v} \approx 0$인 환경이라면 지배식은

$$\frac{\partial \bar{u}}{\partial t} = -g\frac{\partial \eta}{\partial x} \tag{3.2.33}$$

$$\frac{\partial \eta}{\partial t} + h\frac{\partial \bar{u}}{\partial x} = 0 \tag{3.2.34}$$

로 간략화 할 수 있다. 두 식을 연립해 하나의 변수에 대한 하나의 식으로 만들자. 먼저 운동 방정식 (3.2.33)식을 x로 미분하고 보존 방정식 (3.2.34)식은 t로 미분하자.

$$\frac{\partial^2 \bar{u}}{\partial t \partial x} = -g\frac{\partial^2 \eta}{\partial x^2} \tag{3.2.35}$$

$$\frac{\partial^2 \eta}{\partial t^2} + h\frac{\partial^2 \bar{u}}{\partial t \partial x} = 0 \tag{3.2.36}$$

(3.2.35)식을 (3.2.36)식에 대입하면 해면에 대한 지배식

$$\frac{\partial^2 \eta}{\partial t^2} = gh\frac{\partial^2 \eta}{\partial x^2} \tag{3.2.37}$$

을 얻을 수 있고 이를 흔히 파동 방정식(wave equation)이라 부른다. 많은 파동 문제에서 해의 기저는 삼각 함수 형태이다. 임의의 기저로

$$\eta = Ce^{i(kx-wt)} \tag{3.2.38}$$

을 생각하자. 오일러의 법칙을 이용해 나타낸 $C\sin(kx - wt)$ 혹은 $C\cos(kx - wt)$ 형태를 기저로 잡아도 무관하다. 여기서 k는 파수(wave number)라 부르며 공간적으로

출렁이는 정도를 나타내고 w는 주파수(frequency)로 시간에 따라 변동하는 빠르기를 나타낸다. 파장은 $2\pi/k$로, 주기는 $2\pi/w$로 정의된다. 이 기저 (3.2.38)식을 지배식 (3.2.37)식에 대입하면

$$w^2 = ghk^2 \tag{3.2.39}$$

를 얻을 수 있다. 이와 같은 파수와 주파수의 관계식을 분산 관계식(dispersion relation equation)이라 부른다. 분산 관계식을 정리하면

$$c = \frac{w}{k} = \pm\sqrt{gh} \tag{3.2.40}$$

이 된다. 여기서 w/k로 정의되는 c는 파가 움직이는 속력을 나타내며 이를 파속(wave speed)이라 부른다. 이처럼, 분산 관계식을 통해 파가 움직이는 속력을 구할 수 있다. (3.2.40)식은 파동이 $\sqrt{gh}$의 속력으로 양과 음의 두 방향으로 움직임을 암시한다. 추가로 파속이 k에 독립임을 보여주는데 이는 서로 다른 파수를 가지고 있는 여러 파장이 모두 같은 속력을 가짐을 의미한다. 이러한 파를 비분산 파(non-dispersitve wave)라 부른다.

분산 관계식을 바탕으로 (3.2.38)식의 주파수 w를 파수 k에 대한 식으로 나타낼 수 있다. (3.2.38)식 내 남은 미지수인 파수 k와 상수 계수에 해당하는 진폭 C는 초기 조건으로부터 주어진다. 초기 조건으로 주어진 임의의 함수는 푸리에 급수(Fourier series)를 바탕으로 무수히 많은 삼각 함수의 합으로 나타낼 수 있고, 이 초기 조건을 구성하는 삼각 함수의 파수와 진폭이 (3.2.38)식의 파수 k와 상수 계수 진폭 C를 결정한다. 분산 관계식은 초기 조건을 구성하는 각각의 삼각 함수가 고유의 파수에 따라 어떤 속력으로 움직이는 지를 보여준다. 이 개별의 구성분(삼각 함수)을 모드(mode)라 부른다.

3.2.5.1 파동 방정식의 정해

사실 대부분의 파동 문제에서 알고자 하는 바(초기 조건이 어떻게 변화하고 이동하는지)는 분산 관계식으로 충분히 설명할 수 있지만, 파동 문제에 나타나는 여러 개념(모드나 푸리에 급수)에 대한 수학적 이해를 돕고 편미분 방정식의 해법에 대한 예시로써 파동 방정식의 정해를 구하는 것을 소개한다. (3.2.37)식을 지배식으로 삼고 경계 조건과 초기 조건으로

$$\left.\frac{\partial \eta}{\partial x}\right|_{x=0} = 0, \quad \left.\frac{\partial \eta}{\partial x}\right|_{x=L_x} = 0 \tag{3.2.41}$$

그림 3.9: 가시화한 표면 중력파의 수치해. 초기 조건은 절반으로 나누어져 양 쪽으로 이동하며 이동 속도는 $\sqrt{gh}$이다. 수리 모형에 사용된 계수는 $h = 10\,m$와 $g = 10\,m/s^2$ 이다.

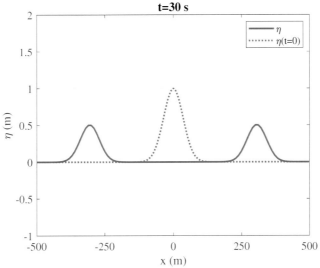

$$\eta|_{t=0} = F(x), \quad \left.\frac{\partial \eta}{\partial t}\right|_{t=0} = G(x) \tag{3.2.42}$$

을 생각하자. 여기서 $F(x)$와 $G(x)$는 임의의 함수이다. 해를 $\eta = X(x)T(t)$로 가정하고 파동 방정식 (3.2.37)식에 대입하면

$$XT'' = ghX''T$$
$$\frac{X''}{X} = \frac{1}{gh}\frac{T''}{T} = \lambda \tag{3.2.43}$$

이 된다. 앞서 3.1.2.2장에서 논의한 것과 같은 방식으로 편미분 방정식인 (3.2.37)식을 두 개의 상미분 방정식($X'' = \lambda X,\ T'' = \lambda ghT$)으로 나눌 수 있다. 각각의 상미분 방정식의 해를 $X = e^{kx}$와 $T = e^{wt}$로 가정하고 지배식에 대입하는 방식으로 η의 여러 기저를 구할 수 있다. 여기서 λ의 부호는 경계 조건이 결정한다. 경계 조건 (3.2.41)식은

$$\left.\frac{\partial \eta}{\partial x}\right|_{x=0} = 0 \rightarrow X'(0)T(t) = 0 \quad \therefore X'(0) = 0$$
$$\left.\frac{\partial \eta}{\partial x}\right|_{x=L_x} = 0 \rightarrow X'(L_x)T(t) = 0 \quad \therefore X'(L_x) = 0 \tag{3.2.44}$$

로 나타낼 수 있다.

먼저 $X'' = \lambda X$에서 $X = e^{kx}$를 가정하고 대입해 보면

$$k^2 = \lambda \quad \therefore k = \pm\sqrt{\lambda} \tag{3.2.45}$$

가 된다. 경계 조건 (3.2.41)식은

$$\left.\frac{\partial \eta}{\partial x}\right|_{x=0} = 0 \;\rightarrow X'(0)T(t) = 0 \quad \therefore X'(0) = 0$$
$$\left.\frac{\partial \eta}{\partial x}\right|_{x=L_x} = 0 \rightarrow X'(L_x)T(t) = 0 \quad \therefore X'(L_x) = 0 \tag{3.2.46}$$

으로 나타낼 수 있다. $\lambda > 0$(해가 지수 함수 형태)인 경우 이 경계 조건을 만족할 수 없고 자명해만 나타난다.

$\lambda = 0$인 경우

$$X'' = 0 \rightarrow X = A_1 x + A_2, \quad T'' = 0 \rightarrow T = B_1 t + B_2 \tag{3.2.47}$$

이 된다. 여기서 A_1, A_2, B_1, B_2는 적분 상수이다. 경계 조건을 적용하면 $A_1 = 0$ (즉, $X = A_2$)을 알 수 있고, 따라서 $\lambda = 0$인 경우 η의 기저는

$$\eta = C_1 t + C_2 \tag{3.2.48}$$

이 된다. X의 적분 상수와 T의 적분 상수를 합쳐 새로운 상수로 정의($C_1 = A_2 B_1$, $C_2 = A_2 B_2$)하였음에 유의하라.

$\lambda < 0$인 경우 각 상미분 방정식의 해는

$$X = A_3 \sin(\sqrt{-\lambda}x) + A_4 \cos(\sqrt{-\lambda}x)$$
$$T = B_3 \sin(\sqrt{-\lambda gh}t) + B_4 \cos(\sqrt{-\lambda gh}t) \tag{3.2.49}$$

가 되고 X에 경계 조건을 적용하면

$$X' = A_3\sqrt{-\lambda}\cos(\sqrt{-\lambda}x) - A_4\sqrt{-\lambda}\sin(\sqrt{-\lambda}x)$$
$$X'(0) = 0 \rightarrow A_3\sqrt{-\lambda} = 0 \quad \therefore A_3 = 0 \tag{3.2.50}$$
$$X'(L_x) = 0 \rightarrow -A_4\sqrt{-\lambda}\sin(\sqrt{-\lambda}L_x) = 0 \quad \therefore A_4\sin(\sqrt{-\lambda}L_x) = 0$$

을 알 수 있다. 여기서 마지막 식에서 $A_4 = 0$인 경우는 자명해이며 $\sin(\sqrt{-\lambda}L_x) = 0$로부터 $\sqrt{-\lambda}L_x = n\pi$임을 알 수 있다. 즉, $\lambda = -(n\pi/L_x)^2$이다. 따라서 $\lambda < 0$인 경우, 임의의 자연수 n에 대한 η의 기저는

$$\eta = \cos\left(\frac{n\pi x}{L_x}\right)\left[C_3^n \sin\left(\sqrt{gh}\frac{n\pi t}{L_x}\right) + C_4^n \cos\left(\sqrt{gh}\frac{n\pi t}{L_x}\right)\right] \tag{3.2.51}$$

이다. 여기서도 X의 적분 상수와 T의 적분 상수를 합쳐 $C_3^n = A_4 B_3$와 $C_4^n = A_4 B_4$로 나타내었다. 최종적으로 모든 기저의 합인 일반해는

$$\eta = C_1 t + C_2 + \sum_{n=1}^{\infty} \cos\left(\frac{n\pi x}{L_x}\right)\left[C_3^n \sin\left(\sqrt{gh}\frac{n\pi t}{L_x}\right) + C_4^n \cos\left(\sqrt{gh}\frac{n\pi t}{L_x}\right)\right] \quad (3.2.52)$$

가 된다. 여기서 삼각 함수 내 x 앞에 곱해진 $n\pi/L_x$가 파수를 나타내는 k에 해당하고, t 앞에 곱해진 $(n\pi t/L_x)\sqrt{gh} = k\sqrt{gh}$가 주파수 w에 해당함에 유의하라. 이 일반해는 각각의 경우(각 n에 해당하는 n번 모드)에 대해 두 개의 적분 상수($\lambda = 0$인 경우 C_1과 C_2, $\lambda < 0$인 경우 각 n에 대한 C_3^n과 C_4^n)를 가지고 있는데, 이는 두 개의 초기 조건 (3.2.42)식으로 결정할 수 있다. (3.2.52)식에 초기 조건 (3.2.42)식을 적용하면

$$\eta|_{t=0} = F(x) \rightarrow C_2 + \sum_{n=1}^{\infty} C_4^n \cos\left(\frac{n\pi x}{L_x}\right) = F(x) \quad (3.2.53)$$

$$\frac{\partial \eta}{\partial t}\bigg|_{t=0} = G(x) \rightarrow C_1 + \sqrt{gh}\frac{\pi}{L_x}\sum_{n=1}^{\infty} n C_3^n \cos\left(\frac{n\pi x}{L_x}\right) = G(x) \quad (3.2.54)$$

가 된다.

(3.2.53)식이나 (3.2.54)식은 임의의 함수(F와 G)가 무수히 많은 삼각 함수의 합으로 나타낼 수 있음을 암시하고 이는 푸리에 급수로 이어진다. 각 모드의 적분 상수는 삼각 함수의 직교성(orthogonality)을 이용해 결정할 수 있다.

$$\int_0^{L_x} \sin\left(\frac{n\pi x}{L_x}\right)\sin\left(\frac{m\pi x}{L_x}\right)dx = \begin{cases} L_x/2 & n = m \\ 0 & n \neq m \end{cases} \quad (3.2.55)$$

$$\int_0^{L_x} \cos\left(\frac{n\pi x}{L_x}\right)\cos\left(\frac{m\pi x}{L_x}\right)dx = \begin{cases} L_x/2 & n = m \neq 0 \\ L_x & n = m = 0 \\ 0 & n \neq m \end{cases} \quad (3.2.56)$$

$$\int_0^{L_x} \sin\left(\frac{n\pi x}{L_x}\right)\cos\left(\frac{m\pi x}{L_x}\right)dx = 0 \quad (3.2.57)$$

(3.2.53)식에 $\cos(m\pi x/L_x)$를 곱하고 양 변을 0에서 L_x까지 적분하고 정리하자. 여기서

m은 임의의 정수이다.

$$\int_0^{L_x} \cos\left(\frac{m\pi x}{L_x}\right)\left[C_2 + \sum_{n=1}^{\infty} C_4^n \cos\left(\frac{n\pi x}{L_x}\right)\right] dx = \int_0^{L_x} \cos\left(\frac{m\pi x}{L_x}\right) F(x)\, dx$$

$$\rightarrow C_2 \int_0^{L_x} \cos\left(\frac{m\pi x}{L_x}\right) dx + \sum_{n=1}^{\infty} C_4^n \int_0^{L_x} \cos\left(\frac{m\pi x}{L_x}\right)\cos\left(\frac{n\pi x}{L_x}\right) dx$$

$$= \int_0^{L_x} \cos\left(\frac{m\pi x}{L_x}\right) F(x)\, dx$$

$$(3.2.58)$$

먼저 $m = 0$인 경우, $(3.2.58)$식은

$$L_x C_2 = \int_0^{L_x} F(x)\, dx \quad \therefore C_2 = \frac{1}{L_x} \int_0^{L_x} F(x)\, dx \qquad (3.2.59)$$

가 되어 C_2를 결정할 수 있다. $m \neq 0$인 경우, $(3.2.58)$식은

$$C_4^m \frac{L_x}{2} = \int_0^{L_x} \cos\left(\frac{m\pi x}{L_x}\right) F(x)\, dx \quad \therefore C_4^n = \frac{2}{L_x} \int_0^{L_x} \cos\left(\frac{n\pi x}{L_x}\right) F(x)\, dx$$

$$(3.2.60)$$

이 되어 나머지 C_4^n를 결정할 수 있다. 여기서 $(3.2.56)$식에 따라, 합 기호 내의 삼각 함수에서 $m = n$인 하나의 경우를 제외하고 모두 0이 됨에 유의하라. 같은 방식으로 $(3.2.54)$식에 $\cos(m\pi x/L_x)$를 곱하고 적분하면 나머지 적분 상수

$$C_1 = \frac{1}{L_x} \int_0^{L_x} G(x)\, dx$$

$$C_3^n = \frac{2}{n\pi\sqrt{gh}} \int_0^{L_x} \cos\left(\frac{n\pi x}{L_x}\right) G(x)\, dx$$

$$(3.2.61)$$

을 결정할 수 있다.

편의를 위해 $G(x) = 0$인 경우를 생각해 보자. 이 경우, $C_1 = C_3^n = 0$이며 파동 방정식의 해 $(3.2.52)$식은

$$\eta = C_2 + \sum_{n=1}^{\infty} C_4^n \cos\left(\frac{n\pi x}{L_x}\right) \cos\left(\sqrt{gh}\frac{n\pi t}{L_x}\right) \qquad (3.2.62)$$

로 간단히 나타낼 수 있다. 삼각 함수의 합 공식($\cos(a)\cos(b) = (\cos(a+b) + \cos(a-$

$b))/2$)을 이용하면

$$\eta = \frac{1}{2}\left[C_2 + \sum_{n=1}^{\infty} \cos\left(\frac{n\pi}{L_x}(x + \sqrt{gh}t) \right) \right] + \frac{1}{2}\left[C_2 + \sum_{n=1}^{\infty} \cos\left(\frac{n\pi}{L_x}(x - \sqrt{gh}t) \right) \right]$$

$$= \frac{1}{2}F(x + \sqrt{gh}t) + \frac{1}{2}F(x - \sqrt{gh}t) \quad \left(\because F(x) = C_2 + \sum_{n=1}^{\infty} C_4^n \cos\left(\frac{n\pi x}{L_x} \right) \right)$$

$$(3.2.63)$$

의 형태가 되는데, (3.2.53)식을 이용해 모양을 한번 더 바꾸어 나타냈음에 유의하라. 여기서 첫 번째 항은 초기 조건으로 주어진 함수 $F(x)$의 절반을 음의 방향(좌측)으로 $\sqrt{gh}t$ 만큼 움직인 것이며, 두 번째 항은 나머지 절반을 양의 방향(우측)으로 $\sqrt{gh}t$ 만큼 움직인 것 이다. 움직이는 속력은 $\sqrt{gh}$이며 이는 앞서 논의한 (3.2.40)식과 부합한다. 3.9그림은 이러한 거동이 수치해에 그대로 나타남을 보여준다.

문제 15.

파동 방정식 (3.2.37)식에 경계 조건

$$\eta|_{x=0} = \eta|_{x=L_x} = 0 \qquad (3.2.64)$$

를 사용한 정해를 구하라. 이 경계 조건은 물리적으로 합당한 경계 조건은 아니지만, 이 수학적 문제의 해는 어떤 삼각 함수($\sin(kx - wt)$ 혹은 $\cos(kx - wt)$)를 기저로 잡아야 하는지에 대한 직관을 제공한다.

3.2.6 포엔카레 파

선형 천해 방정식에서 전향력항과 압력 경사항 뿐 아니라 관성항까지 추가로 고려해 보자. 이 경우, 지배식은

$$\frac{\partial \bar{u}}{\partial t} - f\bar{v} = -g\frac{\partial \eta}{\partial x} \qquad (3.2.65)$$

$$\frac{\partial \bar{v}}{\partial t} + f\bar{u} = -g\frac{\partial \eta}{\partial y} \qquad (3.2.66)$$

$$\frac{\partial \eta}{\partial t} + h\left(\frac{\partial \bar{u}}{\partial x} + \frac{\partial \bar{v}}{\partial y} \right) = 0 \qquad (3.2.67)$$

이 된다. 위의 식에서 상수 수심과 f평면을 가정했다. 앞서 3.2.5장에서 논의한 표면 중력파의 지배 방정식과 다른 점은 단지 전향력항이 추가된 것 뿐이다. 이처럼 전향력이 존재하는 f평면에서 파동을 포엔카레 파(Poincare wave)라 부른다. 이제 주어진

미분 방정식 (3.2.65)-(3.2.67)식을 연립해 η에 대한 하나의 지배식을 만들어 내자. 먼저 (3.2.65)식을 x로, (3.2.66)식을 y로, (3.2.67)식을 t로 미분하자.

$$\frac{\partial^2 \bar{u}}{\partial x \partial t} - f\frac{\partial \bar{v}}{\partial x} = -g\frac{\partial^2 \eta}{\partial x^2} \tag{3.2.68}$$

$$\frac{\partial^2 \bar{v}}{\partial y \partial t} + f\frac{\partial \bar{u}}{\partial y} = -g\frac{\partial^2 \eta}{\partial y^2} \tag{3.2.69}$$

$$\frac{\partial^2 \eta}{\partial t^2} + h\left(\frac{\partial^2 \bar{u}}{\partial x \partial t} + \frac{\partial^2 \bar{v}}{\partial y \partial t}\right) = 0 \tag{3.2.70}$$

여기서 미분한 운동 방정식 (3.2.68)-(3.2.69)식을 (3.2.70)식에 대입하자.

$$\frac{\partial^2 \eta}{\partial t^2} - gh\left(\frac{\partial^2 \eta}{\partial x^2} + \frac{\partial^2 \eta}{\partial y^2}\right) + hf\xi = 0, \quad \left(\xi = \frac{\partial \bar{v}}{\partial x} - \frac{\partial \bar{u}}{\partial y}\right) \tag{3.2.71}$$

이제 (3.2.71)식의 마지막 항에 존재하는 상대 와도 ξ를 해면 고도 η에 대한 식으로 나타내야 한다. 이를 위해 운동 방정식 (3.2.65)식과 (3.2.66)식에 회전 연산(curl)을 가해 와도 방정식을 유도하자. (3.2.65)식을 y로, (3.2.66)식을 x로 미분한 뒤 서로 빼면 와도 방정식

$$\frac{\partial \xi}{\partial t} + f\left(\frac{\partial \bar{u}}{\partial x} + \frac{\partial \bar{v}}{\partial y}\right) = 0 \tag{3.2.72}$$

를 얻을 수 있고 여기에 보존 방정식 (3.2.67)식을 정리한 뒤 대입하면

$$\frac{\partial \xi}{\partial t} - \frac{f}{h}\frac{\partial \eta}{\partial t} = 0 \quad \left(\frac{\partial}{\partial t}\left(\xi - \frac{f}{h}\eta\right) = 0\right) \tag{3.2.73}$$

이 된다. 이는 선형 와도 보존 방정식에 해당한다. 마지막으로 (3.2.71)식을 t로 한번 더 미분한 것에 (3.2.73)식을 대입하면 상수 수심 f평면에서 해면의 거동에 대한 지배식을 얻을 수 있다.

$$\frac{\partial^3 \eta}{\partial t^3} - gh\frac{\partial}{\partial t}\left(\frac{\partial^2 \eta}{\partial x^2} + \frac{\partial^2 \eta}{\partial y^2}\right) + f^2\frac{\partial \eta}{\partial t} = 0 \tag{3.2.74}$$

문제 16.

아래 주어진 식은 선형 1차원 천해 모형의 지배식이다.

$$\begin{aligned}
\frac{\partial \bar{u}}{\partial t} - f\bar{v} &= -g\frac{\partial \eta}{\partial x} \\
\frac{\partial \bar{v}}{\partial t} + f\bar{u} &= 0 \\
\frac{\partial \eta}{\partial t} + \frac{\partial(h\bar{u})}{\partial x} &= 0
\end{aligned} \tag{3.2.75}$$

이를 η에 대해 정리하여 해면에 대한 지배식을 구하라. 편의를 위해 f평면과 상수 수심을 가정하라.

문제 17.

적절한 규모 분석과 점근 근사를 통해 $Ro \ll 1$이고 $\eta/h \ll 1$일 때, 잠재 와도가 아래와 같이 간략화 될 수 있음을 보여라.

$$q = \frac{\xi + f}{h + \eta} \rightarrow q \approx \frac{1}{h}\left(\xi + f - \frac{f}{h}\eta\right) \tag{3.2.76}$$

무차원수 η/h의 규모를 Ro로 가정하고 규모가 Ro^2 이하의 항을 무시하라. 점근 근사로 테일러 급수($1/(1+x) = 1 - x + x^2 - x^3 + \cdots$)를 활용하라. 비선형항을 무시하는 경우, 잠재 와도 보존식은 (3.2.73)식으로 간략화된다.

3.2.6.1 포엔카레 파의 분산 관계

(3.2.74)식의 기저로 다음을 가정하자.

$$\eta = e^{i(kx + ly - wt)} \tag{3.2.77}$$

여기서 l은 y방향 파수를 나타낸다. 이는 오일러의 법칙으로 기저를 삼각 함수($\sin(kx + ly - wt)$ 혹은 $\cos(kx + ly - wt)$)로 가정함과 같음에 유의하라. (3.2.77)식을 (3.2.74)식에 대입하고 정리하면

$$w\left(w^2 - gh\left(k^2 + l^2\right) - f^2\right) = 0 \tag{3.2.78}$$

을 얻을 수 있다. (3.2.78)식의 첫 번째 해는 $w = 0$이다. 이를 기저 (3.2.77)식에 대입해 보면, 시간에 독립적인 해를 얻게 되는데 이는 정상 상태의 지형류 균형을 나타낸다. 나머지 부분의 해에 해당하는 $w^2 - gh(k^2 + l^2) - f^2 = 0$이 포엔카레 파의 분산 관계식이다. 편의를 위해 x방향으로만 진행하는 임의의 모드($l = 0$)를 생각하고 분산 관계식을 정리하면

$$w = \pm\sqrt{ghk^2 + f^2} \quad \left(c = \frac{w}{k} = \pm\sqrt{gh + \left(\frac{f}{k}\right)^2}\right) \tag{3.2.79}$$

가 된다. 우변에 존재하는 ghk^2와 f^2을 비교해 보자. 먼저 파장이 길어 파수가 매우 작은 경우($k \to 0$), $w = f$를 얻을 수 있으며 이는 관성 진동에 해당한다. 반대로 파장이 짧아 파수가 매우 큰 경우($ghk^2 \gg f^2$), 일반적인 표면 중력파의 분산 관계에 해당하는

그림 3.10: 가시화한 포엔카레 파의 분산 관계식 (3.2.79). 적색 점선은 $f = 0$인 경우에 해당하는 표면 중력파의 분산 관계($w = \pm\sqrt{gh}k$)이다. 여기서 $g = 10\,m/s$, $h = 10\,m$, $f = 10^{-4}\,s^{-1}$로 설정하였다.

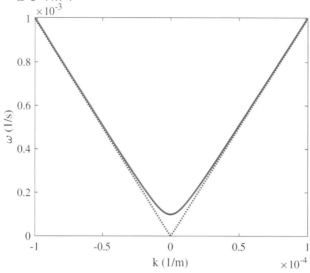

$w = \pm k\sqrt{gh}$을 얻을 수 있다. 결과적으로 포엔카레파는 표면 중력파와 관성 진동이 섞인 현상이라 볼 수 있다.

문제 18.

포엔카레 파의 분산 관계식 (3.2.79)식에서 ghk^2과 f^2의 비교에 있어 기준이 되는 파장의 길이는 무엇인가? 이를 로스비 변형 반경(Rossby radius of deformation)이라 부른다.

문제 19.

부록에 수록한 1차원 선형 천해 수리 모형은 3.11그림에서 포엔카레 파를 모의하는데 사용되었다. 이를 수정하여 정규 분포로 주어진 초기 조건의 x방향 크기가 로스비 변형 반경 $Rd = \sqrt{gh}/f$보다 작은 경우 해면의 거동이 어떻게 달리지는지 실험하라.

3.2.6.2 파군과 군속도

(3.2.79)식은 포엔카레 파가 파장에 따라 파속이 달라지는 분산파(dispersive wave)임을 보여준다. 모든 모드의 이동 속도가 같은 비분산 파(예를 들어, 표면 중력파)는 전체적인

그림 3.11: (3.2.65)-(3.2.67)식의 수치해. 정상 상태가 아닌 정규 분포 모양의 초기 조건에서 일부는 포엔카레 파의 형태로 움직이며 나머지는 정상 상태인 지형류 균형에 도달한다. 수치 실험에 사용한 계수는 $g = 10\,m/s^2$, $h = 10\,m$, $f = 10^{-4}\,s^{-1}$이다.

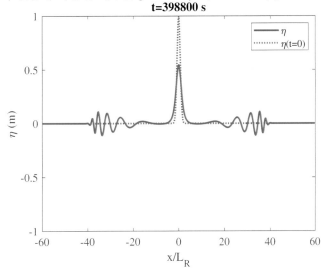

파형의 진행 속도가 개별 모드의 진행 속도와 같지만, 각 모드의 진행 속도가 서로 다른 분산파의 파형 진행은 하나의 모드가 아닌 여러 모드의 집합에 의해 나타난다. 이 모드의 집합을 파군(group wave)이라 부른다. 아래와 같이 진폭이 같고 파수와 주파수가 아주 조금 다른 두 모드로 구성된 파를 생각하자.

$$\eta = A\cos\left((k + \Delta k)\,x - (w + \Delta w)\,t\right)$$
$$+\, A\cos\left((k - \Delta k)\,x - (w - \Delta w)\,t\right) \tag{3.2.80}$$

여기서 $\Delta k \ll k$와 $\Delta w \ll w$임에 유의하라. 이를 삼각 함수의 합 공식($\cos A + \cos B = 2\cos((A+B)/2)\cos((A-B)/2)$)을 사용해 나타내면

$$\eta = 2A\cos(kx - wt)\cos(\Delta kx - \Delta wt) \tag{3.2.81}$$

이 된다. 여기서 $2A\cos(\Delta kx - \Delta wt)$부분이 두 모드의 중첩 상호작용(보강 간섭과 상쇄 간섭)으로 생성되는 파형을 나타내며 파군의 모양에 상응한다(그림 3.12). 이 파군의 모양 $\cos(\Delta kx - \Delta wt)$이 진행하는 속도는 $\Delta w/\Delta k$이다. $\Delta k \to 0$인 연속의 관점에서 $\Delta w/\Delta k \to \partial w/\partial k$가 되며 이를 파군의 속도($c_g$)로 정의하고 군속도(group velocity)라

그림 3.12: 파수$(k+\Delta k, k-\Delta k)$와 주파수$(w+\Delta w, w-\Delta w)$가 다른 두 모드가 만드는 파형.

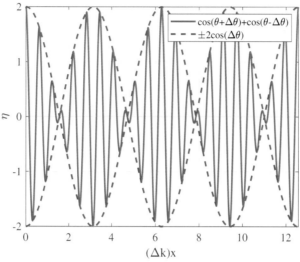

부른다. 분산 관계 (3.2.79)식을 바탕으로, 포엔카레 파에서 단일 파동이 아닌 여러개의 파가 합쳐진 파군의 속도는

$$c_g = \frac{\partial w}{\partial k} = \pm\frac{ghk}{\sqrt{ghk^2 + f^2}} \qquad (3.2.82)$$

가 된다. 개별 단일 파동의 속도를 나타내는 분산 관계 (3.2.79)식은 긴 파장(작은 파수 k)을 지닌 모드가 높은 파속 c를 가져 빠르게 움직임을 보여준다. (3.2.82)식은 개별 단일 파동과 반대로 파장이 짧은 파의 집합은 빠르게, 긴 파의 집합은 느리게 거동함을 보여준다(그림 3.13). 3.11그림은 1차원 선형 천해 모형을 통해 모의한 포엔카레 파를 보여준다. 정상 상태가 아닌 정규 분포 형태의 초기 조건 중 일부는 포엔카레 파의 형태로 움직이며 나머지는 정상 상태인 지형류 균형을 이루는 것을 볼 수 있다. 포엔카레 파에서 파장이 짧은 파군이 앞서 이동하며 상대적으로 느린 긴 파장의 파군이 그 뒤를 따른다.

문제 20.

포엔카레 파의 파군 속도 (3.2.82)식에서 최대 파군 속도를 이론적으로 결정하라. 3.11 그림의 수치해에서 포엔카레 파가 도달한 위치를 최대 파군 속도로 계산해 수치해가 이론과 일관된 결과를 보여주는지 확인하라.

그림 3.13: 포엔카레 파의 군속도 (3.2.82). 긴 파(작은 파수)의 집합은 느리게 짧은 파 (큰 파수)의 집합은 빠르게 이동함을 보여준다. 가시화에 사용한 계수는 3.10그림에 사용한 값과 같다.

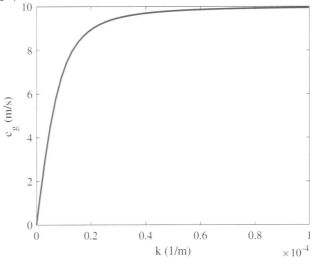

3.2.6.3 지형류 조절

앞서 언급한 대로 정상 상태가 아닌 임의의 초기 조건 중 일부는 포엔카레 파의 형태로 움직이며 나머지는 지형류 균형을 이룬다. 이처럼 비정상 상태의 해면이 정상 상태인 지형류 균형으로 수렴하는 과정을 지형류 조절(geostrophic adjustment)이라 부른다. 이 지형류 조절 현상은 Rossby (1938)가 최초로 논의하였다. 이전 포엔카레 파의 논의에서 운동 방정식인 (3.2.65)-(3.2.66)식과 보존 방정식인 (3.2.67)식을 (3.2.71)식과 (3.2.73)식으로 나타내었다. 여기서 (3.2.71)식에서 정상 상태를 가정하고 (3.2.73)식은 시간에 대해 적분해 나타내자.

$$-gh\left(\frac{\partial^2 \eta}{\partial x^2}+\frac{\partial^2 \eta}{\partial y^2}\right)+hf\xi=0 \quad \left(\xi=\frac{\partial \bar{v}}{\partial x}-\frac{\partial \bar{u}}{\partial y}\right) \tag{3.2.83}$$

$$\xi-\frac{f}{h}\eta=F(x,y) \tag{3.2.84}$$

여기서 잠재 와도의 양을 나타내는 F는 적분 상수로 시간에 대한 상수일 뿐 공간에 대한 함수일 수 있음에 유의하라. (3.2.84)식을 ξ에 대해 정리하고 (3.2.83)식에 대입하면

$$\frac{g}{f}\frac{\partial^2 \eta}{\partial x^2}-\frac{f}{h}\eta=F \tag{3.2.85}$$

를 얻을 수 있고 이는 지형류 조절이 이루어진 정상 상태의 해면에 대한 지배식이 된다. 여기서 편의를 위해 y방향 미분 성분을 무시해 x방향 변화만을 고려하였다. 결과적으로 F를 외력항으로 두는 2계 상미분 방정식이 완성된다. 여기서 외력항 F는 초기 조건으로 결정할 수 있다. (3.2.73)식은 잠재 와도를 나타내는 $\xi - f\eta/h$ 값이 시간에 따라 변하지 않음을 나타내고 초기 조건으로 그 값을 구할 수 있다. 결국 F는 초기 잠재 와도를 의미하고 (3.2.85)식은 초기 조건을 외력으로 가지는 미분방정식이 된다. 초기 조건으로 $\bar{u}|_{t=0} = 0$, $\bar{v}|_{t=0} = 0$, $\eta|_{t=0} = \eta_0 sgn(x)$를 생각하자. 여기서 $sgn(x)$는 부호 함수로

$$sgn(x) = \begin{cases} 1 & x > 0 \\ 0 & x = 0 \\ -1 & x < 0 \end{cases} \qquad (3.2.86)$$

이다. 즉, 이 초기 조건은 해면 고도가 $x > 0$에서 η_0의 상수 값을 가지고 $x < 0$에서는 $-\eta_0$의 상수값을 가지고 있음을 나타내며 $x = 0$에서 큰 낙차를 가지고 있는 상태이다. (3.2.84)식에 $t = 0$을 대입하고 초기 조건을 적용하면

$$\left. \left(\xi - \frac{f}{h}\eta \right) \right|_{t=0} = F \quad \rightarrow \quad -\frac{f}{h}\eta_0 sgn(x) = F$$
$$\therefore F = -\frac{f\eta_0}{h} sgn(x) \qquad (3.2.87)$$

로 F를 결정할 수 있다. 이를 (3.2.85)식에 대입하면 지배식은

$$\frac{g}{f}\frac{\partial^2 \eta}{\partial x^2} - \frac{f}{h}\eta = -\frac{f\eta_0}{h} sgn(x) \qquad (3.2.88)$$

이 된다. 경계 조건으로

$$\lim_{x \to \infty} \eta = \eta_0 \qquad (3.2.89)$$

$$\lim_{x \to -\infty} \eta = -\eta_0 \qquad (3.2.90)$$

을 고려하자. 이제 해를 제차 성분과 비제차 성분으로 나누고 전형적인 비제차 상미분 방정식의 해법을 이용해 해를 구할 수 있다. 다만 지배식 (3.2.88)식은 $x > 0$인 경우와 $x < 0$경우 지배식이 다름을 내포하고 있다. 따라서 각 경우의 해를 따로 구해보자. 먼저 $x > 0$인 경우, 제차 성분(η_h)과 비제차 성분(η_p)의 지배식은

$$\frac{g}{f}\frac{\partial^2 \eta_h}{\partial x^2} - \frac{f}{h}\eta_h = 0 \qquad (3.2.91)$$

$$\frac{g}{f}\frac{\partial^2 \eta_p}{\partial x^2} - \frac{f}{h}\eta_p = -\frac{f\eta_0}{h} \qquad (3.2.92)$$

이다. 제차 성분의 기저로 $\eta_h = e^{kx}$를 가정하고 (3.2.91)식에 대입해 제차 성분을 결정하자.

$$\frac{g}{f}k^2 - \frac{f}{h} = 0 \quad \rightarrow \quad k = \pm\frac{f}{\sqrt{gh}} \equiv \frac{1}{Rd} \quad \left(Rd = \frac{\sqrt{gh}}{f} \right) \qquad (3.2.93)$$

$$\therefore \eta_h = C_1 e^{x/Rd} + C_2 e^{-x/Rd}$$

외력항이 상수 형태이므로 비제차 성분의 기저를 임의의 상수로 가정하고 (3.2.92)식에 대입하면 비제차 성분을 결정할 수 있다.

$$\eta_p = \eta_0 \qquad (3.2.94)$$

최종적으로 $x > 0$인 경우의 일반해는

$$\eta = C_1 e^{x/Rd} + C_2 e^{-x/Rd} + \eta_0 \qquad (3.2.95)$$

가 된다. 같은 방식으로 $x < 0$인 경우의 일반해를 구하면

$$\eta = C_3 e^{x/Rd} + C_4 e^{-x/Rd} - \eta_0 \qquad (3.2.96)$$

을 얻을 수 있다. 경계 조건 (3.2.89)식을 (3.2.95)식에, 경계 조건 (3.2.90)식을 (3.2.96) 식에 각각 적용하면 $C_1 = 0$과 $C_4 = 0$을 알 수 있다. 남아있는 적분 상수 C_2와 C_3을 결정하기 위해 추가적인 조건이 필요한데, 이는 정상 상태의 해면 고도가 $x = 0$에서 연속이라는 조건과 미분 가능하다는 조건을 통해 구할 수 있다. 이는

$$\lim_{x \to 0+0} \eta = \lim_{x \to 0-0} \eta \qquad (3.2.97)$$

$$\lim_{x \to 0+0} \frac{\partial \eta}{\partial x} = \lim_{x \to 0-0} \frac{\partial \eta}{\partial x} \qquad (3.2.98)$$

로 표현된다. (3.2.95)식과 (3.2.96)식을 (3.2.97)식과 (3.2.98)식에 대입하자. 이 때, 우극한의 계산에는 (3.2.95)식을, 좌극한의 계산에는 (3.2.96)식을 사용해야 함에 유의하라. 이를 시행하면 조건 (3.2.97)식과 (3.2.98)식은 각각

$$C_2 + \eta_0 = C_3 - \eta_0 \quad \therefore C_3 - C_2 = 2\eta_0 \qquad (3.2.99)$$

$$-C_2/Rd = C_3/Rd \quad \therefore C_2 + C_3 = 0 \qquad (3.2.100)$$

그림 3.14: 부호 함수 형태로 주어진 해면 고도의 초기 조건(청색 얇은 실선)과 수치 모형으로 계산한 정상 상태의 해면(청색 굵은 실선). 적색 굵은 점선은 이론해 (3.2.101)식으로 계산한 정상 상태 해면이다. 정상 상태에 도달한 해면 고도는 평활화되며 그 너비 규모는 로스비 변형 반경(Rd)에 상응한다. 수치 실험에 사용한 계수는 3.11그림에 사용한 값과 같다.

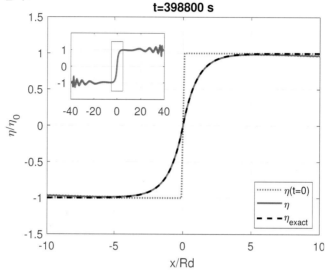

이 된다. 위의 식을 연립하면 $C_3 = \eta_0$과 $C_2 = -\eta_0$이 되며 최종적인 해

$$\eta = \begin{cases} \eta_0 \left(1 - e^{-x/Rd}\right) & x > 0 \\ \eta_0 \left(e^{x/Rd} - 1\right) & x < 0 \end{cases} \tag{3.2.101}$$

을 구할 수 있다. 3.14그림은 수치 모형으로 계산한 정상 상태의 해면 고도와 (3.2.101)식을 이용해 이론적으로 구한 정상 상태의 해면 고도를 보여주는데, 초기 조건의 가파른 낙차가 평평한 형태로 변형하는 것을 보여준다. 여기서 변형한 해면의 너비 규모는 Rd에 상응하며, 이가 Rd를 흔히 변형 반경이라 부르는 이유이다.

문제 21.

(3.2.84)식과 (3.2.85)식을 사용하여 아래 주어진 초기 조건이 정상 상태가 되었을 때의 해면 고도 η를 구하라.

$$\bar{u}\big|_{t=0} = 0, \quad \bar{v}\big|_{t=0} = 0, \quad \eta\big|_{t=0} = \eta_0 e^{-x/L_0} \tag{3.2.102}$$

여기서 η_0과 L_0은 임의의 상수이다. 경계 조건으로

$$\left.\frac{\partial \eta}{\partial x}\right|_{x=0} = 0, \quad \lim_{x \to \infty} \eta = 0 \tag{3.2.103}$$

을 사용하라. 이는 좌측이 육지로 닫혀있고 우측은 교란되지 않은 큰 바다로 연결됨을 나타낸다. 초기 조건은 육지 쪽으로 물이 쌓여있는 상태를 나타낸다. 문제에서 구한 정상 상태의 해면 고도는 무차원수 Rd/L_0에 대한 함수로 생각할 수 있다. 초기 조건에 주어진 공간 규모 L_0이 Rd보다 압도적으로 커 무차원수 Rd/L_0이 0으로 수렴할 경 정상 상태 해면 고도가 초기 조건으로 수렴함을 보여라. 반대로 L_0이 Rd보다 매우 작아 무차원수가 무한으로 커지는 경우는 정상 상태 해면 고도는 0으로 수렴한다. 이 각각의 극한이 의미하는 바는 무엇인가?

3.2.7 로스비 파

앞서 f평면 위에서 일어나는 파동인 포엔카레 파를 논의하였다. 이번에는 위도에 따른 전향력 변화를 고려하는 β평면에서의 파의 거동에 논의해 보자. 이를 로스비 파(Rossby wave)라 부른다(Rossby, 1949). 지배식은 아래와 같이 간략히 쓸 수 있다.

$$-f\bar{v} = -g\frac{\partial \eta}{\partial x} \tag{3.2.104}$$

$$f\bar{u} = -g\frac{\partial \eta}{\partial y} \tag{3.2.105}$$

$$\frac{\partial \eta}{\partial t} + h\left(\frac{\partial \bar{u}}{\partial x} + \frac{\partial \bar{v}}{\partial y}\right) = 0 \tag{3.2.106}$$

여기서 $f = f_0 + \beta y$이며 상수 수심을 가정하고 있음에 유의하라. 운동 방정식 (3.2.104)-(3.2.105)식에서는 정상 상태를 가정해 관성항을 무시하였지만, 연직 적분한 보존 방정식 (3.2.106)식에서는 정상 상태를 가정하지 않고 시간에 대한 해면 변화항을 그대로 고려하였다. 운동 방정식 (3.2.104)-(3.2.105)식을 각각 $\bar{u}$와 $\bar{v}$에 대해 정리한 뒤, 보존 방정식 (3.2.106)식에 대입하면 η에 대해 정리된 식을 얻을 수 있다.

$$\frac{\partial \eta}{\partial t} - \beta\frac{gh}{f^2}\frac{\partial \eta}{\partial x} = 0 \tag{3.2.107}$$

(3.2.107)식이 β 평면에서 나타나는 파동, 로스비 파의 지배식으로 생각할 수 있다. 다만 이는 관성항의 영향을 완전히 무시할 수 있을 정도로 큰 규모인(파장이 매우 긴)

경우에 합당한 식이다. 앞서 포엔카레 파의 경우와 마찬가지로 기저를 삼각 함수로 가정하고 (3.2.77)식을 정리한 지배식 (3.2.107)식에 대입하면 아래의 분산 관계식을 얻을 수 있다.

$$w = -\beta \frac{gh}{f^2}k \quad \left(c = \frac{w}{k} = -\beta \frac{gh}{f^2} \right) \tag{3.2.108}$$

(3.2.108)식에서 y방향 파속 성분은 존재하지 않으며 x방향 파속은 항상 음수이다. 이는 로스비 파가 항상 음의 방향(동에서 서쪽)으로 진행함을 나타낸다. 수학적인 관점에서 (3.2.107)식은 선형 이류 방정식이며 본질적으로 η라는 값이 $-\beta gh/f^2(= -\beta Rd^2)$의 속력으로 이동함을 나타낸다. (3.2.108)식에서 f는 y에 대한 함수이다. 따라서 로스비 파의 파속은 f가 작은 저위도에서 크며, f가 큰 고위도에서 작다. 즉, 로스비 파는 낮은 위도에서 더 빠르게 움직인다. 하지만 로스비 파의 속력은 표면 중력파나 포엔카레 파보다 매우 느림에 유의하라.

앞서 f평면에서 주어진 임의의 초기 조건은 포엔카레 파 형태로 전파하며 일부는 제자리에 남아 지형류 균형을 이루었다(그림 3.11). β평면에서는 지형류 균형을 이룬 부분이 천천히 서쪽으로 이동하는데, 이가 로스비 파에 해당한다(그림 3.15). 로스비 파의 물리적인 기작은 앞서 3.1.2.2장 끝 서안 강화 해류에 대한 논의에 소개한 β효과와 같다. 위도에 따른 전향력 계수 변화는 지형류 자체가 수렴 혹은 발산할 수 있도록 하며 이는 해면을 서쪽으로 이동시키는 역할을 한다.

3.2.7.1 관성항의 교란

앞서 로스비 파의 논의에서 운동 방정식의 관성항을 완전히 무시하였다. 공간 규모가 커 $Ro \ll 1$인 해양에서 관성항은 지형류 균형에 비해 분명 규모가 작으나, 관성항의 존재는 앞서 논의한 로스비 파의 성질을 바꾸어 놓을 수 있다. 이 장에서는 관성항의 영향을 고려한 로스비 파를 논해 보자.

$$\frac{\partial \bar{u}}{\partial t} - (f_0 + \beta y)\bar{v} = -g\frac{\partial \eta}{\partial x} \tag{3.2.109}$$

$$\frac{\partial \bar{v}}{\partial t} + (f_0 + \beta y)\bar{u} = -g\frac{\partial \eta}{\partial y} \tag{3.2.110}$$

$$\frac{\partial \eta}{\partial t} + h\left(\frac{\partial \bar{u}}{\partial x} + \frac{\partial \bar{v}}{\partial y} \right) = 0 \tag{3.2.111}$$

위의 지배식은 선형으로 앞서 논의한 것과 같은 방법으로 이론적으로 해석할 수 있다. 이 경우 지배식의 해에는 단순히 포엔카레 파와 로스비 파가 섞여 함께 나타날 것이다. 하지만 큰 공간 규모에서 지배적인 지형류 균형과 로스비 파가 상대적인 크기가 작은

그림 3.15: 수치 모형으로 모사한 로스비 파. 수치 실험에 사용한 계수는 $g = 10\,m/s^2$, $h = 10\,m$, $f_0 = 10^{-4}\,s^{-1}$, $\beta = 2 \times 10^{-11}\,s^{-1}m^{-1}$이며 초기 조건의 공간 규모가 로스비 변형 반경 Rd보다 매우 큰 경우임에 유의하라.

t=0 s

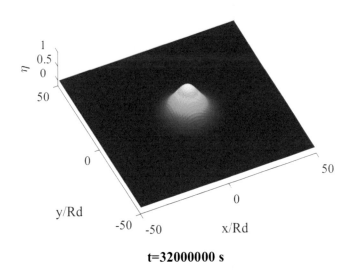

t=32000000 s

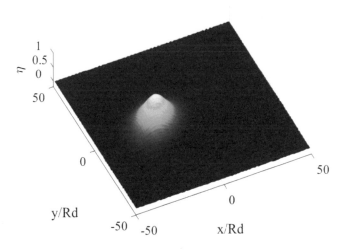

관성항의 존재에 어떻게 영향 받는지에 집중하기 위해 교란 이론을 통해 근사해를 구할 것이다.

먼저 운동 방정식을 무차원화해 보자. (3.2.109)식과 (3.2.110)식에 $\bar{u} = U\bar{u}^*$, $\bar{v} = U\bar{v}^*$, $t = Tt^*$, $x = Lx^*$, $y = Ly^*$을 대입하고 전향력의 규모인 fU로 양 변을 나누자. 이 때, 큰 규모에서 압력 경사항이 전향력과 균형을 이룸을 바탕으로 압력 경사항의 규모를 f_0U로 정의하고, 전향력 계수의 변동 성분이 상수 성분보다 작음을 바탕으로 β효과 항의 규모를 Rof_0U로 정의하면

$$Ro\frac{\partial \bar{u}^*}{\partial t^*} - \bar{v}^* - Roy^*\bar{v}^* = -\frac{\partial \eta^*}{\partial x^*}$$
$$Ro\frac{\partial \bar{v}^*}{\partial t^*} + \bar{u}^* + Roy^*\bar{u}^* = -\frac{\partial \eta^*}{\partial y^*}$$
(3.2.112)

를 얻을 수 있다. 여기서 $Ro = U/(f_0L)$로 로스비 수를 나타낸다. 압력 경사항의 규모를 전향력의 규모와 같게 정의하는 것은 지형류 균형이 지배적임을 가정함과 같고 이는 $Ro \ll 1$을 가정함을 의미한다. 이제 유속을

$$\bar{u} = \bar{u}_0 + \bar{u}_1, \quad \bar{v} = \bar{v}_0 + \bar{v}_1$$
$$\bar{u}^* = U\left(\bar{u}_0^* + Ro\bar{u}_1^*\right), \quad \bar{v}^* = U\left(\bar{v}_0^* + Ro\bar{v}_1^*\right)$$
(3.2.113)

으로 정의하자. 두 번째 줄은 무차원화한 형태를 나타내었다. 지배적인 0순위 성분 (u_0, v_0)과 크기가 작은 1순위 성분$(\bar{u}_1, \bar{v}_1)$으로 나누었으며, 여기서 1순위 성분의 규모를 0순위 성분의 규모(U)의 Ro배(RoU)로 정의했다. 이를 운동 방정식인 (3.2.109)식과 (3.2.110)식에 대입하고 규모가 같은 항끼리 묶어 정리하자. x방향 운동 방정식 (3.2.109)식을 예시로,

$$\left(-f_0\bar{v}_0 + g\frac{\partial \eta}{\partial x}\right) + \left(\frac{\partial \bar{u}_0}{\partial t} - f_0\bar{v}_1 - \beta y\bar{v}_0\right) + \left(\frac{\partial \bar{u}_1}{\partial t} - \beta y\bar{v}_1\right) = 0$$
$$\left(-\bar{v}_0^* + \frac{\partial \eta^*}{\partial x^*}\right) + Ro\left(\frac{\partial \bar{u}_0^*}{\partial t^*} - \bar{v}_1^* - y^*\bar{v}_0^*\right) + Ro^2\left(\frac{\partial \bar{u}_1^*}{\partial t^*} - y^*\bar{v}_1^*\right) = 0$$
(3.2.114)

를 얻을 수 있다. 따라서 0순위 균형과 1순위 균형은

$$-f_0\bar{v}_0 + g\frac{\partial \eta}{\partial x} = 0, \quad \therefore \bar{v}_0 = \frac{g}{f_0}\frac{\partial \eta}{\partial x}$$
(3.2.115)

$$\frac{\partial \bar{u}_0}{\partial t} - f_0\bar{v}_1 - \beta y\bar{v}_0 = 0, \quad \therefore \bar{v}_1 = \frac{1}{f_0}\left(\frac{\partial \bar{u}_0}{\partial t} - \beta y\bar{v}_0\right)$$
(3.2.116)

이 된다. 여기서 0순위 유속 성분은 지형류를 의미하며, 1순위 유속 성분을 흔히 비지형류로 정의한다. β항이 만들어내는 지형류 변동 성분은 1순위 균형 비지형류로 포함되었음에 유의하라. 같은 방식으로 y방향 운동 방정식에 나눈 유속 성분 (3.2.113)식을 대입하고 규모가 같은 항을 묶어 0순위 균형과 1순위 균형을 구하면

$$f_0 \bar{u}_0 + g\frac{\partial \eta}{\partial y} = 0, \quad \therefore \bar{u}_0 = -\frac{g}{f_0}\frac{\partial \eta}{\partial y} \tag{3.2.117}$$

$$\frac{\partial \bar{v}_0}{\partial t} + f_0 \bar{u}_1 + \beta y \bar{u}_0 = 0, \quad \therefore \bar{u}_1 = -\frac{1}{f_0}\left(\frac{\partial \bar{v}_0}{\partial t} + \beta y \bar{u}_0\right) \tag{3.2.118}$$

을 알 수 있다. 이제 0순위 유속 성분 (3.2.115)식과 (3.2.117)식을 1순위 유속 성분 (3.2.116)식과 (3.2.118)식에 대입해 η에 대한 식으로 나타내면

$$\bar{v}_1 = \frac{g}{f_0{}^2}\left(-\frac{\partial \eta^2}{\partial t \partial y} - \beta y\frac{\partial \eta}{\partial x}\right)$$
$$\bar{u}_1 = -\frac{g}{f_0{}^2}\left(\frac{\partial^2 \eta}{\partial t \partial x} - \beta y\frac{\partial \eta}{\partial y}\right) \tag{3.2.119}$$

가 된다. 마지막으로 (3.2.113)식과 η로 나타낸 유속 성분 (3.2.115), (3.2.117), (3.2.119)식을 보존 방정식 (3.2.111)식에 대입하고 정리하면

$$\frac{\partial \eta}{\partial t} - \beta\frac{gh}{f_0{}^2}\frac{\partial \eta}{\partial x} - \frac{gh}{f_0{}^2}\frac{\partial}{\partial t}\left(\frac{\partial^2 \eta}{\partial x^2} + \frac{\partial^2 \eta}{\partial y^2}\right) = 0 \tag{3.2.120}$$

이 된다. 이가 관성항의 교란을 고려한 로스비 파의 지배식이며 좌변의 마지막 항이 관성항의 존재로 인한 교란항에 해당한다. 해의 기저를 삼각 함수 (3.2.77)식으로 가정하고 지배식 (3.2.120)식에 대입해 분산 관계를 유도하면

$$w = -\beta Rd^2\frac{k}{1 + Rd^2\left(k^2 + l^2\right)} \quad \left(c_x = -\beta Rd^2\frac{1}{1 + Rd^2\left(k^2 + l^2\right)}\right) \tag{3.2.121}$$

을 얻을 수 있다. 여기서 $Rd = \sqrt{gh}/f_0$로 로스비 변형 반경을 나타낸다. 분산 관계 (3.2.121)식에서 x방향 파속 c_x는 여전히 항상 음수임에 유의하라. 이는 서쪽으로만 이동하는 로스비 파의 성질이 관성항의 교란을 고려하더라도 유지됨을 의미한다. 파장이 로스비 변형 반경보다 매우 커 (3.2.121)식의 분모에 있는 $Rd^2(k^2 + l^2)$을 무시할 수 있는 경우를 생각해 보자. 이 때, 분산 관계 (3.2.121)식은 앞서 논의한 관성항이 고려되지 않은 로스비 파의 분산 관계 (3.2.108)와 같아지고 그 속도는 $-\beta Rd^2$이 된다(그림 3.16).

그림 3.16: 가시화한 로스비 파의 분산 관계식 (3.2.79). 흑색 점선은 운동 방정식의 관성항을 완전히 무시하는 경우의 분산 관계($w = -\beta Rd^2 k$)이다.

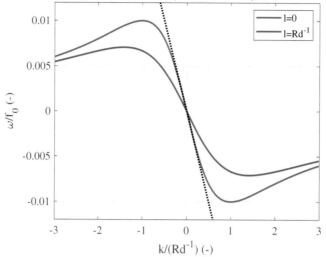

그림 3.17: 로스비 파의 군속도 (3.2.121). 긴 파(작은 파수)의 집합은 빠르게, 짧은 파(큰 파수)의 집합은 느리게 이동함을 보여준다.

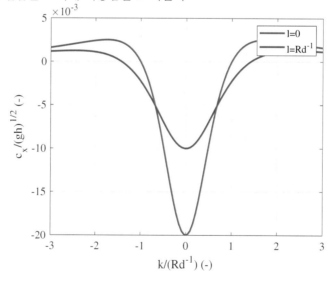

분산 관계 (3.2.121)식을 k로 미분해 x방향 군속도를 구하면

$$c_{g_x} = \frac{\partial w}{\partial k} = -\beta Rd^2 \frac{1 + Rd^2 \left(l^2 - k^2 \right)}{\left(1 + Rd^2 \left(k^2 + l^2 \right) \right)^2} \qquad (3.2.122)$$

가 된다. 이는 로스비 파에서 각각의 개별 파장(모드)은 항상 음의 방향(서쪽)으로만 움직이지만, 파수가 큰 파의 집합(파군)은 양의 방향으로 움직일 수 있음을 암시한다 (그림 3.17). 하지만 앞서 지배식에 교란 이론을 적용할 때, 운동 방정식에서 관성항의

그림 3.18: 수치 모형으로 모사한 로스비 파. 수치 실험에 사용한 계수는 3.15그림에 사용한 값과 같으며 초기 조건의 공간 규모가 로스비 변형 반경 Rd정도인 경우임에 유의하라.

t=0 s

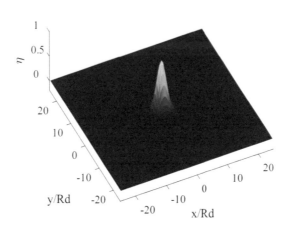

t=16000000 s

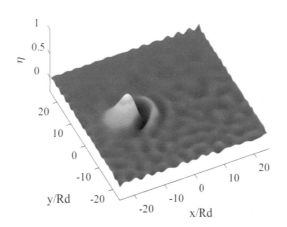

규모가 전향력의 규모에 비해 매우 작음을 가정했음에 유의하라. 파수가 $Rd^{-1} \ll k$인 짧고 작은 공간 규모의 파에서, 관성항의 규모는 가정한 것처럼 작지 않아 로스비 파가 아닌 다른 파의 형태(예를 들어, 포엔카레 파)로 진행할 것이다.

3.17그림은 가시화한 (3.2.122)식을 보여주는데, 파수가 작을수록 파군이 더 빠르게 이동함을 보여준다. 3.18그림은 2차원 천해 수치 모형을 사용해 모사한 로스비 파를 보여주는데, 파수가 작아 파장이 긴 파군은 빠르게 서쪽으로 움직이고 파수가 커 파장이 짧은 파군은 느리게 움직여 상대적으로 동쪽에 위치한다.

3.2.8 마찰의 영향과 회전 감쇠

이번에는 마찰의 영향을 고려해 보자. 지배식으로

$$-f_0 \bar{v} = -g \frac{\partial \eta}{\partial x} - \frac{\gamma}{h} \bar{u} \tag{3.2.123}$$

$$f_0 \bar{u} = -g \frac{\partial \eta}{\partial y} - \frac{\gamma}{h} \bar{v} \tag{3.2.124}$$

$$\frac{\partial \eta}{\partial t} + h \left(\frac{\partial \bar{u}}{\partial x} + \frac{\partial \bar{v}}{\partial y} \right) \tag{3.2.125}$$

를 생각하자. 편의를 위해 f평면과 상수 수심을 가정했다. 여기서 앞서 로스비 파의 관성항 교란에 논의했던 교란 이론을 그대로 적용하자. 유속을 지형류 성분과 비지형류 성분으로 나누고 지형류 성분이 지배적임을 가정해 교란 이론을 적용하고 η에 대한 지배식을 구하면

$$\frac{\partial \eta}{\partial t} = \frac{\gamma g}{f_0{}^2} \left(\frac{\partial^2 \eta}{\partial x^2} + \frac{\partial^2 \eta}{\partial y^2} \right) \tag{3.2.126}$$

이 된다. 이는 $\gamma g / f_0{}^2$을 계수로 하는 확산 방정식(diffusion equation)이다. 이는 해면이 퍼지는 형태로 확산함을 나타낸다. 볼록하게 쌓여 있는 형태의 해면 고도를 생각하자. 북반구에서 지형류는 시계 방향으로 나타날 것이다. 이 시계 방향 지형류에 대한 바닥 에크만 흐름(비지형류)은 바깥을 향하고 쌓여 있는 해면을 발산하고 퍼뜨려 해면 경사와 지형류를 감소시킨다. (3.2.126)식은 이 과정이 일련의 확산으로 고려할 수 있음을 나타낸다.

3.2.8.1 확산 방정식의 정해

(3.2.126)식의 정해를 구해보자. 편의를 위해 y방향 경사를 무시한

$$\frac{\partial \eta}{\partial t} = \gamma' \frac{\partial^2 \eta}{\partial x^2} \quad \left(\gamma' = \frac{\gamma g}{f_0^{\,2}} \right) \tag{3.2.127}$$

을 생각하자. 경계 조건과 초기 조건으로

$$\left. \frac{\partial \eta}{\partial x} \right|_{x=0} = 0 \tag{3.2.128}$$

$$\left. \frac{\partial \eta}{\partial x} \right|_{x=L_x} = 0 \tag{3.2.129}$$

$$\eta|_{t=0} = F(x) \tag{3.2.130}$$

을 고려하자. 해를 $\eta = X(x)T(t)$로 가정하고 (3.2.127)식에 대입하면

$$XT' = \gamma X''T$$
$$\frac{X''}{X} = \frac{1}{\gamma'}\frac{T'}{T} = \lambda \tag{3.2.131}$$

을 얻을 수 있고 이는 두 개의 상미분 방정식 $X'' = \lambda X$와 $T' = \gamma' \lambda T$로 나눌 수 있다. 앞서 파동 방정식의 해석과 마찬가지로 λ의 기호는 경계 조건 (3.2.128)식과 (3.2.129)식이 결정하고 이 두 경계 조건은 (3.2.46)식과 같은 형식으로 $X'(0) = 0$과 $X'(L_x) = 0$으로 나타낼 수 있다.

먼저 $\lambda = 0$인 경우, $X'' = \lambda X = 0$에서 $X = A_1 x + A_2$이고 경계 조건을 적용하면 $A_1 = 0$을 알 수 있다. 이 경우, $T' = \gamma' \lambda T$는 $T = B_1$이 된다. 즉, $\lambda = 0$인 경우의 일반해는 임의의 상수 $C_2 (= A_2 B_1)$가 된다. $\lambda > 0$인 경우, 경계 조건을 만족할 수 없고, $\lambda < 0$인 경우, 각 상미분 방정식의 일반해는

$$X = A_3 \sin(\sqrt{-\lambda}x) + A_4 \cos(\sqrt{-\lambda}x)$$
$$T = B_2 e^{\gamma' \lambda t} \tag{3.2.132}$$

가 된다. X의 일반해에 경계 조건을 적용하면, (3.2.50)식과 마찬가지로 $A_3 = 0$과 $A_4 \sin(\sqrt{-\lambda}L_x) = 0$를 얻을 수 있다. 후자에서 $A_4 = 0$인 경우는 자명해이기 때문에, $\sin(\sqrt{-\lambda}L_x) = 0$으로부터 $\sqrt{-\lambda}L_x = n\pi$를 알 수 있다. 즉, $\lambda = -(n\pi/L_x)^2$이다. 따라서 임의의 n에 대한 η의 기저는

$$\eta = C_3^n e^{-\gamma' k_n^{\,2} t} \cos(k_n x) \quad \left(k_n = \sqrt{-\lambda} = \frac{n\pi}{L_x} \right) \tag{3.2.133}$$

이다. 최종적으로 η의 일반해는

$$\eta = \sum_{n=0}^{\infty} C_3^n e^{-\gamma' k_n^2 t} \cos(k_n x) \tag{3.2.134}$$

가 된다. 여기서 $\lambda = 0$인 경우의 기저는 $n = 0$인 경우에 해당한다. 마지막으로 초기 조건 (3.2.130)식과 삼각 함수의 직교성을 이용해 적분 상수 C_3^n을 결정하면 해를 완벽히 구할 수 있다.

$$\eta|_{t=0} = F(x) \rightarrow \sum_{n=0}^{\infty} C_3^n \cos(k_n x) = F(x) \tag{3.2.135}$$

(3.2.135)식의 양변에 $\cos(m\pi x/L_x)$를 곱하고 0에서 L_x까지 적분하면

$$\sum_{n=0}^{\infty} C_3^n \int_0^{L_x} \cos\left(\frac{m\pi x}{L_x}\right) \cos\left(\frac{n\pi x}{L_x}\right) dx = \int_0^{L_x} F(x) \cos\left(\frac{m\pi x}{L_x}\right) dx \tag{3.2.136}$$

이 되고 삼각 함수의 직교성 (3.2.55), (3.2.56), (3.2.57)식을 이용해 각각의 적분 상수를 결정할 수 있다. 먼저 $m = 0$인 경우, (3.2.136)식은

$$C_3^0 L_x = \int_0^{L_x} F(x)\, dx \quad \therefore C_3^0 = \frac{1}{L_x} \int_0^{L_x} F(x)\, dx \tag{3.2.137}$$

이 된다. $m \neq 0$인 경우,

$$C_3^m \frac{L_x}{2} = \int_0^{L_x} F(x) \cos\left(\frac{m\pi x}{L_x}\right) dx \quad \therefore C_3^n = \frac{2}{L_x} \int_0^{L_x} F(x) \cos\left(\frac{n\pi x}{L_x}\right) dx \tag{3.2.138}$$

이다.

(3.2.134)식에서 모드의 진폭은 $e^{-\gamma' k_n^2 t}$에 따라 변화하는데, 이는 진폭이 시간에 따라 지수적으로 감쇠함을 나타낸다. 이 때 감쇠율은 $-\gamma' k_n^2$로 확산 계수와 비례하며 또 파수의 제곱과도 비례함을 나타낸다. 따라서 파수가 큰(파장이 짧은) 모드는 빠른 속도로 감쇠하며, 파수가 작은(파장이 긴) 모드는 감쇠하는 속도가 느리다. 다시 말해 단위 거리 당 변화량이 큰 모드는 빠르게 0으로 수렴하고 파수가 작은 모드는 상대적으로 느리게 0으로 수렴한다. 결과적으로 초기 조건에서 공간적인 변화가 큰 부분들이 느린 부분보다 빠르게 감쇠하며 점점 평평하게 바뀌게 된다. 충분한 시간이 흐르고 정상 상태에 가까워지면 $n = 0$인 경우의 상수 성분 모드를 제외하고 모두 0으로 수렴한다.

3.3 연안 해양 현상

3.3.1 연안 환경의 규모 분석

연안 지역의 해양 현상은 앞서 논의한 큰 규모의 해양 현상과는 다른 양상을 가지고 있다. 이 장에서는 연안 지역에 나타나는 지구 물리 유체 현상에 대해 논한다. 연안 지역의 가장 큰 특징은 많은 경우, 연안과 평행한 방향은 큰 공간 규모를 가지지만 연안의 법선 방향의 공간 규모는 매우 작다는 것이다. 이는 x와 y의 규모가 서로 다른 비등방성(anisotropic)을 가짐을 의미한다. Pedlosky (1987)의 저서(8.1 Anisotropic Scales)를 참조 바란다.

운동 방정식의 규모 분석에 있어 $x = L_x x^*$와 $y = L_y y^*$를 사용하자. x가 연안의 법선 방향 y가 연안과 평행한 방향으로 설정했을 때, $L_x \ll L_y$이다. 만약 y방향 공간 규모가 충분히 큰 경우라면 $\partial/\partial y = (1/L_y)\partial/\partial y^* \approx 0$이 되어 지배식 내에 y방향 미분항을 소거할 수 있을 것이다. 추가적으로 x방향 유속 u와 y방향 유속 v의 규모 역시 $u = Uu^* \approx (L_x/T)u^*$와 $v = Vv^* \approx (L_y/T)v^*$의 형태로 서로 다른 규모로 나타낼 수 있다. 이 경우, $L_x \ll L_y$는 $U \ll V$을 나타낸다. 이를 바탕으로 x방향 운동 방정식을 무차원화하고 양 변을 전향력의 규모 fV로 나누면

$$\left(\frac{1}{fT}\frac{U}{V}\right)\left(\frac{\partial u^*}{\partial t^*} + u^*\frac{\partial u^*}{\partial x^*} + v^*\frac{\partial u^*}{\partial y^*} + w^*\frac{\partial u^*}{\partial z^*}\right) - v^* = \frac{\partial \eta^*}{\partial x^*}$$
$$+ \left(\frac{A_h}{fL_x^2}\frac{U}{V}\right)\frac{\partial^2 u^*}{\partial x^{*2}} + \left(\frac{A_h}{fL_y^2}\frac{U}{V}\right)\frac{\partial^2 u^*}{\partial y^{*2}} + \left(\frac{A_h}{fH^2}\frac{U}{V}\right)\frac{\partial^2 u^*}{\partial z^{*2}} \quad (3.3.1)$$

을 얻을 수 있다. 여기서 압력 경사의 규모는 전향력의 규모와 같게 정의했으며 $U \approx L_x/T$, $V \approx L_y/T$를 사용했음에 유의하라. (3.3.1)식에서 무차원수 $U/V \approx L_x/L_y$가 정의되는데 이는 수평의 종횡비(aspect ratio)를 나타낸다. 앞서 논의한 $U \ll V$는 $U/V \ll 1$을 나타내고, 이는 U/V가 포함된 항이 매우 작음을 의미한다. 결과적으로 x방향 운동 방정식 내에 지배적인 균형은 지형류 균형이 된다.

같은 방식을 y방향 운동 방정식에 적용하면

$$\left(\frac{1}{fT}\frac{V}{U}\right)\left(\frac{\partial v^*}{\partial t^*} + u^*\frac{\partial v^*}{\partial x^*} + v^*\frac{\partial v^*}{\partial y^*} + w^*\frac{\partial v^*}{\partial z^*}\right) + u^* = \frac{\partial \eta^*}{\partial y^*}$$
$$+ \left(\frac{A_h}{fL_x^2}\frac{V}{U}\right)\frac{\partial^2 v^*}{\partial x^{*2}} + \left(\frac{A_h}{fL_y^2}\frac{V}{U}\right)\frac{\partial^2 v^*}{\partial y^{*2}} + \left(\frac{A_h}{fH^2}\frac{V}{U}\right)\frac{\partial^2 v^*}{\partial z^{*2}} \quad (3.3.2)$$

을 얻을 수 있는데, 이번에는 x방향 운동 방정식과 반대로 여러 항에 U/V가 아닌 그

역수 V/U가 나타난다. 앞서 $U/V \ll 1$을 정의했기 때문에, $1 \ll V/U$이고 이는 y방향 운동 방정식의 여러 항을 무시할 수 없게 만든다. 예를 들어 $U/V \approx Ro$인 경우를 생각해 보자. 이 경우, x방향 운동 방정식의 관성항과 이류항의 규모는 $Ro^2 \ll 1$으로 매우 작지만 y방향 운동 방정식에서 이 항들은 규모 1로 지형류 균형과 더불어 가장 중요한 항이 된다. 결과적으로 종횡비 $U/V \ll 1$인 연안 환경에서 x방향 운동 방정식 (v 유속 성분)은 지형류 균형이 지배적이지만 y방향 운동 방정식에서는 여러 관성항과 이류항을 포함한 대부분의 항을 쉽게 무시할 수 없다(Brink, 2016).

전향력을 무시할 수 있는 매우 작은 공간 규모의 역학 역시 물리 해양학을 이루는 큰 분야지만, 이 책에서는 지구 물리 규모의 현상에 집중하기 위해 다루지 않는다.

3.3.2 연안 용승

북반구에서 서쪽이 육지로 닫혀있고 북향하는 바람이 부는 경우를 생각하자. 전향력이 중요한 큰 규모의 연안에서 바람은 연안의 바깥 방향(동쪽)을 향하는 취송류를 만들고 연안의 물을 바깥으로 밀어낸다. 물의 보존 관점에서, 연안에서 밀려난 물은 아래에서 올라오는 연직 방향의 흐름이 보상하는데 이를 용승(upwelling)이라 부른다. 반대로 바람이 연안을 향하는 취송류를 만들어 물을 아래로 밀어내는 현상을 침강(downwelling)이라 칭한다. 용승은 심층의 수온이 낮은 물을 끌어 올려 표층 수온을 급격히 떨어뜨린다. 추가로 심층의 물은 많은 영양염을 함유하고 있어 영양염을 공급해 표층 플랑크톤의 생산성에 직접적으로 영향을 준다.

선형, 정상 상태, 수평 방향 비점성인 해양의 지배식

$$-fv = -g\frac{\partial \eta}{\partial x} + A_z \frac{\partial^2 u}{\partial z^2} \tag{3.3.3}$$

$$fu = A_z \frac{\partial^2 v}{\partial z^2} \tag{3.3.4}$$

$$\frac{\partial u}{\partial x} + \frac{\partial w}{\partial z} = 0 \tag{3.3.5}$$

를 생각하자. 여기서 x방향은 연안과 직각인 방향, y방향은 연안과 평행한 방향을 나타낸다. y방향으로 매우 긴 공간 규모를 가정해, 운동 방정식에서 y방향 경사항($\partial/\partial y$)를 모두 무시하고 성층을 고려하고 있지 않음에 유의하라. 앞서 3.3.1장의 규모 분석에서 y방향 운동 방정식과 달리 x방향 운동 방정식에서는 지형류 균형이 매우 지배적임을 보였다. 이를 바탕으로 (3.3.3)식 내 연직 와동 점성항을 추가로 무시하고 지배식을 천해 방정식으로 나타내면

$$-f\bar{v} = -g\frac{\partial\eta}{\partial x} \tag{3.3.6}$$

$$f\bar{u} = \frac{\tau_y^s}{\rho_0 h} - \frac{\tau_y^b}{\rho_0 h} \tag{3.3.7}$$

$$\frac{\partial(h\bar{u})}{\partial x} = 0 \tag{3.3.8}$$

이 된다. 이 천해 방정식은 연직적인 유속 구조를 직접적으로 나타내진 못하지만 그에 대한 충분한 암시를 준다. 예를 들어, (3.3.7)식은 바람과 바닥 응력이 전향력과 균형을 이룸을 보여주는데, 이는 각각 표층 에크만 수송($\tau_y^s/(f\rho_0 h)$)과 바닥 에크만 수송($-\tau_y^b/(f\rho_0 h)$)을 나타낸다. 천해 방정식 자체는 에크만 수송이 어떤 연직적 구조를 가지는지 직접 나타내진 않지만, 앞서 2.2.2장에서 에크만 흐름에 대해 논의한 대로, 이 수송이 나선형 구조를 지니며 표층과 바닥 경계층에서 집중되어 일어남을 생각할 수 있다. 더군다나 천해 방정식은 원형보다 수학적으로 다루기 훨씬 쉽다. 이러한 이유로 용승 역학 연구에서 자주 천해 방정식을 차용한다(Pringle, 2002; Lentz & Chapman, 2004; D. Kim et al., 2023).

여기서 보존 방정식 (3.3.8)식을 적분하면 $\bar{u} = C$로 나타낼 수 있고 이는 $\bar{u}$가 x에 독립인 상수임을 나타낸다. 여기에 수평 경계 조건으로 왼쪽 경계가 육지로 닫혀있는 $\bar{u}|_{x=0} = 0$을 생각하자. 이를 바탕으로 상수를 $C = 0$로 결정할 수 있다. 따라서 보존 방정식 (3.3.8)식은

$$\bar{u} = 0 \quad \left(\int_{-h}^{0} u\,dz = 0\right) \tag{3.3.9}$$

로 나타낼 수 있다. 이는 연안 법선 방향의 총 수송이 없음을 나타내는데 많은 연안 해양 문제에서 자주 사용하는 가정이다(Csanady, 1981; Estrade et al., 2008; Lentz & Chapman, 2004). 이를 y방향 운동 방정식 (3.3.7)에 적용하면

$$\frac{\tau_y^s}{f\rho_0 h} - \frac{\tau_y^b}{f\rho_0 h} = 0 \tag{3.3.10}$$

이 된다. 여기서 좌변의 첫 번째 항과 두 번째 항은 각각 표층 에크만 수송과 바닥 에크만 수송을 나타내고, (3.3.10)식은 표층 에크만 수송과 바닥 에크만 수송이 균형을 이룸을 의미한다. 즉, 성층이 무시할 수 있을 만큼 작은 환경의 용승 현상에서 표층 수송을 보상하는 흐름은 바닥 에크만 흐름임을 암시한다. 또한 표층 바람 응력과 바닥

마찰 응력이 균형을 이룸을 나타내기도 하는데, 이는 관측을 통해 어느 정도 검증된 사실이다(Lentz & Chapman, 2004).

이제 바닥 경계 조건 (1.3.11)식을 사용해 (3.3.10)식의 바닥 응력항을 $\tau_y^b/\rho_0 \approx \gamma\bar{v}$ 로 정의하고 정리하면

$$\bar{v} = \frac{\tau_y^s}{\rho_0\gamma} \tag{3.3.11}$$

을 알 수 있다. x방향 운동 방정식 (3.3.6)식에 따라 $\bar{v}$는 지형류임에 유의하라. (3.3.11)식은 용승 현상에서 바람과 방향이 같고 그 세기가 비례하는 지형류가 생김을 의미한다. 이를 흔히 용승 제트류(upwelling jet)라 부른다.

아무런 움직임이 없는 멈춰 있는 상태의 연안을 생각해 보자. 용승을 일으키는 바람이 불기 시작하면, 표층 에크만 흐름은 물을 연안 바깥으로 밀어내고 닫힌 경계에서 흐름의 발산을 만들어져 연안 쪽 해면 고도가 감소, 해면의 경사를 만든다. 이 해면의 경사는 연안과 평행하고 바람과 같은 방향의 지형류를 만들어 내고 이 지형류와 바닥 간의 마찰이 바닥 에크만 흐름을 만들어 표층 에크만 흐름을 보상한다.

3.3.2.1 용승의 연직 구조

천해 방정식을 이용하면 복잡한 수학적 분석 없이 용승의 역학을 설명할 수 있지만, 용승의 연직적 구조를 외재적으로 나타내진 못한다는 단점이 있다. Estrade et al. (2008)는 천해 방정식의 사용없이 직접적으로 지배식 (3.3.3)-(3.3.5)식을 해석해 용승의 연직 구조를 보여줄 수 있는 해를 찾았다. 먼저 (3.3.4)식에 i를 곱한 뒤 (3.3.3)식과 더해 운동 방정식을 복소 좌표계로 나타내면

$$fi\vec{u} = -g\frac{\partial\eta}{\partial x} + A_z\frac{\partial^2\vec{u}}{\partial z^2} \tag{3.3.12}$$

이며 이에 대한 연직 경계 조건으로

$$A_z\frac{\partial\vec{u}}{\partial z}\bigg|_{z=0} = \vec{\tau}^s \tag{3.3.13}$$

$$\vec{u}|_{z=-h} = 0 \tag{3.3.14}$$

를 생각하자. 이는 2.2.2.2장에서 논의한 일반화한 에크만 흐름의 지배식 (2.2.30)식과 완전히 같음에 유의하라. 따라서 이에 대한 해는

$$\vec{u} = \frac{\vec{\tau}^s}{\rho A_z j}\frac{\sinh(j(z+h))}{\cosh(jh)} - iv_g\frac{\cosh(jz)}{\cosh(jh)} + iv_g \tag{3.3.15}$$

가 된다. 여기서 $j = (1+i)/D_e$, $De = \sqrt{2A_z/f}$, $v_g = (g/f)\partial\eta/\partial x$이다. (3.3.15)식은 Ekman (1905)과 Welander (1957)의 해 (2.2.40)식과 상응한다. 앞서 2.2.2.2장에서는 압력 경사(혹은 지형류 성분 v_g)를 임의의 주어진 상수로 가정했지만, Estrade et al. (2008)는 보존 방정식 (3.3.5)식을 이용해 이를 결정했다. 보존 방정식 (3.3.5)식은 연직 적분한 관점에서 (3.3.8)식으로 나타낼 수 있고, 왼쪽 경계가 닫혀있는 연안 환경에서 (3.3.8)식은 (3.3.9)식으로 다시 바꾸어 나타낼 수 있다. 따라서 (3.3.15)식을 (3.3.9)식에 대입하고 $v_g = (g/f)\partial\eta/\partial x$에 대해 정리함으로써 지형류 성분을 결정할 수 있다. 먼저 (3.3.15)식을 연직 적분해 수송을 계산하면

$$\int_{-h}^{0} \vec{u}\,dz = \frac{\vec{\tau}^s}{\rho A_z j^2}\left(1 - \frac{1}{\cosh(jh)}\right) + iv_g\left(h - \frac{1}{j}\tanh(jh)\right) \tag{3.3.16}$$

이 된다. (3.3.16)식에서 실수 부분만 추려 x방향 수송 성분을 구하면

$$\int_{-h}^{0} u\,dz = \frac{\tau_y^s}{\rho_0 f}(1 - S_1) + \frac{\tau_x^s}{\rho_0 f}S_1 - \frac{Dv_g}{2}(T_1 - T_2) \tag{3.3.17}$$

을 얻을 수 있다. 여기서

$$S_1 = \frac{1}{\delta}\cos\left(\frac{h}{D_e}\right)\cosh\left(\frac{h}{D_e}\right)$$
$$S_2 = \frac{1}{\delta}\sin\left(\frac{h}{D_e}\right)\sinh\left(\frac{h}{D_e}\right)$$
$$T_1 = \frac{1}{\delta}\sinh\left(\frac{h}{D_e}\right)\cosh\left(\frac{h}{D_e}\right) \tag{3.3.18}$$
$$T_2 = \frac{1}{\delta}\sin\left(\frac{h}{D_e}\right)\cos\left(\frac{h}{D_e}\right)$$
$$\delta = \left(\cos\left(\frac{h}{D_e}\right)\cosh\left(\frac{h}{D_e}\right)\right)^2 + \left(\sin\left(\frac{h}{D_e}\right)\sinh\left(\frac{h}{D_e}\right)\right)^2$$

이다. 이는 종종 에크만 구조 함수(Ekman structure function)로 불린다. 이 함수들은 무차원수 h/D_e에 대한 함수로 전체 수심이 에크만 수심보다 얕은 지역에서 흐름을 모사하는 역할을 한다. 수심이 에크만 수심보다 깊은 경우($h/D_e \gg 1$)이 함수는 상수로 수렴하며 없어진다.

따라서 x방향 수송이 없음을 나타내는 (3.3.9)식은

$$\int_{-h}^{0} u\,dz = \frac{\tau_y^s}{\rho_0 f}(1 - S_1) + \frac{\tau_x^s}{\rho_0 f}S_1 - \frac{Dv_g}{2}(T_1 - T_2) = 0 \tag{3.3.19}$$

로 나타낼 수 있다. 이제 (3.3.19)식을 v_g에 대해 정리하면

$$v_g = \frac{2i}{\rho_0 f D_e}\left(\frac{\tau_y^s(1 - S_1)}{T_1 - T_2} + \frac{\tau_x^s S_2}{T_1 - T_2}\right) \tag{3.3.20}$$

그림 3.19: 가시화한 Estrade et al. (2008)의 용승 문제 정해. 성층이 무시할 수 있을 만큼 약한 경우 물을 바깥으로 밀어내는 표층 에크만 흐름이 바닥 에크만 흐름에 의해 보상됨을 보여준다. 가시화에 사용한 계수는 $g = 10\,m/s^2$, $f = 10^{-4}\,s^{-1}$, $\rho_0 = 1025\,kg/m^3$, $D_e = 15\,m$, $\tau_y^s = 0.2\,Pa$, $\tau_x^s = 0\,Pa$, $h = \alpha x$, $\alpha = 4 \times 10^{-3}$이다.

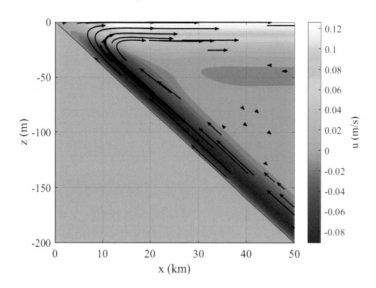

을 얻을 수 있다. 최종적으로, (3.3.15)식과 (3.3.20)식이 용승 문제에 대한 해가 된다. 연직 방향 유속 성분 w는 (3.3.15)식을 보존 방정식 (3.3.5)식에 대입한 뒤 연직 적분하는 방식으로 얻을 수 있다. 3.19그림은 가시화한 해의 x방향 유속 성분을 보여주는데, 물을 연안 바깥으로 밀어내는 표층 에크만 흐름이 바닥에서 올라오는 바닥 에크만 흐름에 의해 보상됨을 보여준다. Estrade et al. (2008)의 해는 앞 장의 천해 방정식(선형 마찰 응력 조건)과 다른 바닥 경계 조건(미끌어지지 않음 경계 조건)을 사용함에 유의하라. 하지만 같은 지배식을 공유하며 모사하는 역학 역시 다르지 않다. D. Kim et al. (2023)은 선형 마찰 응력 바닥 경계 조건을 사용한 용승 연직 구조 문제의 해를 구하고 천해 방정식과의 일관성을 직접 보인 바 있다.

문제 22.

수심이 에크만 수심보다 충분히 깊은 경우($h/D_e \to \infty$), 에크만 구조 함수가 $S_1 \to 0$, $S_2 \to 0$, $T_1 \to 1$, $T_2 \to 0$로 수렴함을 보여라.

문제 23.

Estrade et al. (2008)의 해 (3.3.15)식과 (3.3.20)식이 $\tau_y^s = \tau_y^b$를 항상 만족함을 보여라(Choi et al., 2023). 여기서 $\tau_y^b/\rho_0 = A_z \partial v/\partial z|_{z=-h}$로 정의됨에 유의하라.

문제 24.

Marchesiello & Estrade (2010)는 연안을 향하는 지형류가 존재하는 환경의 용승을 논의하기 위해 Estrade et al. (2008)의 지배식을 조금 더 일반화해

$$fi\vec{u} = -g\frac{\partial \eta}{\partial \vec{n}} + A_z\frac{\partial^2 \vec{u}}{\partial z^2}, \quad \left(\frac{\partial \eta}{\partial \vec{n}} = \frac{\partial \eta}{\partial x} + i\frac{\partial \eta}{\partial y}\right) \tag{3.3.21}$$

$$\int_{-h}^{0} u\,dz = 0 \tag{3.3.22}$$

의 해를 구했다. y방향 압력 경사가 추가로 고려했음에 유의하라. 이 문제의 해를 구하라. 경계 조건으로 (3.3.13)식과 (3.3.14)식을 사용하고 y방향 압력 경사를 주어진 상수 (외력)로 가정하고 x방향 압력 경사를 구해야 할 변수로 정의하라. 이는 x방향 지형류가 배경 흐름으로 존재하는 상황을 의미한다.

3.3.2.2 관성항의 고려

앞서 정상 상태를 가정하여 관성항을 무시했으나, 3.3.1장에서 논의한 규모 분석은 y 방향 운동 방정식 내의 관성항도 쉽게 무시할 수 없음을 암시한다. 이를 추가로 고려해 보자. 이 경우, 천해 방정식의 y방향 운동 방정식은

$$\frac{\partial \bar{v}}{\partial t} + f\bar{u} = \frac{\tau_y^s}{\rho_0 h} - \frac{\gamma}{h}\bar{v} \tag{3.3.23}$$

이 된다. x방향 운동 방정식은 (3.3.6)식, 보존 방정식은 (3.3.8)식과 동일하다. 보존 방정식 (3.3.8)식은 앞서 논의한 것과 같은 방식으로 닫힌 경계 조건을 통해 연안을 가로지르는 방향 수송이 없음을 나타내는 (3.3.9)식으로 나타낼 수 있고, 이를 (3.3.23) 식에 적용하면

$$\frac{\partial \bar{v}}{\partial t} = \frac{\tau_y^s}{\rho_0 h} - \frac{\gamma}{h}\bar{v} \tag{3.3.24}$$

가 된다. 이는 1계 비제차 상미분 방정식이다. 초기 조건으로 멈춰있는 상태 $\bar{v}|_{t=0} = 0$ 을 생각했을 때, 해는

$$\bar{v} = \frac{\tau_y^s}{\rho_0 \gamma}\left(1 - e^{-(\gamma/h)t}\right) \tag{3.3.25}$$

이다. 여기서 시간이 마찰 조정 시간 규모보다 길게 흐른 뒤($h/\gamma \ll t$)에, (3.3.25)식에서 지수 함수 부분은 무시할 수 있을 만큼 작아지고 정상 상태에 도달한다. 즉, 성층이 없는 환경에서 용승이 정상 상태에 도달하는데 소요되는 시간 규모는 마찰 조정 시간임을 의미한다.

y방향 운동 방정식 (3.3.23)식은

$$\bar{u} = \frac{\tau_y^s}{f\rho_0 h} - \frac{\gamma}{fh}\bar{v} - \frac{1}{f}\frac{\partial \bar{v}}{\partial t} = 0 \tag{3.3.26}$$

의 형태로 나타낼 수 있는데 이는 연안을 가로지르는 세 가지 종류의 수송이 균형을 이룸을 암시한다. 첫 번째($\tau_y^s/(f\rho_0 h)$)와 두 번째($-\gamma\bar{v}/(fh)$)는 앞서 논의한 표층 에크만 수송과 바닥 에크만 수송을 나타내고, 마지막($-(1/f)\partial\bar{v}/\partial t$)은 정상 상태 도달 이전 용승 제트류가 강화하는 과정에 나타나는 흐름으로 종종 조정 흐름(adjustment drift)이라 불린다(Csanady, 1981). x방향 운동 방정식 (3.3.6)식에 따라 $\bar{v}$는 연직 변화가 없는 순압의 지형류(테일러-프라우드만 이론)이다. z에 대해 독립인 $\bar{v}$를 시간 t로 미분하고 전향력 계수를 나눈 것인 조정 흐름 역시 z에 독립이며, 이는 성층이 없는 환경에서 조정 흐름이 연직 변화가 없는 순압 성분임을 암시한다.

마찰의 영향을 무시할 수 있는 짧은 시간 규모(혹은 깊은 수심 환경의 상당히 긴 마찰 조정 시간 규모)에 대해, (3.3.24)식은

$$\bar{v} = \frac{1}{\rho_0 h}\int_t^0 \tau_y^s\, dt \tag{3.3.27}$$

로 나타낼 수 있다. 여기서 우변 바람 응력의 적분값을 흔히 바람의 충격량(wind impulse)이라 부르며 용승의 발달 과정을 나타내는 중요한 지표로 사용한다(Csanady, 1977, 1981; Cushman-Roisin et al., 1994). (3.3.27)식은 $\bar{v}$가 단순히 바람 응력의 세기가 아닌 그 시간에 대한 적분값에 의해 결정됨을 나타낸다. 즉, 현재가 아닌 이전의 바람들이 현재의 상태에 영향을 줄 수 있음을 의미한다. 이 충격량은 종종 용승 지수 처럼 사용되기도 하는데, 이는 본질적으로 $\bar{v}$를 지시하며 마찰의 영향을 고려하지 못함에 유의하라.

3.3.2.3 강체 해면 근사

3.2.7장이나 3.2.8장에서, 운동 방정식 내의 시간에 대한 변화항인 관성항($\partial\bar{v}/\partial t$)을 무시하고 연직 적분한 보존 방정식 내의 시간 변화항인 해면 변동항($\partial\eta/\partial t$)은 무시하지

않고 고려하였다. 반면 앞서 용승에 대한 논의에서는 관성항을 고려하고 해면 변동항을 무시했다. 이처럼 해면 변동항을 무시하는 것($\partial \eta / \partial t \approx 0$)을 강체 해면 근사(rigid lid approximation)라 부른다. 문제를 조금 더 일반화하여 지배식으로

$$-f\bar{v} = -g\frac{\partial \eta}{\partial x} \tag{3.3.28}$$

$$\frac{\partial \bar{v}}{\partial t} + f\bar{u} = \frac{\tau_y^s}{\rho_0 h} - \frac{\gamma}{h}\bar{v} \tag{3.3.29}$$

$$\frac{\partial \eta}{\partial t} + \frac{\partial (h\bar{u})}{\partial x} = 0 \tag{3.3.30}$$

을 생각해 보자. (3.3.29)식을 $\bar{u}$에 대해 정리한 뒤 (3.3.30)식에 대입하면

$$\frac{\partial \eta}{\partial t} - \frac{\partial}{\partial x}\left(\frac{h}{f}\frac{\partial \bar{v}}{\partial t}\right) - \frac{\gamma}{f}\frac{\partial \bar{v}}{\partial x} = 0 \tag{3.3.31}$$

을 얻을 수 있다. 여기서 첫 번째 항은 보존 방정식의 해면 변동항이며, 두 번째 항이 운동 방정식의 관성항을 나타냄에 유의하라. 이제 (3.3.28)식을 정리해 대입하면

$$\frac{\partial \eta}{\partial t} - \frac{\partial}{\partial x}\left(\frac{gh}{f^2}\frac{\partial^2 \eta}{\partial x \partial t}\right) - \frac{\gamma g}{f^2}\frac{\partial^2 \eta}{\partial x^2} = 0 \tag{3.3.32}$$

가 된다. (3.3.32)식에서 해면 변동을 나타내는 첫 번째 항과 관성항에서 유도된 두 번째 항의 규모를 비교해 보자. (3.3.32)식에 $x = L_x x^*$, $t = T t^*$, $h = H h^*$, $\eta = \varphi \eta^*$를 대입하고 두 번째 항(관성항)의 규모로 양변을 나누어 무차원화하면

$$\left(\frac{L_x}{Rd}\right)^2 \frac{\partial \eta^*}{\partial t^*} - \frac{\partial}{\partial x^*}\left(h^*\frac{\partial^2 \eta^*}{\partial x^*\partial t^*}\right) - \left(\frac{T}{H/\gamma}\right)\frac{\partial^2 \eta^*}{\partial x^{*2}} = 0 \tag{3.3.33}$$

을 얻을 수 있다. 여기서 해면 변동항의 규모는 무차원수 L_x/Rd가 결정하는데, 이는 로스비 변형 반경에 대한 상대적인 공간 규모를 나타내며 그 역수 Rd/L_x를 버거 수 (Burger number)라 부른다. 연안을 가로지르는 방향의 공간 규모가 로스비 변형 반경 보다 작은 경우 보존 방정식의 $\partial \eta / \partial t$를 무시하는 강체 해면 근사를 적용할 수 있고, 반대로 보다 큰 경우 운동 방정식의 관성항 $\partial \bar{v} / \partial t$을 무시할 수 있다.

3.3.3 연안 파역학

3.3.3.1 켈빈 파

이번에는 연안 경계 지역에서 존재하는 파동에 대해 알아보자. 먼저 상수 수심과 f평 면을 가정하고 왼쪽 경계가 육지로 막혀있는 상황을 생각하자. 이는 경계에 직각하는

방향의 흐름이 없도록 한다($\bar{u} = 0$). 포엔카레 파의 지배식 (3.2.65)-(3.2.67)식에 $\bar{u} = 0$ 을 대입하면

$$-f_0\bar{v} = -g\frac{\partial \eta}{\partial x} \tag{3.3.34}$$

$$\frac{\partial \bar{v}}{\partial t} = -g\frac{\partial \eta}{\partial y} \tag{3.3.35}$$

$$\frac{\partial \eta}{\partial t} + h\frac{\partial \bar{v}}{\partial y} = 0 \tag{3.3.36}$$

을 얻을 수 있다. 이가 연안에서 나타나는 켈빈 파(Kelvin wave)의 지배식이다. x방향 운동 방정식 (3.3.34)식은 지형류 균형이며, y방향 운동 방정식 (3.3.35)식과 보존 방정식 (3.3.36)식은 3.2.5장에서 논의한 표면 중력파의 지배식과 같다. 표면 중력파에서 논의했던 것과 같은 방식으로 (3.3.35)식을 y로 미분하고 (3.3.36)식을 t로 미분한 뒤 연립하면

$$\frac{\partial^2 \eta}{\partial t^2} = gh\frac{\partial^2 \eta}{\partial y^2} \tag{3.3.37}$$

을 얻을 수 있다. (3.3.37)식에 파동의 기본 기저 (3.2.77)식을 대입해 분산 관계식을 얻어내자.

$$w = \pm\sqrt{gh}l \quad \left(c_y = \frac{w}{l} = \pm\sqrt{gh}\right) \tag{3.3.38}$$

여기서 각각의 w(혹은 c_y)는 양의 방향인 북쪽과 음의 방향인 남쪽으로 진행하는 파를 의미한다. 결과적으로 파동이 y방향으로 표면 중력파와 다를 것 없이 움직인다. 하지만 여기에는 회전의 영향을 포함하고 있는 (3.3.34)식을 고려하지 않았다. 이를 고려하기 위해 (3.3.34)식을 t로 미분하고 (3.3.35)식을 대입하자.

$$f\frac{\partial \eta}{\partial y} = -\frac{\partial^2 \eta}{\partial t \partial x} \tag{3.3.39}$$

유도한 (3.3.39)식에 기저 (3.2.77)식을 대입하면

$$fil = wk, \quad \therefore k = \mp i\frac{f}{\sqrt{gh}} = \mp\frac{1}{Rd} \quad \left(\because \frac{w}{l} = \pm\sqrt{gh}\right) \tag{3.3.40}$$

이 된다. 이렇게 구한 l과 k에 대한 (3.3.38)식과 (3.3.40)식을 기저 (3.2.77)식에 대입하고 일반해를 구하면

$$\eta = C_1 \left(e^{x/Rd}\right) e^{il(y-\sqrt{gh}t)} + C_2 \left(e^{-x/Rd}\right) e^{il(y+\sqrt{gh}t)} \tag{3.3.41}$$

을 얻을 수 있다. (3.3.41)식에서 y와 t에 대한 함수 부분은 지수에 허수를 가지며 이는

그림 3.20: 수치 모형으로 모사한 켈빈 파. 연안에 갇혀 있으며 연안을 진행 방향의 오른쪽에 끼고 반시계 방향으로 움직인다. 수치 실험에 사용한 계수는 $g = 10\,m/s^s$, $h = 10\,m$, $f = 10^{-4}\,s^{-1}$이다.

t=0 s

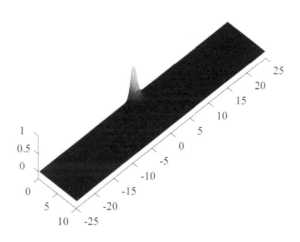

t=100000 s

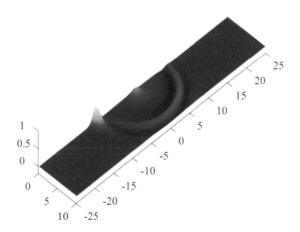

삼각 함수 형태임을 나타낸다. 반면 괄호 안의 x에 대한 함수는 지수 부분이 실수로 지수 함수 형태이다. 북향하는 파동의 진폭은 x가 커지며 지수적으로 증가하고, 반대로 남향하는 파동의 진폭은 지수적으로 감소한다. 하지만 해면이 연안에서 멀어짐에 따라

해면이 무한히 높아지는 것은 물리적으로 합당하지 않다. 따라서 수평 경계 조건으로

$$\lim_{x \to \infty} \eta = 0 \tag{3.3.42}$$

를 생각하자. 일반해 (3.3.41)식이 경계 조건 (3.3.42)식을 만족하기 위해 $C_1 = 0$이여야 한다. 최종적인 일반해는 북향하는 파동이 없어진

$$\eta = C_2 \left(e^{-x/Rd} \right) e^{il(y+\sqrt{gh}t)} \tag{3.3.43}$$

이 된다. (3.3.43)식은 켈빈 파가 북반구에서 연안이 파의 왼쪽에 위치한 경우 항상 남쪽으로 움직인다는 것을 보여준다. 이를 일반화하면 켈빈 파는 북반구에서 연안을 진행 방향의 오른쪽에 두고 반시계 방향으로 진행함을 알 수 있다. 켈빈 파의 진폭이 연안에서 멀어질 수록 감소함에 유의하라. 연안으로부터 거리가 로스비 변형 반경보다 큰 경우($x/Rd \gg 1$ 즉 $x \gg Rd$), 해면은 $\eta \approx 0$이 된다. 결과적으로 켈빈 파는 연안 주변에만 존재하며 이러한 파를 연안에 갇힌 파(coastal trapped wave)라 표현한다.

3.3.3.2 지형 로스비 파

앞서 여러번 논의했던 것과 같이, 공간 규모가 큰 해양 거동의 지배 방정식은 다음과 같이 간략히 나타낼 수 있다.

$$-f\bar{v} = -g\frac{\partial \eta}{\partial x} \tag{3.3.44}$$

$$f\bar{u} = -g\frac{\partial \eta}{\partial y} \tag{3.3.45}$$

$$\frac{\partial \eta}{\partial t} + \frac{\partial (h\bar{u})}{\partial x} + \frac{\partial (h\bar{v})}{\partial y} = 0 \tag{3.3.46}$$

앞서 3.2.7장에서 로스비 파를 논의할 때, 상수 수심과 β평면을 가정하였다. 이번에는 상수 전향력 계수(f평면, $f = f_0$)와 변동하는 수심을 고려해 보자. 간단히 서쪽에 육지를 두고 수심이 x방향으로 선형적으로 증가하는 연안을 생각하자($h = \alpha x + h_0$). 여기서 지형 경사 α와 최소 수심 h_0은 상수임에 유의하라. 운동 방정식 (3.3.44)식과 (3.3.45)식을 유속에 대해 정리하고 보존 방정식 (3.3.46)식에 대입하면

$$\frac{\partial \eta}{\partial t} - \alpha \frac{g}{f_0}\frac{\partial \eta}{\partial y} = 0 \tag{3.3.47}$$

이 된다. 이는 앞서 논의한 로스비 파의 지배식 (3.2.107)식과 수학적으로 같다. 단지 그 계수가 $\beta gh/f^2$에서 $\alpha g/f_0$로 바뀌고 방향이 x에서 y로 바뀌었을 뿐이다. 파동의 기본

기저 (3.2.77)식을 (3.3.47)식에 대입하면 분산 관계식 $w = -(\alpha g/f_0)l$을 얻을 수 있고, 이는 이 환경에서 나타나는 파동이 $c_y = -\alpha g/f_0$의 속력으로 켈빈 파와 같은 방향인 남쪽으로만 향함을 나타낸다. 이를 지형 로스비 파(topographic rossby wave)라 부른 다. 이처럼 수심 변동은 전향력의 변동(행성 β효과항)과 수학적으로 같은 역할을 하는 항을 만들어 내는데, 이로 인한 영향을 지형 β효과(topographic beta effect)라 부른다. 앞서 3.2.7장에서 논의한 전향력의 변동이 만드는 로스비 파를 이 지형 β효과가 만드는 로스비 파와 구분해 행성 파(planetary wave) 혹은 행성 로스비 파(planetary Rossby wave)라 부르기도 한다.

　3.2.7.1장에서 논의한 것과 같은 방법으로 관성항의 영향($\partial u/\partial t$, $\partial v/\partial t$)을 교란 이론을 사용해 고려해 보자. 지배식으로

$$\frac{\partial \bar{u}}{\partial t} - f\bar{v} = -g\frac{\partial \eta}{\partial x} \tag{3.3.48}$$

$$\frac{\partial \bar{v}}{\partial t} + f\bar{u} = -g\frac{\partial \eta}{\partial y} \tag{3.3.49}$$

$$\frac{\partial \eta}{\partial t} + \frac{\partial (h\bar{u})}{\partial x} + \frac{\partial (h\bar{v})}{\partial y} = 0 \tag{3.3.50}$$

을 고려하자. 여기서 $f = f_0$임과 $h = \alpha x + h_0$임을 상기하라. 3.2.7.1장에서와 같이 운동 방정식을 0순위 지형류 성분과 1순위 비지형류 성분으로 분리해 나타내면

$$-f\bar{v}_0 = -g\frac{\partial \eta}{\partial x} \quad \left(\bar{v}_0 = \frac{g}{f}\frac{\partial \eta}{\partial x}\right) \tag{3.3.51}$$

$$f\bar{u}_0 = -g\frac{\partial \eta}{\partial y} \quad \left(\bar{u}_0 = -\frac{g}{f}\frac{\partial \eta}{\partial y}\right) \tag{3.3.52}$$

$$\frac{\partial \bar{u}_0}{\partial t} - f\bar{v}_1 = 0 \quad \left(\bar{v}_1 = \frac{1}{f}\frac{\partial \bar{u}_0}{\partial t} = -\frac{g}{f^2}\frac{\partial^2 \eta}{\partial t \partial y}\right) \tag{3.3.53}$$

$$\frac{\partial \bar{v}_0}{\partial t} + f\bar{u}_1 = 0 \quad \left(\bar{u}_1 = -\frac{1}{f}\frac{\partial \bar{v}_0}{\partial t} = -\frac{g}{f^2}\frac{\partial^2 \eta}{\partial t \partial x}\right) \tag{3.3.54}$$

가 된다. 이를 보존 방정식에 대입하고 정리하면

$$\frac{\partial \eta}{\partial t} + \alpha \left(\bar{u}_0 + \bar{u}_1\right) + (\alpha x + h_0)\left(\frac{\partial \bar{u}_1}{\partial x} + \frac{\partial \bar{v}_1}{\partial y}\right) = 0 \tag{3.3.55}$$

를 얻을 수 있다. 지형류 성분의 정의 (3.3.51)식과 (3.3.52)식에 의해 $\partial \bar{u}_0/\partial x + \partial \bar{v}_0/\partial y = 0$임에 유의하라. 여기서 수심이 x에 대한 함수인 것은 이론적 해석을 조금은 까다롭게 만드는데, 이는 $\alpha L \ll h_0$을 가정해 간단히 만들 수 있다. 먼저 (3.3.55)식에 $x = Lx^*$,

$y = Ly^*$, $\bar{u}_0 = U\bar{u}_0^*$, $\bar{v}_0 = U\bar{v}_0^*$, $\bar{u}_1 = RoU\bar{u}_1^*$, $\bar{v}_1 = RoU\bar{v}_1^*$, $\eta = \varphi\eta^*$를 대입하고 양변을 U로 나누어 무차원화해 보자. 여기서 유속 성분의 규모는 3.2.7.1장에서 논의한 것을 바탕한다.

$$\left(\frac{\varphi}{UT}\right)\frac{\partial\eta^*}{\partial t^*} + \alpha\left(\bar{u}_0^* + Ro\bar{u}_1^*\right) + Ro\left(\alpha x^* + \frac{h_0}{L}\right)\left(\frac{\partial\bar{u}_1^*}{\partial x^*} + \frac{\partial\bar{v}_1^*}{\partial y^*}\right) = 0 \qquad (3.3.56)$$

바닥의 경사를 나타내는 α는 자체로 이미 단위가 없는 무차원수이다. $\alpha \ll h_0/L$을 가정하면 x가 곱해진 부분을 소거해 문제를 더 간단하게 만들 수 있을 것이다. 조금 더 구체적으로, α가 작은 정도를 h_0/L의 Ro배로 정의해 보자($\alpha = Roh_0/L$). (3.3.56)에 $\alpha = Roh_0/L$을 대입하면

$$\left(\frac{\varphi}{UT}\right)\frac{\partial\eta^*}{\partial t^*} + \frac{h_0}{L}\left(\left(Ro\bar{u}_0^* + Ro^2\bar{u}_1^*\right) + \left(Ro^2 x^* + Ro\right)\left(\frac{\partial\bar{u}_1^*}{\partial x^*} + \frac{\partial\bar{v}_1^*}{\partial y^*}\right)\right) = 0 \quad (3.3.57)$$

이 된다. 여기서, $Ro \ll 1$을 바탕으로 1순위 성분까지만을 고려해 Ro^2이 곱해진 항을 무시하자. 최종적으로, 지배식은

$$\frac{\partial\eta}{\partial t} + \alpha\bar{u}_0 + h_0\left(\frac{\partial\bar{u}_1^*}{\partial x} + \frac{\partial\bar{v}_1^*}{\partial y}\right) = 0 \qquad (3.3.58)$$

로 간략화할 수 있다. 여기에 유속 성분의 정의 (3.3.51)-(3.3.54)식을 대입하면

$$\frac{\partial\eta}{\partial t} - \alpha\frac{g}{f_0}\frac{\partial\eta}{\partial y} - \frac{gh_0}{f_0{}^2}\frac{\partial}{\partial t}\left(\frac{\partial^2\eta}{\partial x^2} + \frac{\partial^2\eta}{\partial y^2}\right) = 0 \qquad (3.3.59)$$

를 얻을 수 있다. (3.3.59)식은 행성 로스비 파의 지배식 (3.2.120)식과 수학적으로 같고 질적으로 지형 로스비 파는 행성 로스비 파와 다르지 않음을 나타낸다. (3.3.59)식에 대한 분산 관계식은

$$w = -\frac{g\alpha}{f_0}\frac{l}{1 + Rd^2(k^2 + l^2)}$$
$$\left(c_y = \frac{w}{l} = -\frac{g\alpha}{f_0}\frac{1}{1 + Rd^2(k^2 + l^2)}\right) \qquad (3.3.60)$$

이다.

3.3.3.3 대륙붕 파

앞서 논의한 지형 로스비파는 지형 β효과로 생기는 로스비 파를 비교적 간단한 수학으로 보여준다. 하지만 3.3.2.3장에서 논의했듯이, 공간 규모가 작은 연안 환경에서는

운동 방정식 내의 관성항이 전향력 만큼 지배적이고 반대로 보존 방정식의 해면 변동항은 무시할 수 있을 정도로 작아진다. 이러한 환경에서 나타나는 파를 대륙붕 파 (continental shelf wave 혹은 shelf wave)라 부른다. 공간 규모가 로스비 변형 반경보다 작은($L \ll L_R$) 연안 환경에서 합당한 지배식은

$$\frac{\partial \bar{u}}{\partial t} - f_0 \bar{v} = -g \frac{\partial \eta}{\partial x} \tag{3.3.61}$$

$$\frac{\partial \bar{v}}{\partial t} + f_0 \bar{u} = -g \frac{\partial \eta}{\partial y} \tag{3.3.62}$$

$$\frac{\partial (h\bar{u})}{\partial x} + \frac{\partial (h\bar{v})}{\partial y} = 0 \tag{3.3.63}$$

이 된다. 먼저 이 연립 방정식을 η에 대해 정리하자. 먼저 운동 방정식 (3.3.61)식과 (3.3.62)식에 수심 h를 곱하고 각각을 x와 y로 미분한 뒤 더하면

$$\frac{\partial}{\partial t}\left(\frac{\partial(h\bar{u})}{\partial x} + \frac{\partial(h\bar{v})}{\partial y}\right) - f_0\left(\frac{\partial(h\bar{v})}{\partial x} - \frac{\partial(h\bar{u})}{\partial y}\right) = -g\left(\frac{\partial}{\partial x}\left(h\frac{\partial\eta}{\partial x}\right) + \frac{\partial}{\partial y}\left(h\frac{\partial\eta}{\partial y}\right)\right)$$
$$\therefore -f_0\left(\frac{\partial(h\bar{v})}{\partial x} - \frac{\partial(h\bar{u})}{\partial y}\right) = -g\left(\frac{\partial}{\partial x}\left(h\frac{\partial\eta}{\partial x}\right) + \frac{\partial}{\partial y}\left(h\frac{\partial\eta}{\partial y}\right)\right) \tag{3.3.64}$$

를 얻을 수 있다. 여기서 첫 번째 항은 보존 방정식 (3.3.63)식을 바탕으로 소거할 수 있음에 유의하라. 이번에는 y방향 운동 방정식 (3.3.62)식에 h를 곱하고 x로 미분한 것에 x방향 운동 방정식 (3.3.61)식에 h를 곱하고 y로 미분한 것을 빼 와도 방정식을 유도하면

$$\frac{\partial}{\partial t}\left(\frac{\partial(h\bar{v})}{\partial x} - \frac{\partial(h\bar{u})}{\partial y}\right) + f_0\left(\frac{\partial(h\bar{u})}{\partial x} + \frac{\partial(h\bar{v})}{\partial y}\right) = -g\left(\frac{\partial}{\partial x}\left(h\frac{\partial\eta}{\partial y}\right) - \frac{\partial}{\partial y}\left(h\frac{\partial\eta}{\partial x}\right)\right)$$
$$\therefore \frac{\partial}{\partial t}\left(\frac{\partial(h\bar{v})}{\partial x} - \frac{\partial(h\bar{u})}{\partial y}\right) = -g\left(\frac{\partial h}{\partial x}\frac{\partial\eta}{\partial y} - \frac{\partial h}{\partial y}\frac{\partial\eta}{\partial x}\right) \tag{3.3.65}$$

가 된다. 위의 식에서 보존 방정식 (3.3.63)식을 바탕으로 소거할 수 있는 항을 없애고 압력 경사항 부분을 전개하고 정리해 나타내었다. 마지막으로 (3.3.64)식을 시간 t로 미분한 것에 (3.3.65)식을 대입하면 해면 고도 η에 대해 정리된 지배식

$$-f_0\left(\frac{\partial h}{\partial x}\frac{\partial\eta}{\partial y} - \frac{\partial h}{\partial y}\frac{\partial\eta}{\partial x}\right) = \frac{\partial}{\partial t}\left(\frac{\partial}{\partial x}\left(h\frac{\partial\eta}{\partial x}\right) + \frac{\partial}{\partial y}\left(h\frac{\partial\eta}{\partial y}\right)\right) \tag{3.3.66}$$

을 얻을 수 있다. 여기서 수심이 y에 대해 독립인 x에 대한 함수인 경우($\partial h/\partial y = 0$), 위의 식은

$$-f_0 \frac{1}{h}\frac{\partial h}{\partial x}\frac{\partial \eta}{\partial y} = \frac{\partial}{\partial t}\left(\nabla^2 \eta + \frac{1}{h}\frac{\partial h}{\partial x}\frac{\partial \eta}{\partial x}\right)$$
$$\left(\nabla^2 \eta = \frac{\partial^2 \eta}{\partial x^2} + \frac{\partial^2 \eta}{\partial y^2}\right) \tag{3.3.67}$$

이 된다. 여기서 $(1/h)(\partial h/\partial x)$가 x에 대한 함수이기 때문에 이론적 해석이 까다롭다. 따라서 수심이 $h = h_0 e^{2bx}$인 특수한 경우를 고려하자. 이 경우, $(1/h)(\partial h/\partial x) = 2b$가 되어 지배식을

$$-2f_0 b\frac{\partial \eta}{\partial y} = \frac{\partial}{\partial t}\left(\nabla^2 \eta + 2b\frac{\partial \eta}{\partial x}\right) \tag{3.3.68}$$

로 간략화 할 수 있다. 여기서 η의 기저로 $\eta = X(x)\phi(y,t)$를 가정하자. 여기서 ϕ는 $\phi(y,t) = Y(y)T(t)$에 상응함에 유의하라. $\eta = X(x)\phi(y,t)$를 (3.3.68)식에 대입하고 정리하면

$$-2f_0 bX\frac{\partial \phi}{\partial y} = X''\frac{\partial \phi}{\partial t} + X\frac{\partial^3 \phi}{\partial t\partial y^2} + 2bX'\frac{\partial \phi}{\partial t}$$
$$\therefore \frac{2f_0 b\dfrac{\partial \phi}{\partial y} + \dfrac{\partial^2 \phi}{\partial t\partial y^2}}{\dfrac{\partial \phi}{\partial t}} = \frac{X'' + 2bX'}{-X} = \lambda \tag{3.3.69}$$

를 얻을 수 있다. 이를 두 개의 미분 방정식으로 나누면

$$2f_0 b\frac{\partial \phi}{\partial y} + \frac{\partial^2 \phi}{\partial t\partial y^2} = \lambda\frac{\partial \phi}{\partial t} \tag{3.3.70}$$

$$X'' + 2bX' = -\lambda X \tag{3.3.71}$$

이 된다. 먼저 ϕ의 기저로 $\phi = e^{i(ly-wt)}$를 가정하고 (3.3.70)식에 대입한 뒤 정리하면 분산 관계식

$$w = -\frac{2f_0 bl}{l^2 + \lambda} \tag{3.3.72}$$

를 얻을 수 있다. 여기서 아직 결정하지 못한 λ는 (3.3.71)식과 경계 조건으로 얻을 수 있다. $X = e^{k_0 x}$를 가정하고 (3.3.71)식에 대입하면

$$k_0{}^2 + 2bk_0 = -\lambda$$
$$k_0 = -b \pm \sqrt{b^2 - \lambda} \tag{3.3.73}$$

이 된다. 이는 X의 형태가 $b^2 - \lambda$의 부호에 따라 결정됨을 보여준다. 파동의 형태(삼각함수)를 가지고 있는 경우는 $b^2 - \lambda < 0$이다. 이 때, X는

$$X = e^{(-b \pm i\sqrt{-b^2 + \lambda})x} = e^{-bx}\left(\cos(x\sqrt{-b^2 + \lambda}) \pm i\sin(x\sqrt{-b^2 + \lambda})\right)$$

$$\therefore X = e^{-bx}\left(\cos(kx) \pm i\sin(kx)\right) \tag{3.3.74}$$

$$\left(k = \sqrt{-b^2 + \lambda}\right)$$

가 된다. 여기서 $k = \sqrt{-b^2 + \lambda}$는 $\lambda = k^2 + b^2$을 나타내며 이를 분산 관계 (3.3.72)식에 대입하면

$$w = -\frac{2f_0 bl}{l^2 + k^2 + b^2}$$

$$\left(c_y = \frac{w}{l} = -\frac{2f_0 b}{k^2 + l^2 + b^2}\right) \tag{3.3.75}$$

를 얻을 수 있다. 참고로 (3.3.74)식에서 X에 대한 두 기저 $X = e^{-bx}(\cos(kx) + i\sin(kx))$와 $X = e^{-bx}(\cos(kx) - i\sin(kx))$를 더하고 2로 나눈 것($e^{-bx}\cos(kx)$)과 빼고 $2i$로 나눈 것($e^{-bx}\sin(kx)$)을 새로운 기저로 삼은 것이 각 모드에 상응한다. 대륙붕 파의 분산 관계 (3.3.75)식은 앞서 논의한 행성 로스비 파나 지형 로스비 파의 분산 관계와 수학적으로 거의 같다.

이 장에서 소개한 문제는 Buchwald & Adams (1968)가 처음 소개한 문제를 분산 관계식 유도에만 초점을 맞춰 조금 더 간략화한 것이다. Buchwald & Adams (1968)의 문제는 이론적으로 해석이 가능해 많은 서적(Hendershott, 1989; Özsoy, 2020)에서 대륙붕 파를 설명하기 위한 예시로 자주 소개되고 자세한 해석과 논의를 제공하니 참고하길 바란다.

3.3.4 경사면 위의 해류와 경계 조건의 전파

동해에서 나타나는 동한 난류나 북한 한류처럼, 연안 환경에서는 강한 배경 해류가 유입하고 나타나는 경우가 많다. 이 장에서는 경사면 위에서 나타나는 해류에 대해 논해보자. 이 장에서 소개하는 문제와 역학은 Csanady (1978)가 논의하였다. 지배식으로 정상 상태, 수평 방향 비점성을 가정한

$$-f\bar{v} = -g\frac{\partial \eta}{\partial x} \tag{3.3.76}$$

$$f\bar{u} = -g\frac{\partial \eta}{\partial y} - \frac{\gamma}{h}\bar{v} \tag{3.3.77}$$

$$\frac{\partial(h\bar{u})}{\partial x} + \frac{\partial(h\bar{v})}{\partial y} = 0 \tag{3.3.78}$$

을 고려하자. 추가로 f평면과 수심이 x방향으로만 변하는 경우를 가정하자. 여기서 $L_x \ll L_y$을 가정해 x방향 운동 방정식 (3.3.76)식에서 마찰항을 무시했음에 유의하라. 먼저 y방향 운동 방정식을 x로 미분한 것에 x방향 운동 방정식을 y로 미분한 것을 빼 압력 경사항을 소거한 와도 방정식을 유도하면

$$f_0\left(\frac{\partial\bar{u}}{\partial x} + \frac{\partial\bar{v}}{\partial y}\right) = -\gamma\frac{\partial}{\partial x}\left(\frac{\bar{v}}{h}\right) \tag{3.3.79}$$

가 된다. 보존 방정식 (3.3.78)식을 전개한 뒤 정리하면

$$\frac{\partial\bar{u}}{\partial x} + \frac{\partial\bar{v}}{\partial y} = -\frac{1}{h}\frac{\partial h}{\partial x}u \tag{3.3.80}$$

을 얻을 수 있으며, 이를 (3.3.79)식에 대입하면

$$\frac{f_0}{h}\frac{\partial h}{\partial x}\bar{u} = \gamma\frac{\partial}{\partial x}\left(\frac{\bar{v}}{h}\right)$$
$$\therefore \frac{f_0}{h}\frac{\partial h}{\partial x}\bar{u} = -\frac{\gamma}{h^2}\frac{\partial h}{\partial x}\bar{v} + \frac{\gamma}{h}\frac{\partial\bar{v}}{\partial x} \tag{3.3.81}$$

이 된다. 여기서 지배식을 조금 더 간단히 만들기 위해, 3.3.3.2장에서 지형 로스비 파를 논의할 때와 같은 방식으로 $\alpha L \ll h_0$을 가정하자. 3.3.3.2장에서와 같은 방식으로 규모 분석을 시행해 보면, $\alpha L \ll h_0$일 때 우변의 첫 번째항이 매우 작음을 알 수 있다. 따라서 지배식 (3.3.81)식은

$$f_0\frac{\partial h}{\partial x}\bar{u} = \gamma\frac{\partial\bar{v}}{\partial x} \tag{3.3.82}$$

로 간략화 된다. 마지막으로 유선 함수 $hu = -\partial\psi/\partial y$와 $hv = \partial\psi/\partial x$를 도입해 (3.3.82) 식에 대입하고 정리하면

$$-f_0\frac{\partial h}{\partial x}\frac{\partial\psi}{\partial y} = \gamma\frac{\partial^2\psi}{\partial x^2} \tag{3.3.83}$$

을 얻을 수 있다. 여기서도 마찬가지로 $\alpha L \ll h_0$을 가정해 우변의 미분 과정에 생성되는 항을 무시했음에 유의하라. (3.3.83)식은 y에 대해 1계 미분 방정식으로 남쪽과 북쪽 에서의 경계 조건 중 단 하나만 고려할 수 있음을 보여준다. 서쪽이 육지로 막혀있고 수심이 동쪽으로 가며 선형적으로 증가하는 경우($h = \alpha x + h_0$)를 생각하자. 앞서 3.3.3 장에서 논의했듯, 이러한 서안 경계에서 연안 파동은 항상 남쪽으로만 이동하며 이는 북쪽의 해면이 남쪽으로 전파함을 의미한다. 따라서, (3.3.83)식이 고려해야하는 경계

조건은 북쪽이다. 추가적으로 좌표계의 남북 방향을 뒤집은 새로운 좌표계 $y' = -y$를 도입하자. 이를 (3.3.83)식에 대입하고 정리하면

$$\frac{\partial \psi}{\partial y'} = \frac{\gamma}{\alpha f_0} \frac{\partial^2 \psi}{\partial x^2}$$

(3.3.84)

가 된다. 이는 수학적으로 확산 방정식임에 유의하라. $y' = 0$에서 주어진 경계 조건이 y'가 증가(남쪽으로 이동)함에 따라, x방향으로 확산함을 의미한다.

3.3.4.1 남쪽 경계 조건과 풍성 순환 문제와의 유사성

Csanady (1978)의 확산 방정식은 서안 연안 환경에서 북쪽의 경계 조건이 남쪽으로만 영향을 미침을 나타낸다. 그렇다면 동한 난류와 같이 남쪽 경계 조건으로 주어지는 해류는 무엇인가? Csanady (1978)의 지배식은 연안에 평행한 방향인 y의 공간 규모가 연안을 가로지르는 방향 x의 규모보다 매우 큰 경우를 가정한다. 따라서 y방향으로 길죽한 연안 넓은 관점의 내부 영역에서 합당하지만, 남쪽 경계 주변의 좁은 영역에서 지역적으로 이 가정이 깨어진다. 따라서 x방향의 규모가 y방향 규모와 비슷해 지는 남쪽 경계 주변에서 지배식은

$$-f_0 \bar{v} = -g \frac{\partial \eta}{\partial x} - \frac{\gamma}{h} \bar{u}$$

(3.3.85)

$$f_0 \bar{u} = -g \frac{\partial \eta}{\partial y} - \frac{\gamma}{h} \bar{v}$$

(3.3.86)

$$\frac{\partial (h\bar{u})}{\partial x} + \frac{\partial (h\bar{v})}{\partial y} = 0$$

(3.3.87)

이 된다. 이 경우 x방향 운동 방정식의 마찰항을 더 이상 무시할 수 없음에 유의하라. 앞서 3.3.4장에서 논의한 것과 같은 방식으로 와도 방정식을 유도하고 유선 함수를 도입하면

$$-\frac{\partial \psi}{\partial y} = \frac{\gamma}{\alpha f_0} \left(\frac{\partial^2 \psi}{\partial x^2} + \frac{\partial^2 \psi}{\partial y^2} \right)$$

(3.3.88)

을 얻을 수 있다. 여기서도 $\alpha L \ll h_0$을 가정해 여러 항을 무시했음에 유의하라. (3.3.88) 식은 Csanady (1978)의 지배식 (3.3.84)식을 조금 더 일반화한 형태로 생각할 수 있다. 우변 괄호 내의 두 번째 항이 x방향 운동 방정식의 마찰항에서 유도된 추가적인 항이다. 비록 β효과의 방향이 다르지만, (3.3.88)식은 앞서 3.1.2.2장에서 논의한 스톰멜 풍성 순환 문제의 제차 성분 지배식 (3.1.26)식과 수학적으로 같다. 풍성 순환 문제에서 내부

영역의 근사해에 해당하는 스베드럽 균형이 마찰항을 무시해 서안에서 경계 조건을
고려하지 못했듯이, 내부해에 해당하는 Csanady (1978)의 확산 방정식 (3.3.84)식도
x방향 마찰을 무시해 남쪽에서 경계 조건을 고려하지 못한다는 점 역시 유사하다. 이
는 지형 로스비 파와 더불어 전향력 계수 f의 공간 변화가 지배적인 β평면과 수심
변동이 지배적인 연안 환경의 유사성을 보여주는 또 다른 예시이다. 스톰멜 풍성 순환
문제가 서안에서 β효과로 인해 강화된 흐름이 나타남을 보여주었듯, (3.3.88)식은 남쪽
주변에서 지형 β효과로 강화된 해류가 나타날 수 있음을 암시한다.

Chapter 4

비선형성의 고려

4.1 준지형류 이론

앞서 논의한 모든 해양 현상에서 운동량 이류항은 고려하지 않았다. 공간 규모가 큰 지구 물리 현상에서 이류항의 크기는 분명 크지 않지만, 실제 자연에서 이류항은 분명 존재해 해면을 교란하고 특정 규모에서는 무시하기에 애매한 기여를 가지고 있기도 한다. 문제는 이 이류항이 비선형이라는 것이다. 비록 비선형 문제의 해를 구하는 정형화된 해법은 아직까지 존재하지 않으나, 많은 분야에서 교란 이론을 사용해 근사해를 구하고 분석하는 방법을 사용한다. 지구 물리 규모에서 교란 이론을 적용한 지배식을 준지형류 모형(quasi-geostrophic model)이라 부른다. 앞서 관성항의 교란을 고려한 로스비 파를 논의 하기 위해 사용한 방정식도 일종의 간략화한 준지형류 모형이라고 할 수 있으며 지배식의 유도 방식도 상동하다. 다만 이류항을 추가로 고려할 뿐이다. 지배식으로

$$\frac{\partial \bar{u}}{\partial t} + \bar{u}\frac{\partial \bar{u}}{\partial x} + \bar{v}\frac{\partial \bar{u}}{\partial y} - (f_0 + \beta y)\bar{v} = -g\frac{\partial \eta}{\partial x} \tag{4.1.1}$$

$$\frac{\partial \bar{v}}{\partial t} + \bar{u}\frac{\partial \bar{v}}{\partial x} + \bar{v}\frac{\partial \bar{v}}{\partial y} + (f_0 + \beta y)\bar{u} = -g\frac{\partial \eta}{\partial y} \tag{4.1.2}$$

$$\frac{\partial \eta}{\partial t} + \frac{\partial ((h+\eta)\bar{u})}{\partial x} + \frac{\partial ((h+\eta)\bar{v})}{\partial y} = 0 \tag{4.1.3}$$

을 고려하자. 3.2.7.1장에서 논의한 것과 같은 방법으로, (3.2.113)식을 통해 유속을 0순위 지형류 성분과 1순위 비지형류 성분으로 나누어 나타내자. 0순위 유속 성분의

규모는 U로 정의하고, 1순위 유속 성분의 규모는 Ro배인 RoU로 정의함에 유의하라. x방향 운동 방정식을 예시로, (4.1.1)식에 (3.2.113)식을 대입하고 규모가 같은 항끼리 묶어 나타내면

$$\left(-f_0\bar{v}_0 + g\frac{\partial \eta}{\partial x}\right) + \left(\frac{\partial \bar{u}_0}{\partial t} + \bar{u}_0\frac{\partial \bar{u}_0}{\partial x} + \bar{v}_0\frac{\partial \bar{u}_0}{\partial y} - \beta y\bar{v}_0 - f_0\bar{v}_1\right)\cdots = 0$$
$$\left(-\bar{v}_0^* + \frac{\partial \eta^*}{\partial x^*}\right) + Ro\left(\frac{\partial \bar{u}_0^*}{\partial t^*} + \bar{u}_0^*\frac{\partial \bar{u}_0^*}{\partial x^*} + \bar{v}_0^*\frac{\partial \bar{u}_0^*}{\partial y^*} - y^*\bar{v}_0^* - \bar{v}_1^*\right)\cdots = 0 \tag{4.1.4}$$

가 된다. 두 번째 줄에 $x = Lx^*$, $y = Ly^*$, $t = Tt^*$, $\eta = \varphi\eta^*$, $\bar{u}_0 = U\bar{u}_0^*$, $\bar{v}_0 = U\bar{v}_0^*$, $\bar{u}_1 = RoU\bar{u}_1^*$, $\bar{v}_1 = RoU\bar{v}_1^*$를 사용해 무차원화한 형태를 나타냈다. 여기서 $Ro = 1/(fT) = U/(fL)$로 로스비 수를 타나내며, 압력 경사의 규모는 전향력과 같은 f_0U로 정의하고($g\varphi/L = f_0U$), β효과 항의 규모는 1순위가 되도록 Rof_0U로 정의($\beta LU = Rof_0U$)했음에 유의하라. 이제 규모가 같은 항끼리 균형을 이룬다 가정하자.

$$-f_0\bar{v}_0 + g\frac{\partial \eta}{\partial x} = 0 \quad \left(v_0 = \frac{g}{f_0}\frac{\partial \eta}{\partial x}\right) \tag{4.1.5}$$

$$\frac{\partial \bar{u}_0}{\partial t} + \bar{u}_0\frac{\partial \bar{u}_0}{\partial x} + \bar{v}_0\frac{\partial \bar{u}_0}{\partial y} - \beta y\bar{v}_0 - f_0\bar{v}_1 = 0 \tag{4.1.6}$$

가장 크기가 큰 0순위 균형을 나타내는 (4.1.5)식은 지형류 균형이다. (4.1.6)식은 1순위 균형을 보여주며 관성항과 이류항을 포함한 항들이 만드는 교란 성분인 비지형류 성분의 지배식이다. 이를 $\bar{v}_1$에 대해 정리하여 비지형류 성분을 결정할 수 있다.

$$\bar{v}_1 = \frac{1}{f_0}\left(\frac{\partial \bar{u}_0}{\partial t} + \bar{u}_0\frac{\partial \bar{u}_0}{\partial x} + \bar{v}_0\frac{\partial \bar{u}_0}{\partial y} - \beta y\bar{v}_0\right) \tag{4.1.7}$$

같은 방식으로 y방향 운동 방정식 (4.1.2)식에 교란 이론을 적용하면

$$\bar{u}_0 = -\frac{g}{f_0}\frac{\partial \eta}{\partial y} \tag{4.1.8}$$

$$\bar{u}_1 = -\frac{1}{f_0}\left(\frac{\partial \bar{v}_0}{\partial t} + \bar{u}_0\frac{\partial \bar{v}_0}{\partial x} + \bar{v}_0\frac{\partial \bar{v}_0}{\partial y} + \beta y\bar{u}_0\right) \tag{4.1.9}$$

를 얻을 수 있다.

이제 보존 방정식을 무차원화해 보자. 앞서 운동 방정식의 무차원화에서 압력 경사의 규모는 전향력의 규모와 같도록 두었다($f_0U \approx g\varphi/L$). 이로부터 해면 고도 η의 규모 φ는

$$\varphi \approx \frac{f_0UL}{g} = \frac{f_0UL}{g}\frac{HLf_0}{HLf_0} = Ro\left(\frac{L}{Rd}\right)^2 H \tag{4.1.10}$$

이 된다. 여기서 $Rd = \sqrt{gH}/f$로 로스비 변형 반경이다. 여기서 로스비 변형 반경에 대한 상대적인 공간 규모를 뜻하는 Rd/L은 무차원수로 순압 환경의 버거 수임에 유의하라. (4.1.10)식을 바탕으로 보존 방정식 (4.1.3)식을 무차원화하자.

$$\left(\frac{RoH}{T}\left(\frac{L}{Rd}\right)^2\right)\frac{\partial \eta^*}{\partial t^*} + \left(\frac{HU}{L}\right)\left(\frac{\partial(h^*\bar{u}_0^*)}{\partial x^*} + \frac{\partial(h^*\bar{v}_0^*)}{\partial y^*}\right)$$
$$+ \left(RoH\left(\frac{L}{Rd}\right)^2\frac{U}{L}\right)\left(\frac{\partial(\eta^*\bar{u}_0^*)}{\partial x^*} + \frac{\partial(\eta^*\bar{v}_0^*)}{\partial y^*}\right)$$
$$+ \left(\frac{HRoU}{L}\right)\left(\frac{\partial(h^*\bar{u}_1^*)}{\partial x^*} + \frac{\partial(h^*\bar{v}_1^*)}{\partial y^*}\right)$$
$$+ \left(RoH\left(\frac{L}{Rd}\right)^2\frac{RoU}{L}\right)\left(\frac{\partial(\eta^*\bar{u}_1^*)}{\partial x^*} + \frac{\partial(\eta^*\bar{v}_1^*)}{\partial y^*}\right) = 0 \tag{4.1.11}$$

이제 양 변을 규모 HU/L로 나눈 뒤 로스비 수의 정의를 이용해 정리하면

$$\left(Ro\left(\frac{L}{Rd}\right)^2\right)\frac{\partial \eta^*}{\partial t^*} + \left(\frac{\partial(h^*\bar{u}_0^*)}{\partial x^*} + \frac{\partial(h^*\bar{v}_0^*)}{\partial y^*}\right)$$
$$+ \left(Ro\left(\frac{L}{Rd}\right)^2\right)\left(\frac{\partial(\eta^*\bar{u}_0^*)}{\partial x^*} + \frac{\partial(\eta^*\bar{v}_0^*)}{\partial y^*}\right)$$
$$+ (Ro)\left(\frac{\partial(h^*\bar{u}_1^*)}{\partial x^*} + \frac{\partial(h^*\bar{v}_1^*)}{\partial y^*}\right)$$
$$+ \left(Ro^2\left(\frac{L}{Rd}\right)^2\right)\left(\frac{\partial(\eta^*\bar{u}_1^*)}{\partial x^*} + \frac{\partial(\eta^*\bar{v}_1^*)}{\partial y^*}\right) = 0 \tag{4.1.12}$$

를 얻을 수 있다. 편의를 위해 $(L/Rd)^2 \approx 1$을 가정하자. (4.1.12)식에 $(L/Rd)^2 = 1$을 대입하고 규모가 Ro^2인 항을 무시하면

$$\left(\frac{\partial(h^*\bar{u}_0^*)}{\partial x^*} + \frac{\partial(h^*\bar{v}_0^*)}{\partial y^*}\right)$$
$$+ Ro\left(\frac{\partial \eta^*}{\partial t} + \frac{\partial(h^*\bar{u}_1^*)}{\partial x^*} + \frac{\partial(h^*\bar{v}_1^*)}{\partial y^*} + \frac{\partial(\eta^*\bar{u}_0^*)}{\partial x^*} + \frac{\partial(\eta^*\bar{v}_0^*)}{\partial y^*}\right) = 0 \tag{4.1.13}$$

이 된다. (4.1.13)식의 차원을 고려한 형태는

$$\underbrace{\left(\frac{\partial(h\bar{u}_0)}{\partial x} + \frac{\partial(h\bar{v}_0)}{\partial y}\right)}_{O(1)} + \underbrace{\left(\frac{\partial \eta}{\partial t} + \frac{\partial(h\bar{u}_1)}{\partial x} + \frac{\partial(h\bar{v}_1)}{\partial y} + \frac{\partial(\eta\bar{u}_0)}{\partial x} + \frac{\partial(\eta\bar{v}_0)}{\partial y}\right)}_{O(Ro)} = 0 \tag{4.1.14}$$

이다. 여기서 편의를 위해 상수 수심을 가정하면

$$\frac{\partial \bar{u}_0}{\partial x} + \frac{\partial \bar{v}_0}{\partial y} = 0 \tag{4.1.15}$$

$$\frac{\partial \eta}{\partial t} + h \left(\frac{\partial \bar{u}_1}{\partial x} + \frac{\partial \bar{v}_1}{\partial y} \right) + \frac{\partial (\eta \bar{u}_0)}{\partial x} + \frac{\partial (\eta \bar{v}_0)}{\partial y} = 0 \tag{4.1.16}$$

을 얻을 수 있고 이는 각각 보존 방정식의 0순위 균형과 1순위 균형을 나타낸다. (4.1.15)식은 단순히 지형류 성분이 수렴 및 발산하지 않아 해면을 변동시키지 않음을 나타내며 이는 지형류의 지배식 (4.1.5)식과 (4.1.8)식에 의해 자동으로 성립한다. 반면 비지형류 성분은 수렴 및 발산 가능하며 이는 해면 변동을 야기할 수 있다. 결과적으로 지형류 성분 지배식 (4.1.5)식과 (4.1.8)식, 비지형류 성분 지배식 (4.1.7)식과 (4.1.9)식, 보존 방정식 (4.1.16)식이 준지형류 모형의 지배식이 된다.

준지형류 모형에서 가장 중요한 핵심적인 가정은 지형류 균형이 지배적이고 나머지 항들의 규모는 상대적으로 작다는 것이다. 결과적으로 이 모형은 지형류 균형을 중심으로 다른 항들이 가하는 작은 변동을 모사한다. 준지형류 모형은 최초로 현상의 실질적인 예측(예보)에 성공한 모형이다(Charney et al., 1950). 이는 모형이 실제 자연 현상의 핵심적인 역학을 반영하고 있음을 암시한다. 현대에는 준지형류 모형이 예측 자체를 위해 사용되지 않지만 여전히 역학적인 논의와 이상화된 실험을 위해 사용하고 있다.

4.1.1 준지형류 모형의 와도 보존

준지형류 모형의 지배식을 와도 방정식 형태로 나타내보자. (4.1.7)식과 (4.1.9)식으로 비지형류 성분의 발산을 계산하면

$$\frac{\partial \bar{u}_1}{\partial x} + \frac{\partial \bar{v}_1}{\partial y} = -\frac{1}{f_0} \left[\frac{\partial}{\partial t} \left(\frac{\partial \bar{v}_0}{\partial x} - \frac{\partial \bar{u}_0}{\partial y} \right) + \left(\frac{\partial \bar{u}_0}{\partial x} + \frac{\partial \bar{v}_0}{\partial y} \right) \left(\frac{\partial \bar{v}_0}{\partial x} - \frac{\partial \bar{u}_0}{\partial y} \right) \right.$$

$$\left. + \bar{u}_0 \frac{\partial}{\partial x} \left(\frac{\partial \bar{v}_0}{\partial x} - \frac{\partial \bar{u}_0}{\partial y} \right) + \bar{v}_0 \frac{\partial}{\partial y} \left(\frac{\partial \bar{v}_0}{\partial x} - \frac{\partial \bar{u}_0}{\partial y} \right) + \beta y \left(\frac{\partial \bar{u}_0}{\partial x} + \frac{\partial \bar{v}_0}{\partial y} \right) + \beta \bar{v}_0 \right]$$

$$\therefore \frac{\partial \bar{u}_1}{\partial x} + \frac{\partial \bar{v}_1}{\partial y} = -\frac{1}{f_0} \left(\frac{\partial \xi}{\partial t} + \bar{u}_0 \frac{\partial \xi_0}{\partial x} + \bar{v}_0 \frac{\partial \xi_0}{\partial y} + \beta \bar{v}_0 \right), \quad \left(\xi_0 = \frac{\partial \bar{v}_0}{\partial x} - \frac{\partial \bar{u}_0}{\partial y} \right)$$

$$\tag{4.1.17}$$

을 얻을 수 있다. 여기서 $\partial \bar{u}_0 / \partial x + \partial \bar{v}_0 / \partial y = 0$임에 유의하라. 새로 정의된 변수 ξ_0은 지형류의 상대 와도를 뜻한다. 추가로 (4.1.17)식 우변의 마지막 β효과 항 $\beta \bar{v}_0$은 아래와

같이 나태낼 수 있다.

$$\beta \bar{v}_0 = \frac{\partial f}{\partial t} + \bar{u}_0 \frac{\partial f}{\partial x} + \bar{v}_0 \frac{\partial f}{\partial y} \quad \left(\because \frac{\partial f}{\partial t} = \frac{\partial f}{\partial x} = 0 \right) \tag{4.1.18}$$

이는 전향력 계수 $f = f_0 + \beta y$가 x와 t에 대한 함수가 아니기 때문이다. (4.1.18)식을 (4.1.17)식에 대입하면 비지형류의 발산은

$$\frac{\partial \bar{u}_1}{\partial x} + \frac{\partial \bar{v}_1}{\partial y} = -\frac{1}{f_0} \left(\frac{\partial(\xi_0 + f)}{\partial t} + \bar{u}_0 \frac{\partial(\xi_0 + f)}{\partial x} + \bar{v}_0 \frac{\partial(\xi_0 + f)}{\partial y} \right) \tag{4.1.19}$$

가 된다. 이를 보존 방정식 (4.1.16)식에 대입하고 정리하면 준지형류 모형의 와도 방정식을 얻을 수 있다.

$$
\begin{aligned}
& \frac{\partial \eta}{\partial t} + h \left(\frac{\partial \bar{u}_1}{\partial x} + \frac{\partial \bar{v}_1}{\partial y} \right) + \frac{\partial(\eta \bar{u}_0)}{\partial x} + \frac{\partial(\eta \bar{v}_0)}{\partial y} = 0 \\
& \rightarrow \frac{\partial \eta}{\partial t} + \bar{u}_0 \frac{\partial \eta}{\partial x} + \bar{v}_0 \frac{\partial \eta}{\partial y} - \frac{h}{f_0} \left(\frac{\partial(\xi_0 + f)}{\partial t} + \bar{u}_0 \frac{\partial(\xi_0 + f)}{\partial x} + \bar{v}_0 \frac{\partial(\xi_0 + f)}{\partial y} \right) = 0 \\
& \therefore \frac{\partial q_0}{\partial t} + \bar{u}_0 \frac{\partial q_0}{\partial x} + \bar{v}_0 \frac{\partial q_0}{\partial y} = 0 \quad \left(q_0 = \xi_0 + f - \frac{f_0}{h} \eta \right)
\end{aligned}
\tag{4.1.20}
$$

여기서 q_0이 잠재 와도에 해당한다. 결과적으로 준지형류 모형은 잠재 와도가 지형류에 의해 이류되는 것을 나타낸다.

와도 보존 방정식 (4.1.20)식은 유선 함수를 사용해 나타내곤 한다. 지형류 유속 성분을 $\bar{u}_0 = -\partial \psi / \partial y$, $\bar{v}_0 = \partial \psi / \partial x$로 정의하고 이를 (4.1.20)식에 대입하면

$$
\begin{aligned}
& \frac{\partial q_0}{\partial t} - \frac{\partial \psi}{\partial y} \frac{\partial q_0}{\partial x} + \frac{\partial \psi}{\partial x} \frac{\partial q_0}{\partial y} = 0 \quad \left(q_0 = \nabla^2 \psi + f - \frac{1}{Rd^2} \psi \right) \\
& \therefore \frac{\partial q_0}{\partial t} + J(\psi, q_0) = 0 \quad \left(J(\psi, q) = \frac{\partial \psi}{\partial x} \frac{\partial q_0}{\partial y} - \frac{\partial \psi}{\partial y} \frac{\partial q_0}{\partial x} \right)
\end{aligned}
\tag{4.1.21}
$$

이 된다. 여기서, 유선함수와 지형류 성분의 정의에 의한 $\psi = (g/f_0)\eta$를 사용했으며 J는 흔히 자코비안 연산자(Jacobian operator)라 부른다.

4.1.2 수심 변동의 고려

이번에는 수심의 변화를 고려해 보자. 천해 운동 방정식 (4.1.1)식과 (4.1.2)식에는 수심에 대한 항이 없다. 따라서 앞서 유도한 (4.1.5)-(4.1.9)식을 그대로 사용할 수 있다. 하지만 수심 변화는 보존 방정식 (4.1.3)식에 영향을 준다. 먼저 수심을 상수 성분(h_0)과 변동 성분(h')으로 나누어 생각하자($h = h_0 + h'$). 이를 보존 방정식 (4.1.3)식에

대입하고 전개하자. 이 때, 앞서 논의한 것과 같은 방식으로 유속 역시 지형류 성분과 비지형류 성분으로 나누어 주면($\bar{u} = \bar{u}_0 + \bar{u}_1$, $\bar{v} = \bar{v}_0 + \bar{v}_1$),

$$
\begin{aligned}
&\frac{\partial \eta}{\partial t} + h_0 \left(\frac{\partial \bar{u}_0}{\partial x} + \frac{\partial \bar{v}_0}{\partial y} \right) + \left(\frac{\partial (h' \bar{u}_0)}{\partial x} + \frac{\partial (h' \bar{v}_0)}{\partial y} \right) + \left(\frac{\partial (\eta \bar{u}_0)}{\partial x} + \frac{\partial (\eta \bar{v}_0)}{\partial y} \right) \\
&+ h_0 \left(\frac{\partial \bar{u}_1}{\partial x} + \frac{\partial \bar{v}_1}{\partial y} \right) + \left(\frac{\partial (h' \bar{u}_1)}{\partial x} + \frac{\partial (h' \bar{v}_1)}{\partial y} \right) + \left(\frac{\partial (\eta \bar{u}_1)}{\partial x} + \frac{\partial (\eta \bar{v}_1)}{\partial y} \right) = 0
\end{aligned}
$$

$$(4.1.22)$$

를 얻을 수 있다. 이를 무차원화 하자. 이 때, h_0의 규모는 H로, h'의 규모는 H'로 정의하자($h_0 = H h_0^*$, $h' = H' h'^*$). 앞 장에서 논의한 것과 같은 방식으로 지형류 성분의 규모는 U로, 비지형류 성분의 규모는 RoU로, 해면 고도의 규모는 $RoH(L/Rd)^2$로 정의하고 무차원화한 뒤, 양변을 HU/L로 나누어주면

$$
\begin{aligned}
&(Ro)\frac{\partial \eta^*}{\partial t^*} + \left(h_0^* \left(\frac{\partial \bar{u}_0^*}{\partial x^*} + \frac{\partial \bar{v}_0^*}{\partial y^*} \right) \right) + \left(\frac{H'}{H} \right) \left(\frac{\partial (h'^* \bar{u}_0^*)}{\partial x^*} + \frac{\partial (h'^* \bar{v}_0^*)}{\partial y^*} \right) \\
&+ (Ro) \left(\frac{\partial (\eta^* \bar{u}_0^*)}{\partial x^*} + \frac{\partial (\eta^* \bar{v}_0^*)}{\partial y^*} \right) + (Ro) \left(h_0^* \left(\frac{\partial \bar{u}_1^*}{\partial x^*} + \frac{\partial \bar{v}_1^*}{\partial y^*} \right) \right) \\
&+ \left(Ro \frac{H'}{H} \right) \left(\frac{\partial (h'^* \bar{u}_1^*)}{\partial x^*} + \frac{\partial (h'^* \bar{v}_1^*)}{\partial y^*} \right) + (Ro^2) \left(\frac{\partial (\eta^* \bar{u}_1^*)}{\partial x^*} + \frac{\partial (\eta^* \bar{v}_1^*)}{\partial y^*} \right) = 0
\end{aligned}
$$

$$(4.1.23)$$

을 얻을 수 있다. 이는 버거 수를 1로 가정한 결과임에 유의하라. (4.1.23)식에는 새로운 무차원수 H'/H가 등장하며 수심 변동 성분이 상수 성분보다 얼마나 큰가를 나타낸다. 먼저 이 무차원수 H'/H가 Ro보다 매우 작아($H'/H \ll Ro$) 무시할 수 있을 정도인 경우를 생각해 보자. 이 경우, (4.1.23)식에서 수심 변동과 관련된 모든 항을 무시할 수 있음을 나타내며, 결국 상수 수심을 가정한 경우와 다를 것이 없다. 반대로 H'/H가 Ro보다 커 가장 중요한 항이 되는 경우($H'/H \approx 1$)를 생각해 보자. 이 경우, (4.1.23)식의 0순위 균형은

$$
\begin{aligned}
&\frac{\partial (h \bar{u}_0)}{\partial x} + \frac{\partial (h \bar{v}_0)}{\partial y} = 0 \quad \left(\because \frac{\partial h_0}{\partial x} = \frac{\partial h_0}{\partial y} = 0 \right) \\
&\therefore \frac{\partial h}{\partial t} + \bar{u}_0 \frac{\partial h}{\partial x} + \bar{v}_0 \frac{\partial h}{\partial y} = 0 \quad \left(\because \frac{\partial h}{\partial t} = 0, \frac{\partial \bar{u}_0}{\partial x} + \frac{\partial \bar{v}_0}{\partial y} = 0 \right)
\end{aligned}
$$

$$(4.1.24)$$

가 된다. 이는 지형류에 의한 흐름이 등수심선을 따름을 나타내며 테일러-프라우드만 이론에 상응한다. 즉, 수심의 변화가 매우 큰 경우, 가장 지배적인 흐름은 등수심선을 따라 흐른다. 마지막으로 $H'/H \approx Ro$인 경우를 생각해보자. (4.1.23)식에서 규모가

1인 항은 지형류의 정의를 나타내는 (4.1.5)식과 (4.1.8)식에 의해 항상 0임에 유의하라. 결과적으로 규모가 Ro인 항들이 (4.1.23)식에서 가장 큰 항으로 생각할 수 있다. $H'/H \approx Ro$로 두는 것은 (4.1.23)식 내 대부분의 항을 무시 없이 고려함을 의미한다. (4.1.23)식에 $H'/H = Ro$를 대입하고, 규모가 Ro^2인 항을 무시, 남은 항들을 규모 순으로 정리하면

$$\left(h_0^* \left(\frac{\partial \bar{u}_0^*}{\partial x^*} + \frac{\partial \bar{v}_0^*}{\partial y^*} \right) \right) + Ro \left(\frac{\partial \eta^*}{\partial t^*} + \frac{\partial (h'^* \bar{u}_0^*)}{\partial x^*} + \frac{\partial (h'^* \bar{v}_0^*)}{\partial y^*} \right.$$
$$\left. + \frac{\partial (\eta^* \bar{u}_0^*)}{\partial x^*} + \frac{\partial (\eta^* \bar{v}_0^*)}{\partial y^*} + h_0^* \left(\frac{\partial \bar{u}_1^*}{\partial x^*} + \frac{\partial \bar{v}_1^*}{\partial y^*} \right) \right) = 0$$

(4.1.25)

를 얻을 수 있다. 차원을 고려한 형태의 (4.1.25)식은

$$\underbrace{h_0 \left(\frac{\partial \bar{u}_0}{\partial x} + \frac{\partial \bar{v}_0}{\partial y} \right)}_{O(1)}$$
$$+ \underbrace{\left(\frac{\partial \eta}{\partial t} + \frac{\partial (h' \bar{u}_0)}{\partial x} + \frac{\partial (h' \bar{v}_0)}{\partial y} + \frac{\partial (\eta \bar{u}_0)}{\partial x} + \frac{\partial (\eta \bar{v}_0)}{\partial y} + h_0 \left(\frac{\partial \bar{u}_1}{\partial x} + \frac{\partial \bar{v}_1}{\partial y} \right) \right)}_{O(Ro)} = 0$$

(4.1.26)

이다. 앞서 논의한 것과 마찬가지로 0순위 균형은 (4.1.15)식과 같으며 $\partial \bar{u}_0/\partial x + \partial \bar{v}_0/\partial y = 0$으로 자동으로 성립된다. 1순위 균형은

$$\frac{\partial \eta}{\partial t} + \bar{u}_0 \frac{\partial h'}{\partial x} + \bar{v}_0 \frac{\partial h'}{\partial y} + \bar{u}_0 \frac{\partial \eta}{\partial x} + \bar{v}_0 \frac{\partial \eta}{\partial y} + h_0 \left(\frac{\partial \bar{u}_1}{\partial x} + \frac{\partial \bar{v}_1}{\partial y} \right) = 0 \qquad (4.1.27)$$

로 결정된다. 마지막으로 비지형류의 발산을 계산한 (4.1.19)식을 (4.1.27)식에 대입하고 정리하면 지형 변화를 고려한 준지형류 와동 방정식

$$\frac{\partial q_0}{\partial t} + \bar{u}_0 \frac{\partial q_0}{\partial x} + \bar{v}_0 \frac{\partial q_0}{\partial y} = 0 \quad \left(q_0 = \xi_0 + f - \frac{f_0}{h_0} (h + \eta) \right) \qquad (4.1.28)$$

을 구할 수 있다. 상수 수심을 가정한 와동 방정식 (4.1.20)식과 비교하면 잠재 와도에 추가적인 항 $(f_0/h_0)h$이 생겼는데, 이 항이 지형 β효과 항을 의미한다. (4.1.28)식에서 상수 수심($h = h_0$)과 β평면($f = \beta y + f_0$)을 가정해 보자.

$$\frac{\partial q_0}{\partial t} + \bar{u}_0 \frac{\partial q_0}{\partial x} + \bar{v}_0 \frac{\partial q_0}{\partial y} = 0 \quad \left(q_0 = \xi_0 + \beta y - \frac{f_0}{h_0} \eta \right) \qquad (4.1.29)$$

여기서 잠재 와도 내의 상수 성분 f_0와 h_0은 미분 시 소거됨에 유의하라. 이번에는 f 평면($\beta = 0$)을 가정하고 지형이 $h = \alpha y + h_0$으로 주어진 경우를 생각해 보자.

$$\frac{\partial q_0}{\partial t} + \bar{u}_0 \frac{\partial q_0}{\partial x} + \bar{v}_0 \frac{\partial q_0}{\partial y} = 0 \quad \left(q_0 = \xi_0 + \frac{\alpha f_0}{h_0} y - \frac{f_0}{h_0} \eta \right) \tag{4.1.30}$$

(4.1.29)식과 (4.1.30)식은 단지 계수 하나가 β와 $\alpha f_0/h_0$으로 다를 뿐, 수학적으로 완전히 같다. 이는 전향력 계수의 변화가 일으키는 다양한 β효과를 지형의 변화가 일으킬 수 있음을 나타낸다.

4.2 준지형류 모형에서의 파동

준지형류 모형이 나타내는 파동에 대해 논의해 보자. 편의를 위해 β평면과 상수 수심을 가정한 (4.1.21)식을 지배식으로 사용하자. (4.1.21)식에서 자코비안 연산자 부분을 전개하고 정리하면

$$J(\psi, q_0) = J\left(\psi, \nabla^2 \psi - \frac{1}{Rd^2} \psi \right) + \beta \frac{\partial \psi}{\partial x} \tag{4.2.1}$$

임을 알 수 있고 이를 바탕으로 (4.1.21)식은

$$\frac{\partial}{\partial t} \left(\nabla^2 \psi - \frac{1}{Rd^2} \psi \right) + J\left(\psi, \nabla^2 \psi - \frac{1}{Rd^2} \psi \right) + \beta \frac{\partial \psi}{\partial x} = 0 \tag{4.2.2}$$

의 형태로 나타낼 수 있다. 이제 앞서 다양한 파동의 논의에서 사용한 것과 같은 방식으로, 해의 기저를 (3.2.77)식으로 가정하고 지배식 (4.2.2)식에 대입해 분산 관계를 유도하자. 이 때, 비선형성을 내포하고 있는 자코비안 연산자 부분은 아래와 같이 자동으로 0이 된다.

$$J\left(\psi, \nabla^2 \psi - \frac{1}{Rd^2} \psi \right) = \frac{\partial \psi}{\partial x} \frac{\partial}{\partial y} \left(\nabla^2 \psi - \frac{1}{Rd^2} \psi \right) - \frac{\partial \psi}{\partial y} \frac{\partial}{\partial x} \left(\nabla^2 \psi - \frac{1}{Rd^2} \psi \right)$$
$$= (ik)(il) \left(-k^2 - l^2 - \frac{1}{Rd^2} \right) \left(e^{i(kx+ly-wt)} \right)^2$$
$$- (il)(ik) \left(-k^2 - l^2 - \frac{1}{Rd^2} \right) \left(e^{i(kx+ly-wt)} \right)^2 = 0$$

$$\tag{4.2.3}$$

결국 남는 부분은

$$\frac{\partial}{\partial t} \left(\nabla^2 \psi - \frac{1}{Rd^2} \psi \right) + \beta \frac{\partial \psi}{\partial x} = 0 \tag{4.2.4}$$

로 선형인 항만 남게 된다. (4.2.4)식에 (3.2.77)식을 대입하고 정리하면 분산 관계

$$w = -\beta R d^2 \frac{k_x}{1 + Rd^2\left(k_x^2 + k_y^2\right)} \tag{4.2.5}$$

를 얻을 수 있다. (4.2.4)식과 (3.2.120)식은 같음에 유의하라. 이 준지형류 모형의 분산 관계 (4.2.5)식은 앞서 논의했던 관성항의 교란을 고려한 로스비 파의 분산 관계 (3.2.121)식과 완전히 같다. 즉, 준지형류 모형에 나타나는 파장은 단순히 관성항 교란을 고려한 로스비 파임을 의미한다. 또한 이는 준지형류 모형에 포엔카레 파나 켈빈 파처럼 빠른 파동이 포함되지 않음을 나타낸다. 이 빠른 파동들은 관성항이 주요하게 작용하며 지형류 균형이 지배적이지 않아 준지형류 모형의 가정에 위반한다. 즉, 중심인 지형류 균형에서 멀리 떨어진 현상($1 \ll Ro$)이기 때문에 준지형류 모형에 의해 포함되지 않는다.

이는 로스비 파가 준지형류 지배식의 해 중 하나(기저)임을 보여준다. 하지만 준지형류 방정식 (4.2.2)식 내 자코비안 연산자는 비선형성을 가지고 있다. 지배식이 선형인 경우는 중첩의 원리(superposition principle)에 따라 여러 기저의 단순 합이 역시 기저가 되지만, 비선형의 경우는 중첩의 원리가 작동하지 않는다. 예를 들어, 해를 $\psi = A_1 e^{i(k_1 x + l_1 y - w_1 t)} + A_2 e^{i(k_2 x + l_2 y - w_2 t)}$로 가정하고 (4.2.2)식에 대입하면, 자코비안 연산자 부분이 0이 되지 않는다. 이는 파동이 단 하나의 모드로 구성된 것과, 두 개 (혹은 그 이상)의 모드로 구성된 것이 다르게 거동함을 의미한다.

4.2.1 모드 간 비선형 상호작용

앞 장에서 준지형류 모형 내 단 하나의 파동 모드가 있을 경우, 자코비안 연산자가 소거되어 선형 로스비 파 분산 관계에 따라 움직임을 보였다. 하지만 파동이 여러 개의 모드로 구성된 경우는 자코비안 연산자 부분의 영향을 받아 각 모드가 상호작용하며 새로운 모드를 만들어 내거나, 공명을 통해 다른 특정 모드의 진폭을 증폭할 수 있다(Longuet-Higgins & Gill, 1967; Pedlosky, 1987). 이를 논하기 위해 (4.2.2)식을 무차원화하자. (4.2.2)식에 $\psi = \Psi\psi^*$, $x = Lx^*$, $y = Ly^*$, $t = Tt^*$를 대입하고 정리하면

$$\left(\frac{1}{\beta LT}\right)\frac{\partial}{\partial t^*}\left(\nabla^{*2}\psi^* - \psi^*\right) + \left(\frac{\Psi}{\beta L^3}\right)J^*\left(\psi^*, \nabla^{*2}\psi^* - \psi^*\right) + \frac{\partial\psi^*}{\partial x^*} = 0$$
$$\left(\nabla^{*2}\psi^* = \frac{\partial^2\psi^*}{\partial x^{*2}} + \frac{\partial^2\psi^*}{\partial y^{*2}}, \quad J^*(A, B) = \frac{\partial A}{\partial x^*}\frac{\partial B}{\partial y^*} - \frac{\partial A}{\partial y^*}\frac{\partial B}{\partial x^*}\right) \tag{4.2.6}$$

이 된다. 이는 양 변을 β항의 규모 $\beta\Psi/L$로 나눈 결과이다. 여기서 준지형류 방정식이 사용하는 가정에 따라 $L \approx Rd$임에 유의하라. 비선형항의 역할에 집중하기 위해, $T \approx (\beta L)^{-1}$을 가정해 첫 번째 항의 규모를 1로 고정하자. 결과적으로 지배식은 비선형항의 규모를 나타내는 무차원수 $\Psi/(\beta L^3) = U/(\beta L^2)$에 따라 그 성질이 결정된다. $U/(\beta L^2) \ll 1$을 가정하고 교란 이론을 적용해 0순위 성분과 1순위 성분의 지배식을 구하자.

먼저 유선 함수를 0순위 성분과 1순위 성분으로 나누고($\psi = \psi_0 + \psi_1$), 1순위 성분의 규모가 0순위 성분 규모보다 $U/(\beta L^2)$배 정도로 작음을 가정하자($\psi_0 = \Psi\psi_0^*$, $\psi_1 = (U/(\beta L^2))\Psi\psi_1^*$). 이를 (4.2.2)식에 대입하고 규모가 같은 항끼리 묶어 0순위 균형과 1순위 균형을 구하면

$$\underbrace{\left(\frac{\partial}{\partial t}\left(\nabla^2\psi_0 - \frac{1}{Rd^2}\psi_0\right) + \beta\frac{\partial\psi_0}{\partial x}\right)}_{O(\epsilon^0)}$$
$$+ \underbrace{\left(\frac{\partial}{\partial t}\left(\nabla^2\psi_1 - \frac{1}{Rd^2}\psi_1\right) + \beta\frac{\partial\psi_1}{\partial x} + J\left(\psi_0, \nabla^2\psi_0 - \frac{1}{Rd^2}\psi_0\right)\right)}_{O(\epsilon^1)} = 0 \qquad (4.2.7)$$

을 얻을 수 있다. 여기서 $\epsilon = U/(\beta L^2)$이다. 따라서 0순위 성분과 1순위 성분의 지배식은

$$\frac{\partial}{\partial t}\left(\nabla^2\psi_0 - \frac{1}{Rd^2}\psi_0\right) + \beta\frac{\partial\psi_0}{\partial x} = 0 \qquad (4.2.8)$$

$$\frac{\partial}{\partial t}\left(\nabla^2\psi_1 - \frac{1}{Rd^2}\psi_1\right) + \beta\frac{\partial\psi_1}{\partial x} = -J\left(\psi_0, \nabla^2\psi_0 - \frac{1}{Rd^2}\psi_0\right) \qquad (4.2.9)$$

가 된다. 0순위 성분의 지배식은 선형 로스비파에 해당한다. 초기 조건으로 서로 다른 2개의 모드가 존재하는 경우를 고려하자. 이 경우, 0순위 성분의 해는

$$\psi_0 = A_1 e^{i(k_1 x + l_1 y - w_1 t)} + A_2 e^{i(k_2 x + l_2 y - w_2 t)} \qquad (4.2.10)$$

으로 생각할 수 있다. 여기서 $w_n = -\beta Rd^2 k_n / (1 + Rd^2(k_n^2 + l_n^2))$이며 $n = 1, 2$이다. 1순위 균형식 (4.2.9)식의 자코비안 연산자는 0순위 성분이 주어진 함수이기 때문에 단순히 외력항이 되며, 비선형 방정식이 아님에 유의하라. (4.2.10)식을 이용해 자코비안 연산자 부분을 계산하자. 이 과정은 조금 복잡하게 보일 수 있으나 많은 항이 서로 소거되며

$$J\left(\psi_0, \nabla^2\psi_0 - \frac{1}{Rd^2}\psi_0\right) = A_1 A_2 \left(k_1 l_2 - k_2 l_1\right)\left(K_2^2 - K_1^2\right)e^{\theta_1 + \theta_2} \qquad (4.2.11)$$

을 얻을 수 있다. 여기서 $K_n = (k_n^2 + l_n^2)^{1/2}$이고 $\theta_n = i(k_n x + l_n y - w_n t)$이다. (4.2.11) 식은 $K_2^2 - K_1^2 = 0$ ($K_1 = K_2$)이거나 $k_1 l_2 - k_2 l_1 = 0$ ($k_1/l_1 = k_2/l_2$)인 경우 자코비안 연산자 부분이 0이 됨을 보여준다. 이는 파장의 길이가 같거나($K_2^2 - K_1^2 = 0$) 진행 방향이 같은 경우($k_1 l_2 - k_2 l_1 = 0$), 각 모드는 상호작용하지 않고 선형 로스비 파와 다름없이 움직임을 나타낸다.

1순위 균형식의 외력항 (4.2.11)식이 만들어 내는 유선 함수는 비제차 성분에 해당한 다. 미정 계수법을 사용해 비제차 성분을 $\psi_{1p} = Ae^{\theta_3}$로 가정하자. 여기서 $\theta_3 = \theta_1 + \theta_2$ 이다. 이를 (4.2.9)식에 대입하고 정리해 A를 결정하면

$$
\begin{aligned}
&\frac{\partial}{\partial t}\left(\nabla^2 \psi_{1p} - \frac{1}{Rd^2}\psi_{1p}\right) + \beta \frac{\partial \psi_{1p}}{\partial x} = -J\left(\psi_0, \nabla^2 \psi_0 - \frac{1}{Rd^2}\psi_0\right) \\
&\rightarrow i\left(w_3\left(k_3^2 + l_3^2 + \frac{1}{Rd^2}\right) + \beta k_3\right)A = A_1 A_2 \left(k_1 l_2 - k_2 l_1\right)\left(K_2^2 - K_1^2\right) \\
&\qquad \rightarrow A = \frac{A_1 A_2 \left(k_1 l_2 - k_2 l_1\right)\left(K_2^2 - K_1^2\right)}{i\left(w_3\left(k_3^2 + l_3^2 + Rd^{-2}\right) + \beta k_3\right)} \\
&\qquad \therefore \psi_{1p} = \frac{A_1 A_2 \left(k_1 l_2 - k_2 l_1\right)\left(K_2^2 - K_1^2\right)}{i\left(w_3\left(k_3^2 + l_3^2 + Rd^{-2}\right) + \beta k_3\right)}e^{\theta_3}
\end{aligned}
$$

$$(4.2.12)$$

가 된다. $\theta_3 = \theta_1 + \theta_1 = i((k_1 + k_2)x + (l_1 + l_2)y - (w_1 + w_2)t)$임에 유의하라. 결과적 으로 두 모드는 각 모드의 파수의 합과 주파수의 합을 새로운 파수와 주파수로 가지는 모드를 만들어 냄을 의미한다. (4.2.12)식은 $w_3\left(k_3^2 + l_3^2 + Rd^{-2}\right) + \beta k_3 \neq 0$인 경우의 해임에 유의하라. $w_3\left(k_3^2 + l_3^2 + Rd^{-2}\right) + \beta k_3 = 0$인 경우는 모드 간 상호작용으로 만들어진 새 모드가 선형 로스비 파의 모드 중 하나인 경우를 나타낸다. 이 경우, 비제차 성분의 기저로 $\psi_{1p} = Ate^{\theta_3}$을 가정하면

$$
\psi_{1p} = -\frac{A_1 A_2 \left(k_1 l_2 - k_2 l_1\right)\left(K_2^2 - K_1^2\right)}{k_3^2 + l_3^2 + Rd^{-2}}te^{\theta_3} \tag{4.2.13}
$$

을 얻을 수 있다. 앞서 1순위 성분이 0순위 보다 $U/(\beta L^2)$배수 만큼 작음을 가정했기 때 문에, (4.2.13)식은 특정 시간 범위까지만 유효하다. 하지만 이는 로스비 파의 서로 다른 두 모드가 다른 모드의 진폭을 키우는 역할을 할 수 있음을 보여준다. 이는 로스비파의 불안정성을 나타내기도 한다.

4.2.2 배경 흐름 위의 로스비 파

비선형성을 다루기 위해 자주 사용되는 다른 방법은 변수를 0순위 성분에 상응하는 평균 성분과 1순위 성분에 상응하는 변동 성분으로 나누고, 평균 성분을 주어진 상수나 간단한 함수로 정의하는 것이다. 예를 들어 유속을 평균 성분(U, V)과 변동 성분(u', v')으로 나누고$(u = U + u', \; v = V + v')$, 평균 성분으로 x방향으로 흐르는 상수 유속의 해류를 생각하자. 따라서, U는 임의의 상수가 되고 $V = 0$이 된다. 이를 유선 함수로 나타내면

$$-\frac{\partial \bar{\psi}}{\partial y} = U, \quad \frac{\partial \bar{\psi}}{\partial x} = 0 \tag{4.2.14}$$

이다. (4.2.14)식은 준지형류 모형 0순위 성분 지배식인 지형류 균형의 해 중 하나로 간주할 수 있음에 유의하라. 변동 성분은 ψ'로 정의하자$(\psi = \bar{\psi} + \psi')$. 이제 (4.2.2)식에 $\psi = \bar{\psi} + \psi'$와 정의한 평균 성분 (4.2.14)식을 대입하고 정리하면

$$\begin{aligned}
\frac{\partial}{\partial t}\left(\nabla^2 \psi' - \frac{1}{Rd^2}\psi'\right) + J\left(\psi', \nabla^2 \psi' - \frac{1}{Rd^2}\psi'\right) + \left(\beta + \frac{U}{Rd^2}\right)\frac{\partial \psi'}{\partial x} \\
+ U\frac{\partial}{\partial x}\left(\nabla^2 \psi' - \frac{1}{Rd^2}\psi'\right) = 0
\end{aligned} \tag{4.2.15}$$

를 얻을 수 있다. 여기에 파동의 기본 기저 (3.2.77)을 대입하고 정리하면 분산 관계식

$$w = Uk - \frac{\beta + U/(Rd^2)}{k^2 + l^2 + Rd^{-2}}k \quad \left(c = U - \frac{\beta + U/(Rd^2)}{k^2 + l^2 + Rd^{-2}}\right) \tag{4.2.16}$$

을 얻을 수 있다. $U = 0$인 경우, 이는 선형 로스비 파의 분산 관계 (3.2.121)식이 됨에 유의하라. 배경 흐름의 존재는 분산 관계 (4.2.16)식에서 두 가지 역할을 하는데, 첫 번째는 선형 로스비 파에 배경 흐름이 매질을 움직이는 유속 U만큼의 추가적인 속도를 제공하는 것이고(우변의 첫 번째 항), 두 번째는 추가적인 β효과를 만드는 것이다 (우변의 두 번째 항의 $U/(Rd)^2$).

선형 로스비 파의 이동 방향과 평균 흐름의 방향이 반대인 경우$(0 < U)$, 파속이 0이 되는$(c = 0$을 만족할 수 있는$)$ 특별한 모드가 존재하며 이 모드는 정상 상태의 로스비 파를 의미하는 정상파(stationary wave)에 해당한다. $U < 0$인 경우, $c = 0$을 만족할 수 있는 실수 k는 없어 정상파는 존재하지 않는다.

4.3 정상 상태의 해류

준지형류 모형의 와도 방정식 (4.1.21)식에서 정상 상태를 가정하면

$$J(\psi, q_0) = 0 \quad \left(q_0 = \nabla^2 \psi + \beta y - \frac{1}{Rd^2} \psi \right) \tag{4.3.1}$$

이 된다. (4.3.1)식은 비선형이지만 그 해는 q_0이 ψ에 대한 임의의 함수인 경우 $q_0 = F(\psi)$임이 잘 알려져 있다. 이는 (4.3.1)식이 라그랑지 관측자 시점에서 q_0값이 변하지 않음을 의미하고 유선 함수의 정의 역시 마찬가지이기 때문이다. 수학적으로, $q_0 = F(\psi)$를 (4.3.1)식에 대입하고 교환 법칙으로 전개해 보면 쉽게 증명할 수 있다. 이를 바탕으로 (4.3.1)식은

$$\nabla^2 \psi + \beta y - \frac{1}{Rd^2} \psi = F(\psi) \tag{4.3.2}$$

로 나타낼 수 있다. 함수 F는 경계 조건이 결정한다. Pedlosky (1987)의 저서(3.14 Inertial Boundary Currents)에 소개된 문제를 예를 들어, 남쪽과 서쪽이 육지로 막혀 있고 먼 동쪽으로부터 상수 유속을 통해 흐름이 육지를 향하는 경우를 생각해 보자. 이를 경계 조건으로 나타내면

$$\lim_{x \to \infty} \frac{\partial \psi}{\partial y} = -U \tag{4.3.3}$$

$$\psi|_{x=0} = 0 \tag{4.3.4}$$

$$\psi|_{y=0} = 0; \tag{4.3.5}$$

이다. (4.3.3)식과 (4.3.5)식을 바탕으로, $x \to \infty$에 대해 $\psi = -Uy$이며 이를 (4.3.2)식에 대입하면,

$$\beta y - \frac{1}{Rd^2} \psi = F(\psi)$$
$$\therefore F(\psi) = -\frac{\beta}{U} \psi - \frac{1}{Rd^2} \psi \quad \left(\because y = -\frac{\psi}{U} \right) \tag{4.3.6}$$

으로 F를 결정할 수 있다. 이를 (4.3.2)식에 대입하고 정리하면 이 문제에 대한 선형화한 지배식

$$\nabla^2 \psi + \frac{\beta}{U} \psi = -\beta y \tag{4.3.7}$$

이 완성된다. 앞서 3.1.2.2장에서 스톰멜의 풍성 순환 문제에서 사용한 것과 같은 방식으로 근사해를 구할 수 있다. 유선 함수를 내부 성분(ψ_I)과 경계 성분(ψ_B)으로 나누고

$(\psi = \psi_I + \psi_B)$, (4.3.7)식의 첫 번째 항을 무시할 수 있을 정도로 공간 규모가 충분히 큰 경우의 근사해를 내부 성분으로 정의하면

$$-\frac{\beta}{U}\psi_I = -\beta y \quad \rightarrow \quad \therefore \psi_I = -Uy \tag{4.3.8}$$

을 얻을 수 있다. 경계 성분의 지배식을 구하기 위해 (4.3.7)식에 $\psi = \psi_I + \psi_B$와 (4.3.8)식을 대입하고 정리하면

$$\nabla^2 \psi_B + \frac{\beta}{U}\psi_B = 0 \tag{4.3.9}$$

가 된다. 추가로 y방향 공간 규모가 x방향 공간 규모에 비해 매우 큼을 가정하면

$$\frac{\partial^2 \psi_B}{\partial x^2} + \frac{\beta}{U}\psi_B = 0 \tag{4.3.10}$$

이 된다. 이 식에 대한 경계 조건 역시 같은 방식으로 (4.3.3)식과 (4.3.4)식에 $\psi = \psi_I + \psi_B$와 (4.3.8)식을 대입하고 정리하는 방식으로

$$\lim_{x \to \infty} \psi_B = 0 \tag{4.3.11}$$

$$\psi_B(x = 0) = -\psi_I \tag{4.3.12}$$

를 얻을 수 있다. (4.3.10)식의 기저를 $\psi_B = e^{kx}$로 가정하고 (4.3.10)식에 대입한 뒤 정리하여 일반해를 구하면

$$\psi_B = C_1 e^{\sqrt{-\beta/U}\,x} + C_2 e^{-\sqrt{-\beta/U}\,x} \tag{4.3.13}$$

이 된다. 마지막으로 경계 조건 (4.3.11)식에서 $C_1 = 0$을, (4.3.12)식에서 $C_2 = -\psi_I = -Uy$를 구하면 최종적인 근사해는

$$\begin{aligned}\psi &= \psi_I + \psi_B \\ &= -Uy\left(1 - e^{-\sqrt{-\beta/U}\,x}\right)\end{aligned} \tag{4.3.14}$$

가 된다. 4.1그림은 동쪽 경계 조건이 만드는 배경 흐름이 서쪽과 남쪽의 경계 조건의 영향을 받아 $x \ll \sqrt{-U/\beta}$에서 북향하는 흐름으로 바뀌는 것을 보여준다. 이는 앞서 스톰멜 문제의 바닥 마찰항이나 멍크 순환의 수평 와동 점성항(수평 마찰)이 스베드럽 흐름을 보상하는 서안 경계 해류를 만들어 낸 것처럼, 비선형 이류항 역시 서안 경계

그림 4.1: 가시화한 관성 경계 해류의 근사해 (4.3.14). 동쪽에서 유입하는 흐름이 육지의 영향으로 방향을 바꾸어 북향한다.

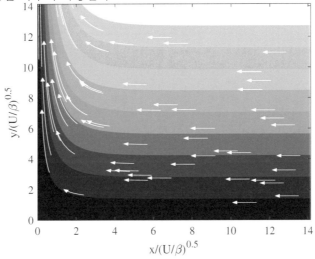

해류를 만드는 역할을 할 수 있음을 암시한다. (4.3.14)식은 $U < 0$인 경우의 해임에 유의하라. 풍성 순환 문제의 북서쪽 지역처럼, 배경 흐름의 방향이 반대로 동쪽을 향하는 경우($0 < U$)를 생각해 보자. 이 때, $\sqrt{-\beta/U}$는 허수가 되며, (4.3.10)식의 일반해는

$$\psi_B = C_1 \cos(\sqrt{-\beta/U}x) + C_2 \sin(\sqrt{-\beta/U}x) \tag{4.3.15}$$

가 되고 이는 경계 조건 (4.3.11)식을 만족할 수 없다. 따라서, 경계 조건을 만족할 수 있는 해가 없는 불량 설정(ill-posed) 문제가 된다. $0 < U$인 경우에 대해, 해가 존재하는 양설정(well-posed) 문제가 되기 위해서는 마찰을 고려할 필요가 있다. 하지만 (4.3.15)식은 동쪽을 향하는 배경 흐름이 있는 환경에서 적어도 지역적으로 삼각 함수 형태로 진동하는 유선함수가 나타날 수 있음을 나타낸다. 이는 앞서 4.2.2장에서 논의한 정상 상태 로스비 파에 해당한다.

문제 25.

이는 Özsoy (2020)의 저서(6.5.3 Flow over a Depth Discontinuity)에서 소개된 상수 수심에서 동쪽으로 흐르는 해류가 수심이 다른 지역으로 넘어 가는 경우에 흐름이 어떻게 변할지에 대한 문제이다. 먼저 $x < 0$에 대해 수심이 $h + \Delta h$이고 동쪽으로 향하는 상수 유속 $u = U$이 유선 함수 $\psi = -Uy$로 주어지고, $0 < x$에서 수심이 h로 변하

는 경우를 생각하자. 여기서 $0 < x$에서의 유선 함수를 구하라. 정상 상태의 준지형류 방정식에서 y방향으로 충분히 큰 규모를 가정해 $\partial/\partial y$를 무시한

$$J\left(\psi, \frac{\partial^2 \psi}{\partial x^2} + \beta y - \frac{1}{Rd^2}\psi\right) = 0 \tag{4.3.16}$$

을 지배식으로 사용하라. 이는 2계 상미분 방정식으로 간주할 수 있다. $x = 0$에서 초기 조건으로

$$\left.\frac{\partial \psi}{\partial x}\right|_{x=0} = 0 \tag{4.3.17}$$

$$\psi|_{x=0} = \left(1 + \frac{\Delta h}{h}\right)Uy \tag{4.3.18}$$

을 이용하라. 여기서 첫 번째 초기 조건은 $\bar{v}|_{x=0} = 0$을 나타내고 두 번째 초기 조건은 $x = 0$에서 체적의 보존 $(h + \Delta h)U = h\bar{u}|_{x=0}$을 의미한다.

```
       ┌──5─────────────────────────────────────┐
Chapter │                                         │
       └──────────────────────────────────────────┘
```

성층의 영향

5.1 경압 열풍 성분

앞서 2.1장에서의 규모 분석을 바탕으로 큰 규모의 해양에서 지형류 균형(압력 경사와 전향력)이 지배적임을 보였고, 2.2.1.1장에서는 성층이 없는 환경의 지형류에 대해 논했다. 이 장에서는 성층이 존재하는 해양에서 지형류의 거동에 대해 알아보자.

$$-fv = -\frac{1}{\rho_0}\frac{\partial P}{\partial x} \tag{5.1.1}$$

$$fu = -\frac{1}{\rho_0}\frac{\partial P}{\partial y} \tag{5.1.2}$$

$$0 = -\frac{1}{\rho}\frac{\partial P}{\partial z} - g \tag{5.1.3}$$

이 경우, 정수압 방정식 (5.1.3)식에서 밀도 ρ가 상수가 아님에 유의하라. (5.1.1)식과 (5.1.2)식을 z로 미분한 것에 (5.1.3)식을 대입한 뒤 정리하면

$$\frac{\partial v}{\partial z} = -\frac{g}{f\rho_0}\frac{\partial \rho}{\partial x} \tag{5.1.4}$$

$$\frac{\partial u}{\partial z} = \frac{g}{f\rho_0}\frac{\partial \rho}{\partial y} \tag{5.1.5}$$

를 얻을 수 있다. 이를 열풍 방정식(thermal wind equation)이라 부르며 밀도의 수평적 구배로부터 유속의 연직적 변화량을 구할 수 있음을 나타낸다. 즉, 밀도가 주어진 경우

열풍 방정식을 z에 대해 적분해 유속을 구할 수 있다. 앞서 성층이 없는 균일 밀도 환경에서 지형류는 연직적 변화 없는 순압 성분임(테일러-프라우드만 이론)을 보였다. 열풍 방정식은 성층이 존재하는 경우, 유속이 구배를 가짐을 보여준다. 이처럼 성층 환경에서 지형류의 연직 방향 구조가 변하는 흐름을 경압성(baroclinic) 흐름이라 부른다.

열풍 방정식을 조금 다르게 나타내면 지형류의 순압 성분과 경압 성분을 분리해 나타낼 수 있다. 먼저 정수압 방정식 (5.1.3)식에서 밀도를 평균 성분(ρ_0)과 변동 성분(ρ')으로 나누고($\rho = \rho_0 + \rho'$) 연직 방향으로 적분하면

$$\int_z^\eta \left(\frac{\partial P}{\partial z} = -g(\rho_0 + \rho') \right) dz \rightarrow P(\eta) - P(z) = -g \int_z^\eta \rho_0 \, dz - g \int_z^\eta \rho' \, dz$$

$$\therefore P(z) = g\rho_0(\eta - z) + g \int_z^\eta \rho' \, dz \qquad (5.1.6)$$

$$\approx g\rho_0(\eta - z) + g \int_z^0 \rho' \, dz$$

을 얻을 수 있다. 여기서 대기압 $P(\eta)$과 두 번째 밀도 변동 성분 항의 적분에 있는 해면 고도를 무시했음에 유의하라. 이를 (5.1.1)식과 (5.1.2)식에 대입하면

$$v = \frac{g}{f} \frac{\partial \eta}{\partial x} + \frac{g}{f\rho_0} \int_z^0 \frac{\partial \rho'}{\partial x} \, dz \qquad (5.1.7)$$

$$u = -\frac{g}{f} \frac{\partial \eta}{\partial y} - \frac{g}{f\rho_0} \int_z^0 \frac{\partial \rho'}{\partial y} \, dz \qquad (5.1.8)$$

이 된다. (5.1.7)식과 (5.1.8)식에서 첫 번째 항은 순압 지형류 성분을, 두 번째 항은 경압 지형류 성분을 의미한다. 이 경압 지형류 성분은 주로 순압 지형류 성분과 반대 방향으로 심층에서 순압 지형류를 상쇄해 없애는 역할을 한다. 성층 해양에서 표층이 수렴하는 경우를 생각해 보자. 표층 해류의 수렴은 해면의 상승과 함께 침강을 통해 수온 약층을 아래로 밀어낸다. 따라서 대부분의 경우 해면 고도와 수온 약층 수심은 강한 상관 관계를 가지고 이러한 밀도 분포는 순압 지형류 성분 반대 방향의 경압 지형류 성분을 만들어 낸다. 결과적으로 순압 성분이 경압 성분에 상쇄되어 흐름이 약해진다. 이러한 밀도 및 유속 구조의 형성 과정을 경압 보상(baroclinic compensation) 혹은 부력 차단(buoyancy shutdown)이라 부른다.

1계 미분 방정식인 열풍 방정식 (5.1.4)식과 (5.1.5)식을 풀기 위해서 하나의 경계 조건이 필요하다. 대표적인 방법은 특정 수심에서 경압 보상을 통해 지형류가 사라짐을 가정하고($\vec{u}|_{z=z_0} = 0$), 이를 심층에서 경계 조건으로 사용하는 것이다. 여기서 지형류가 나타나지 않는다 가정한 수심을 무류면(level of no motion)이라 부른다.

그림 5.1: 열풍 방정식을 이용해 추정한 울릉 소용돌이 북향 유속 성분. 그림은 무류면 가정을 사용해 추산한 결과이다.

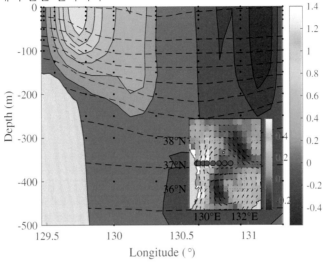

5.1.1 부력 차단과 바닥 에크만 흐름의 정지

이 장에서는 성층의 존재가 에크만 흐름을 포함한 유속의 연직 분포를 어떻게 바꾸는지 논한다. 지배식으로 앞서 에크만 흐름의 연직 구조(2.2.2장) 논의에 사용한

$$-fv = -\frac{1}{\rho_0}\frac{\partial P}{\partial x} + A_z\frac{\partial^2 u}{\partial z^2} \tag{5.1.9}$$

$$fu = -\frac{1}{\rho_0}\frac{\partial P}{\partial y} + A_z\frac{\partial^2 v}{\partial z^2} \tag{5.1.10}$$

$$0 = -\frac{1}{\rho}\frac{\partial P}{\partial z} - g \tag{5.1.11}$$

을 생각하자. 운동 방정식을 복소 좌표계로 나타내면

$$if\vec{u}_p = -\frac{1}{\rho_0}\frac{\partial P}{\partial \vec{n}} + A_z\frac{\partial^2 \vec{u}_p}{\partial z^2} \tag{5.1.12}$$

가 된다. 정수압 방정식 (5.1.11)식을 η에서 임의의 z까지 적분하여 P를 결정할 수 있는데, 여기서 밀도를 상수 성분과 변동 성분으로 나누어($\rho = \rho_0 + \rho'$) 나타내면

$$\begin{aligned} P(\eta) - P(z) &= -g\int_z^\eta (\rho_0 + \rho')\,dz \approx -g\left(\int_z^\eta \rho_0\,dz + \int_z^0 \rho'\,dz\right) \\ &= -\rho_0 g(\eta - z) - g\int_z^0 \rho'\,dz \end{aligned} \tag{5.1.13}$$

의 형태로 나타낼 수 있다. 이를 (5.1.12)식에 대입하고 대기압의 수평 구배가 무시할 수 있을 정도로 작음($\partial P(\eta)/\partial \vec{n} \approx 0$)을 가정하면

$$if\vec{u} = -\left(g\frac{\partial \eta}{\partial \vec{n}} + \frac{g}{\rho_0}\int_z^0 \frac{\partial \rho'}{\partial \vec{n}}\,dz\right) + A_z\frac{\partial^2 \vec{u}}{\partial z^2} \qquad (5.1.14)$$

가 된다. 괄호 내 첫 번째 항은 순압 압력 경사를 두 번째 항은 경압 압력 경사를 나타낸다. 앞서 2.2.2.2장에서 $\partial \rho'/\partial \vec{n} = 0$인 경우의 해에 대해 논하였다. 이 경우, 순압의 지형류가 나타나고 이 지형류는 바닥 에크만 흐름을 일으킨다(그림 5.1). 밀도의 구배가 존재하는 경우의 해는 밀도의 수송식 (1.1.4)식을 기반으로 구해야 하나, 비선형성의 존재 때문에 정해를 구하는 것이 거의 불가능에 가깝다. 따라서 적절한 가정을 사용해야 하는데, (5.1.14)식을 가장 쉽게 풀기 위한 가정은 밀도의 구배($\partial \rho'/\partial \vec{n}$)를 상수로 가정하는 것이다. 상수 밀도 구배 가정은 많은 경우 상당히 과한 간략화이나, 이 가정을 도입하면 문제의 수학적 복잡성이 놀라울 정도로 줄어들어 이론 연구에서 제법 자주 사용된다(Chapman, 2002; Lentz & Chapman, 2004; Chapman & Lentz, 2005; Chen & Chen, 2017; D. Kim et al., 2023; Choi et al., 2023). 이를 (5.1.14)식에 도입하면

$$if\vec{u} = -\left(g\frac{\partial \eta}{\partial \vec{n}} - \frac{g}{\rho_0}\left(\frac{\partial \rho'}{\partial \vec{n}}\right)z\right) + A_z\frac{\partial^2 \vec{u}}{\partial z^2} \qquad (5.1.15)$$

가 된다. 지배식 (5.1.15)식은 앞서 2.2.2장에서 논의한 (2.2.30)식과 같은 2계 비제차 상미분 방정식으로 미정계수법을 사용해 쉽게 해를 구할 수 있다. (2.2.30)식과의 차이점은 외력항(압력 경사)이 상수가 아닌 1차 다항식이라는 점 뿐이다. 따라서, 비제차 성분의 기저를 외력항과 같은 모양인 임의의 1차 다항식 $u_p = Az + B$로 잡고 (5.1.15)식에 대입한 뒤, 정리해 A와 B를 결정하면 비제차 성분

$$\vec{u}_p = i\left(\frac{g}{f}\frac{\partial \eta}{\partial \vec{n}} - \frac{g}{f\rho_0}\frac{\partial \rho'}{\partial x}z\right) \qquad (5.1.16)$$

을 얻을 수 있다. 2.2.2장에서와 마찬가지로, 이 비제차 성분은 지형류를 나타내며 우변 첫 번째항은 순압 지형류 성분을, 두 번째 항은 경압 지형류 성분을 나타낸다. 제차 성분 ($\vec{u}_h$)은 (2.2.21)식으로 동일하게 주어져

$$\vec{u} = \vec{u}_h + \vec{u}_p$$
$$= C_1 e^{jz} + C_2 e^{-jz} + i\left(\frac{g}{f}\frac{\partial \eta}{\partial \vec{n}} - \frac{g}{f\rho_0}\frac{\partial \rho'}{\partial \vec{n}}z\right) \qquad (5.1.17)$$

그림 5.2: 밀도 구배($\partial \rho' / \partial x$) 변화에 따른 연직 유속 구조 변화. 성층의 세기가 강해지면 내부에 순압 지형류가 경압 지형류에 의해 상쇄되어 수심이 깊을 수록 흐름이 약화, 바닥 에크만 흐름이 점점 사라진다. 가시화에 사용한 계수는 $g = 10 \, m/s^2$, $f = 10^{-4} \, s^{-1}$, $D_e = 10 \, m$, $h = 100 \, m$, $\gamma = 5 \times 10^{-4} \, m/s$, $v_g = (g/f)\partial\eta/\partial x = 5 \times 10^{-2} \, m/s$이다.

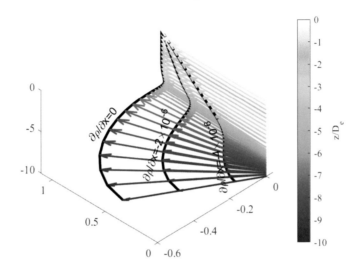

이 된다. 여기서 $j = (1+i)/D_e$와 $D_e = \sqrt{2A_z/f}$이다. 경계 조건으로

$$A_z \frac{\partial \vec{u}}{\partial z} = \vec{\tau}^s = 0 \tag{5.1.18}$$

$$A_z \frac{\partial \vec{u}}{\partial z}\bigg|_{z=-h} = \gamma\vec{u} \approx \gamma\vec{u}_p \tag{5.1.19}$$

를 고려하자. 이는 표층에 작용하는 바람 응력이 없으며 지형류 성분이 상대적으로 더 지배적임을 나타낸다. 여기서 추가적으로 $1 \ll h/D_e$을 가정하면 복잡한 계산을 상당히 줄일 수 있는데, 이 경우 근사해

$$\vec{u} \approx -\underbrace{\left(\frac{g}{f}\frac{\partial\eta}{\partial\vec{n}} + \frac{gh}{f\rho_0}\frac{\partial\rho'}{\partial\vec{n}} \right)}_{\vec{u}_p(z=-h)} \frac{1+i}{fD_e/\gamma} e^{-j(z+h)} + \vec{u}_p \tag{5.1.20}$$

을 얻을 수 있다. 계산 과정 중 $e^{-jh} = e^{-h/D_e}e^{(1+i)} \approx 0$을 통해 항을 소거할 수 있음에 유의하라. 위의 식에서 첫 번째 항은 바닥 에크만 흐름을 나타낸다. 이 바닥 에크만 흐름은 바닥에서의 지형류 $\vec{u}_p(z = -h)$에 대한 함수이다.

좌측 경계가 육지로 닫혀있는 해양에서, 초기에 연직 방향으로만 성층이 존재하고 북향하는 지형류가 존재하는 경우를 생각해 보자. 즉, 순압 지형류 $(g/f)\partial\eta/\partial\bar{n}$을 주어진 상수로 취급하면 수평 방향의 밀도 구배$(\partial\rho'/\partial\bar{n})$는 적어도 초기에는 0일 것이다. 이 경우, 앞서 2.2.2.2장에서 논의한 것과 같이, 성층이 없으므로 내부에 z에 독립인 순압의 지형류가 나타내고, 바닥에는 북반구$(0 < f)$인 경우 서쪽으로 향하는 바닥 에크만 흐름이 나타난다. 이 바닥 에크만 흐름은 좌측에 닫혀있는 경계 조건 때문에 용승을 일으키고 이는 바닥의 찬물을 들어올리는 역할을 할 것이다. 즉, 좌측의 밀도가 우측에 비해 상대적으로 증가해 음의 수평 밀도 구배 $\partial\rho'/\partial\bar{n} < 0$가 형성될 것을 예상할 수 있다. 음의 밀도 구배는 순압 지형류의 반대 방향의 경압 지형류 성분을 만들어내 흐름을 상쇄한다(경압 보상 또는 부력 차단). 수심이 깊어 질수록 경압 지형류 성분은 증가해 상쇄가 더 커져 흐름은 더 약해지며, 결과적으로 바닥에서 지형류 세기가 감소해 바닥 에크만 흐름의 세기도 약해진다(그림 5.2). 결과적으로 성층이 바닥층의 흐름을 정지시키는 역할을 한다.

5.2 다층 천해

천해 방정식은 해양의 연직적 구조와 성층의 영향을 논의하기 어렵다. 성층의 기본적인 영향을 논의하기 위해 다층 천해 방정식을 주로 사용한다. 5.3그림은 다층 천해 모형의

그림 5.3: 2층 천해의 개념도. 각 층은 서로 다른 상수 밀도를 가질 수 있다.

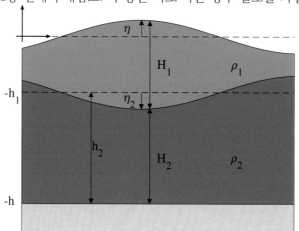

개념도를 보여준다. 다층 천해는 2개 이상 여러개의 층으로 구성되며, 각 층은 서로 다른 밀도를 가지며 층간 밀도의 교환(섞임)은 없다. 간단히 2개의 층만을 고려해 보자. 지배식으로 (1.3.1)-(1.3.4)에서 연직 와동 점성 계수를 무시한 것을 생각하고 상수 수심을 가정하자. 1.3.1장에서 천해 방정식의 유도를 위해, 지배식을 해면에서 바닥까지 한번에 연직 적분을 시행하였다면, 다층 천해 모형은 서로 다른 밀도를 가진 각 층 마다 개별적으로 적분을 시행하여 유도 가능하다. 먼저 압력에 대한 식을 얻기 위해 정수압 방정식 (1.3.3)식을 적분하자. 먼저 표층($-h_1 + \eta_2 < z < \eta$) 내의 임의 지점 z까지 (1.3.3)식을 적분하면

$$\int_z^{\eta} \left[\frac{\partial P}{\partial z} = -\rho g \right] dz \rightarrow P(\eta) - P(z) = -\rho_1 g (\eta - z)$$
$$\therefore \frac{\partial P}{\partial n} = g \rho_1 \frac{\partial \eta}{\partial n} \tag{5.2.1}$$

을 얻을 수 있고 표층에 대한 압력 경사항을 나타낸다. 여기서 n은 x 또는 y이며, 대기압의 수평 구배는 무시할 수 있을 정도로 작음($\partial P(\eta)/\partial n \approx 0$)을 가정했다. 같은 방식으로 저층($-h < z < -h_1 + \eta_2$) 내의 임의 지점 z까지 적분하면

$$\int_z^{\eta} \left[\frac{\partial P}{\partial z} = -\rho g \right] dz \rightarrow \int_z^{\eta} \frac{\partial P}{\partial z} dz = -g \left(\int_{-h_1 + \eta_2}^{\eta} \rho_1 \, dz + \int_z^{-h_1 + \eta_2} \rho_2 \, dz \right)$$
$$\rightarrow P(\eta) - P_2(z) = -\rho_1 g (\eta + h_1 - \eta_2) - \rho_2 g (-h_1 + \eta_2 - z)$$
$$\therefore \frac{\partial P}{\partial n} = g \left(\rho_1 \eta + (\rho_2 - \rho_1) \eta_2 \right) \tag{5.2.2}$$

가 된다. 압력을 미분함에 있어 $\partial h_1 / \partial n$과 $\partial z / \partial n$는 모두 0임 유의하라.

이를 이용하여 운동 방정식을 층 마다 연직 평균해 보자. 운동 방정식 (1.3.1)식과 (1.3.2)식을 표층에 대해 연직 평균하면

$$\frac{1}{H_1} \int_{-h_1 + \eta_2}^{\eta} \left[\frac{\partial u}{\partial t} - fv = -\frac{1}{\rho_0} \frac{\partial P}{\partial x} \right] dz \approx \frac{1}{h_1} \int_{-h_1}^{0} \left[\frac{\partial u}{\partial t} - fv = -g \frac{\rho_1}{\rho_0} \frac{\partial \eta}{\partial x} \right] dz$$
$$\rightarrow \frac{\partial \bar{u}^{(1)}}{\partial t} - f \bar{v}^{(1)} = -g \frac{\rho_1}{\rho_0} \frac{\partial \eta}{\partial x}$$

$$\frac{1}{H_1} \int_{-h_1 + \eta_2}^{\eta} \left[\frac{\partial v}{\partial t} + fu = -\frac{1}{\rho_0} \frac{\partial P}{\partial y} \right] dz \approx \frac{1}{h_1} \int_{-h_1}^{0} \left[\frac{\partial v}{\partial t} + fu = -g \frac{\rho_1}{\rho_0} \frac{\partial \eta}{\partial y} \right] dz$$
$$\rightarrow \frac{\partial \bar{v}^{(1)}}{\partial t} + f \bar{u}^{(1)} = -g \frac{\rho_1}{\rho_0} \frac{\partial \eta}{\partial y}$$

$$\tag{5.2.3}$$

이 된다. 여기서 $H_1 = \eta + h_1 - \eta_2$이며

$$\bar{u}^{(1)} = \frac{1}{h_1} \int_{-h_1}^{0} u \, dz, \quad \bar{v}^{(1)} = \frac{1}{h_1} \int_{-h_1}^{0} v \, dz \qquad (5.2.4)$$

이다. H_1, $\bar{u}^{(1)}$, $\bar{v}^{(1)}$은 표층의 총 두께와 연직 평균 유속 성분을 나타낸다. 같은 방식으로 운동 방정식을 저층에 대해 연직 평균하면

$$\frac{1}{H_2} \int_{-h}^{-h_1+\eta_2} \left[\frac{\partial u}{\partial t} - fv = -\frac{1}{\rho_0} \frac{\partial P}{\partial x} \right] dz$$

$$\approx \frac{1}{h_2} \int_{-h}^{-h_1} \left[\frac{\partial u}{\partial t} - fv = -g\frac{\rho_1}{\rho_0}\frac{\partial \eta}{\partial x} - g'\frac{\partial \eta_2}{\partial x} \right] dz$$

$$\rightarrow \frac{\partial \bar{u}^{(2)}}{\partial t} - f\bar{v}^{(2)} = -g\frac{\rho_1}{\rho_0}\frac{\partial \eta}{\partial x} - g'\frac{\partial \eta_2}{\partial x}$$

$$\frac{1}{H_2} \int_{-h}^{-h_1+\eta_2} \left[\frac{\partial v}{\partial t} + fu = -\frac{1}{\rho_0} \frac{\partial P}{\partial y} \right] dz$$

$$\approx \frac{1}{h_2} \int_{-h}^{-h_1} \left[\frac{\partial v}{\partial t} + fu = -g\frac{\rho_1}{\rho_0}\frac{\partial \eta}{\partial y} - g'\frac{\partial \eta_2}{\partial y} \right] dz \qquad (5.2.5)$$

$$\rightarrow \frac{\partial \bar{v}^{(2)}}{\partial t} + f\bar{u}^{(2)} = -g\frac{\rho_1}{\rho_0}\frac{\partial \eta}{\partial y} - g'\frac{\partial \eta_2}{\partial y}$$

를 얻을 수 있다. 여기서 $g' = g(\rho_2 - \rho_1)/\rho_0$로 감소 중력에 해당한다. 또한, $H_2 = -h_1 + \eta_2 + h$이며

$$\bar{u}^{(2)} = \frac{1}{h_2} \int_{-h}^{-h_1} u \, dz, \quad \bar{v}^{(2)} = \frac{1}{h_2} \int_{-h}^{-h_1} v \, dz \qquad (5.2.6)$$

이다. 이는 저층의 총 두께와 연직 평균 유속 성분을 뜻한다. h_1과 h_2는 표층과 저층이 교란 없는 상태의 두께를 의미하며 $h = h_1 + h_2$임에 유의하라. (5.2.3)식과 (5.2.5)식은 표층과 저층에 대한 수평 방향의 운동 방정식을 의미한다.

보존 방정식을 각 층에 대해 적분하면

$$\int_{-h_1+\eta_2}^{\eta} \left[\frac{\partial u}{\partial x} + \frac{\partial v}{\partial y} + \frac{\partial w}{\partial z} = 0 \right] dz \approx \int_{-h_1}^{0} \left[\frac{\partial u}{\partial x} + \frac{\partial v}{\partial y} + \frac{\partial w}{\partial z} = 0 \right] dz$$

$$\rightarrow h_1 \left(\frac{\partial \bar{u}^{(1)}}{\partial x} + \frac{\partial \bar{v}^{(1)}}{\partial y} \right) + w|_{z=0} - w|_{z=-h_1} = 0 \qquad (5.2.7)$$

$$\int_{-h}^{-h_1+\eta_2} \left[\frac{\partial u}{\partial x} + \frac{\partial v}{\partial y} + \frac{\partial w}{\partial z} = 0 \right] dz \approx \int_{-h}^{-h_1} \left[\frac{\partial u}{\partial x} + \frac{\partial v}{\partial y} + \frac{\partial w}{\partial z} = 0 \right] dz$$

$$\rightarrow h_2 \left(\frac{\partial \bar{u}^{(2)}}{\partial x} + \frac{\partial \bar{v}^{(2)}}{\partial y} \right) + w|_{z=-h_1} - w|_{z=-h} = 0 \qquad (5.2.8)$$

을 얻을 수 있다. 천해 방정식과 같은 식으로 경계층에서의 연직 방향 유속은 경계면 위치의 시간에 따른 변화로 정의할 수 있고 아래의 경계 조건을 사용할 수 있다.

$$w|_{z=0} = \frac{\partial \eta}{\partial t}, \qquad w|_{z=-h_1} = \frac{\partial \eta_2}{\partial t}, \qquad w|_{z=h} = 0 \tag{5.2.9}$$

(5.2.7)식과 (5.2.8)식에 경계 조건 (5.2.9)식을 대입하면 표층과 저층에서의 연직 적분한 보존 방정식을 얻을 수 있다.

$$\frac{\partial \eta}{\partial t} + h_1 \left(\frac{\partial \bar{u}^{(1)}}{\partial x} + \frac{\partial \bar{v}^{(1)}}{\partial y} \right) - \frac{\partial \eta_2}{\partial t} = 0$$
$$\frac{\partial \eta_2}{\partial t} + h_2 \left(\frac{\partial \bar{u}^{(2)}}{\partial x} + \frac{\partial \bar{v}^{(2)}}{\partial y} \right) = 0 \tag{5.2.10}$$

최종적으로 (5.2.3)식, (5.2.5)식, (5.2.10)식이 2층 천해 방정식의 지배식이 된다. 이는 선형을 가정한 형태임에 유의하라. 앞서 1.3.1.1장에서 완전한 천해 방정식의 유도에 사용한 것과 같은 방식을 사용하면, 비선형성을 고려한 완전한 2층 천해 방정식을 구할 수 있으며 이는

$$\frac{\partial \bar{u}^{(1)}}{\partial t} + \bar{u}^{(1)} \frac{\partial \bar{u}^{(1)}}{\partial x} + \bar{v}^{(1)} \frac{\partial \bar{u}^{(1)}}{\partial y} - f\bar{v}^{(1)} = -g \frac{\rho_1}{\rho_0} \frac{\partial \eta}{\partial x} \tag{5.2.11}$$

$$\frac{\partial \bar{v}^{(1)}}{\partial t} + \bar{u}^{(1)} \frac{\partial \bar{v}^{(1)}}{\partial x} + \bar{v}^{(1)} \frac{\partial \bar{v}^{(1)}}{\partial y} + f\bar{u}^{(1)} = -g \frac{\rho_1}{\rho_0} \frac{\partial \eta}{\partial y} \tag{5.2.12}$$

$$\frac{\partial \bar{u}^{(2)}}{\partial t} + \bar{u}^{(2)} \frac{\partial \bar{u}^{(2)}}{\partial x} + \bar{v}^{(2)} \frac{\partial \bar{u}^{(2)}}{\partial y} - f\bar{v}^{(2)} = -g \frac{\rho_1}{\rho_0} \frac{\partial \eta}{\partial x} - g' \frac{\partial \eta_2}{\partial x} \tag{5.2.13}$$

$$\frac{\partial \bar{v}^{(2)}}{\partial t} + \bar{u}^{(2)} \frac{\partial \bar{v}^{(2)}}{\partial x} + \bar{v}^{(2)} \frac{\partial \bar{v}^{(2)}}{\partial y} + f\bar{u}^{(2)} = -g \frac{\rho_1}{\rho_0} \frac{\partial \eta}{\partial y} - g' \frac{\partial \eta_2}{\partial y} \tag{5.2.14}$$

$$\frac{\partial \eta}{\partial t} + \frac{\partial (H_1 \bar{u}^{(1)})}{\partial x} + \frac{\partial (H_1 \bar{v}^{(1)})}{\partial y} - \frac{\partial \eta_2}{\partial t} = 0 \tag{5.2.15}$$

$$\frac{\partial \eta_2}{\partial t} + \frac{\partial (H_2 \bar{u}^{(2)})}{\partial x} + \frac{\partial (H_2 \bar{v}^{(2)})}{\partial y} = 0 \tag{5.2.16}$$

의 형태로 주어진다.

5.2.1 중력 감소 모형

앞서 부력 차단 과정을 통해 성층이 저층의 흐름을 약화함을 보였다. 많은 해양 환경에서 표층은 매우 동적이고 강한 흐름이 존재하지만 심층은 정적이며 흐름이 무시할 수

있을 정도로 약한 경우가 많다. 중력 감소 모형(reduced gravity model)이란 다층 모형에서 가장 아래 층의 흐름이 없다 가정하는 모형을 말한다. 2층 천해 모형에 중력 감소를 적용해 보자. 저층에서 흐름이 무시할 수 있을 정도로 작음을 가정해 $\bar{u}^{(2)} = \bar{v}^{(2)} = 0$ 을 저층 운동 방정식 (5.2.13)식과 (5.2.14)식에 대입해 보자.

$$
\begin{aligned}
0 &= -g\frac{\rho_1}{\rho_2}\frac{\partial \eta}{\partial x} - g\frac{\rho_2 - \rho_1}{\rho_2}\frac{\partial \eta_2}{\partial x} \\
0 &= -g\frac{\rho_1}{\rho_2}\frac{\partial \eta}{\partial y} - g\frac{\rho_2 - \rho_1}{\rho_2}\frac{\partial \eta_2}{\partial y} \\
\therefore \frac{\partial \eta}{\partial n} &= -\frac{\rho_2 - \rho_1}{\rho_1}\frac{\partial \eta_2}{\partial n}
\end{aligned}
\tag{5.2.17}
$$

여기서 (5.2.17)식을 아래와 같이 H_1의 정의($H_1 = \eta + h_1 - \eta_2$)를 수평 방향으로 미분한 것과 연립하자.

$$
\begin{aligned}
\frac{\partial}{\partial n}\left[H_1 = \eta + h_1 - \eta_2\right] &\rightarrow \frac{\partial H_1}{\partial n} = \frac{\partial \eta}{\partial n} - \frac{\partial \eta_2}{\partial n} \quad \left(\because \frac{\partial h_1}{\partial n} = 0\right) \\
&\rightarrow \frac{\partial H_1}{\partial n} = \frac{\partial \eta}{\partial n} + \frac{\rho_1}{\rho_2 - \rho_1}\frac{\partial \eta}{\partial n} \\
\therefore \frac{\partial \eta}{\partial n} &= \frac{\rho_2 - \rho_1}{\rho_2}\frac{\partial H_1}{\partial n}
\end{aligned}
\tag{5.2.18}
$$

마지막으로 (5.2.18)식을 표층 운동 방정식 (5.2.11)식과 (5.2.12)식에 대입하면

$$
\begin{aligned}
\frac{\partial \bar{u}^{(1)}}{\partial t} + \bar{u}^{(1)}\frac{\partial \bar{u}^{(1)}}{\partial x} + \bar{v}^{(1)}\frac{\partial \bar{u}^{(1)}}{\partial y} - f\bar{v}^{(1)} &= -g'\frac{\partial H_1}{\partial x} \\
\frac{\partial \bar{v}^{(1)}}{\partial t} + \bar{u}^{(1)}\frac{\partial \bar{v}^{(1)}}{\partial x} + \bar{v}^{(1)}\frac{\partial \bar{v}^{(1)}}{\partial y} + f\bar{u}^{(1)} &= -g'\frac{\partial H_1}{\partial y}
\end{aligned}
\tag{5.2.19}
$$

을 얻을 수 있다. 여기서 $g' = g(\rho_2 - \rho_1)/\rho_0$임에 유의하라. 보존 방정식 (5.2.15)식은 형태만 바꾸어

$$
\begin{aligned}
\frac{\partial H_1}{\partial t} + \frac{\partial\left(H_1\bar{u}^{(1)}\right)}{\partial x} + \frac{\partial\left(H_1\bar{v}^{(1)}\right)}{\partial y} &= 0 \\
\left(\because H_1 = \eta + h_1 - \eta_2, \quad \frac{\partial h_1}{\partial t} = 0\right)
\end{aligned}
\tag{5.2.20}
$$

로 쓸 수 있음에 유의하라. 최종적으로 운동 방정식 (5.2.19)식과 보존 방정식 (5.2.20)식이 2층 중력 감소 모형에 대한 지배식이 된다. 일반적인 천해 방정식 모형과 중력 감소 모형의 차이점은 단순히 변수 η가 H_1으로, 계수 g가 g'로 치환된 것일 뿐, 수학적으로 두 모형은 같다. 즉, 앞서 논의한 성층이 없는 순압 환경에서의 역학을 그대로 적용할 수 있다. 다만 앞서 언급한 변수와 계수의 치환으로 시스템을 지배하는 무차원수가 바뀌게

된다. 예를 들어, 앞 장에서 사용한 성층이 없는 천해 방정식에서 로스비 변형 반경은 $\sqrt{gh}/f$로 정의되지만, 2층 선형 중력 감소 천해 방정식에서는 $\sqrt{g'h_1}/f$로 정의된다. 따라서, 연직 공간 규모는 수심 전체가 아닌 표층 혼합층의 두께로 정의되며 성층의 세기(g')에 비례해 로스비 변형 반경이 변하게 된다. 이 두 변형 반경을 구분하기 위해 단층 천해 방정식의 $\sqrt{gh}/f$를 외부(external) 로스비 변형 반경으로, 감소 중력 모형의 $\sqrt{g'h_1}/f$을 내부(internal) 로스비 변형 반경으로 부른다.

앞서 일반적인 천해 방정식을 사용해 여러 현상에 대해 논할 때, 공간 규모가 로스비 변형 반경보다 큰 경우와 작은 경우가 다르게 거동함을 보였다. 부시네스크 근사에 의해 $\Delta\rho/\rho_0 \ll 1$ ($g' \ll g$)이고 대양 환경에서 $h_1 \ll h$이기 때문에, 내부 로스비 변형 반경은 외부 로스비 변형 반경보다 작음에 유의하라. 2층 중력 감소 천해에서 성층이 강해지는 경우, 내부 로스비 변형 반경은 증가하고 상대적인 공간 규모는 작아진다.

문제 26.

중력 감소 모형에 사용된 핵심 가정인 $\bar{u}^{(2)} = \bar{v}^{(2)} = 0$ (바닥 층에 흐름이 없음)은 때때로 합당한 가정이 아니다. 원형의 지배식에 해당하는 (5.2.11)-(5.2.16)식에 지형류 균형을 가정하고 규모 분석하여 언제 이 가정이 합리적인지 논하라.

5.2.1.1 성층이 지배적인 해양 환경에서의 용승

중력 감소 모형은 단층 천해 모형과의 수학적 동일성 때문에, 앞서 3장에서 논의한 많은 현상 중 바닥 마찰을 무시하는 현상에 그대로 적용해 볼 수 있다. 이 장에서는 중력 감소 모형의 활용 예시로, Cushman-Roisin & Beckers (2011)에 소개된 용승 모형에 대해 논한다. 중력 감소 모형의 지배식 (5.2.19)식을 조금 더 일반화하여 바람 응력항을 고려하고 연안의 비등방성을 기반으로 $\partial/\partial y \approx 0$을 가정해 공간적으로 1차원인 단면 해양을 생각하자. 추가적으로 선형성을 가정해 비선형항을 무시하면 중력 감소 모형의 지배식은

$$\frac{\partial \bar{u}^{(1)}}{\partial t} - f\bar{v}^{(1)} = -g'\frac{\partial H_1}{\partial x} \tag{5.2.21}$$

$$\frac{\partial \bar{v}^{(1)}}{\partial t} + f\bar{u}^{(1)} = \frac{\tau_y^s}{\rho_0 h_1} \tag{5.2.22}$$

$$\frac{\partial H_1}{\partial t} + h_1\frac{\partial \bar{u}^{(1)}}{\partial x} = 0 \tag{5.2.23}$$

이 된다. Cushman-Roisin & Beckers (2011)는 $\tau_y^s = \tau_0 \sin(w_0 t)$로 주어진 경우의 해에 대해 논하였다. 이는 바람 응력이 시간에 따라 w_0의 주파수로 출렁이는 경우를 의미한다. 경계 조건으로

$$\left. \bar{u}^{(1)} \right|_{x=0} = 0 \tag{5.2.24}$$

$$\lim_{x \to \infty} H_1 = 0 \tag{5.2.25}$$

를 고려하자. 이는 좌측 경계가 육지로 닫혀 있고, 우측으로는 끝없이 넓고 교란되지 않은 외해가 펼쳐진 경우를 의미한다. 미분 방정식에서 해의 비제차 성분을 미정계수법으로 풀 때와 같은 방식으로, 외력항 $\tau_y^s = \tau_0 \sin(w_0 t)$의 모양을 기반으로 해를 $\bar{u}^{(1)} = U \sin(w_0 t)$, $\bar{v}^{(1)} = V \cos(w_0 t)$, $H_1 = \tilde{H} \cos(w_0 t)$로 가정하자. 여기서 진폭 U, V, $\tilde{H}$는 x에 대한 함수일 수 있음에 유의하라. 이를 (5.2.21)-(5.2.23)식에 대입하고 정리하면

$$w_0 U - f V = -g' \frac{\partial \tilde{H}}{\partial x} \tag{5.2.26}$$

$$-w_0 V + f U = \frac{\tau_0}{\rho_0 h_1} \tag{5.2.27}$$

$$-w_0 \tilde{H} + h_1 \frac{\partial U}{\partial x} = 0 \tag{5.2.28}$$

을 얻을 수 있다. 이를 연립하여 하나의 변수에 대해 정리하자. (5.2.28)식을 $\partial U / \partial x$에 대해 정리해서 (5.2.27)식을 x에 대해 미분한 것에 대입하여

$$\frac{\partial V}{\partial x} = -\frac{f}{h_1} \tilde{H} \tag{5.2.29}$$

를 얻고, 같은 방식으로 (5.2.28)식을 정리한 것을 (5.2.26)식을 x에 미분한 것에 대입하여

$$\frac{w_0{}^2}{h_1} \tilde{H} - f \frac{\partial V}{\partial x} = -g' \frac{\partial^2 \tilde{H}}{\partial x^2} \tag{5.2.30}$$

을 구하자. 이제 (5.2.29)식을 (5.2.30)식에 대입하면 $\tilde{H}$에 대한 지배식

$$\left(\frac{w_0{}^2 - f^2}{h_1} \right) \tilde{H} = -g' \frac{\partial^2 \tilde{H}}{\partial x^2} \tag{5.2.31}$$

을 얻을 수 있다. 이를 경계 조건 (5.2.24)식과 (5.2.25)식을 적용해 풀어 $\tilde{H}$를 결정할 수 있다. 여기서 경계 조건 (5.2.24)식을 H_1에 대한 지배식으로 바꾸어 나타낼 필요가 있는데, $x = 0$에서 (5.2.24)식을 지배식 (5.2.21)-(5.2.22)식에 대입하면

$$-f \left. \bar{v}^{(1)} \right|_{x=0} = -g' \left. \frac{\partial H_1}{\partial x} \right|_{x=0} \tag{5.2.32}$$

$$\left.\frac{\partial \bar{v}^{(1)}}{\partial t}\right|_{x=0} = \frac{\tau_0}{\rho_0 h_1}\sin(w_0 t) \tag{5.2.33}$$

이 된다. 이는 $x = 0$에서의 지배식으로 생각할 수 있다. (5.2.33)식을 시간에 대해 적분해 $\bar{v}^{(1)}\big|_{x=0}$을 결정하고 이를 (5.2.32)식에 대입하면

$$\left.\frac{\partial H_1}{\partial x}\right|_{x=0} = -\frac{f\tau_0}{\rho_0 h_1 w_0 g'}\cos(w_0 t) \tag{5.2.34}$$

를 얻을 수 있다. 여기서 (5.2.33)식의 적분에서 적분 상수를 무시하는데, 이는 $x = 0$에 대해 정지한 상태의 초기 조건 $\bar{v}^{(1)}\big|_{t=0} = 0$을 사용함을 나타낸다. 위의 H_1에 대한 두 경계 조건에 가정한 기저 $H_1 = \tilde{H}\cos(w_0 t)$를 대입해

$$\lim_{x\to\infty}\tilde{H} = 0$$
$$\left.\frac{\partial \tilde{H}}{\partial x}\right|_{x=0} = -\frac{f\tau_0}{\rho_0 h_1 w_0 g'}\cos(w_0 t) \tag{5.2.35}$$

을 구하자. 이 두 경계 조건에 대한 상미분 방정식 (5.2.31)식의 해를 구해 $\tilde{H}$를 결정하면

$$H_1 = \frac{f\tau_0 R_w}{\rho_0 h_1 w_0 g'}e^{-x/R_w}\cos(w_0 t) \tag{5.2.36}$$

을 알 수 있다. 여기서 $R_w = (g'h_1/(f^2 - w_0^2))^{1/2}$이다. 이를 (5.2.23)식에 대입하고 적분을 통해 $\bar{u}^{(1)}$에 대해 풀어내어

$$\bar{u}^{(1)} = \frac{f\tau_0}{\rho_0 h_1(f^2 - w_0^2)}(1 - e^{-x/R_w})\sin(w_0 t) \tag{5.2.37}$$

을 구할 수 있고, 이를 (5.2.22)식에 대입한 뒤 $\bar{v}^{(1)}$에 대해 풀어내어

$$\bar{v}^{(1)} = \frac{\tau_0 w_0}{\rho_0 h_1(f^2 - w_0^2)}\left(1 - \frac{f^2}{w_0^2}e^{-x/R_w}\right)\cos(w_0 t) \tag{5.2.38}$$

을 결정할 수 있다.

바람의 주파수가 충분히 작은 경우에 대해($w_0 \ll f$), R_w는 내부 로스비 변형 반경 $\sqrt{g'h_1}/f$으로 수렴한다. 외력에 대한 해양의 반응은 연안에 가까운 $x \ll R_w$에 갇힌 형태로 나타나고 이 R_w가 용승이 일어나는 x방향 공간 규모를 의미한다. (5.2.36)-(5.2.38)식에서, 외력의 주파수(w_0)가 시스템 고유 주파수(f)와 가까워 질 수록 진폭이 커지는데, 이는 앞서 3.2.2장에서 논의한 공명의 영향을 잘 보여준다.

이렇게 구한 해 (5.2.36)-(5.2.38)식은 수학적으로 완벽히 설정된 문제의 정해라기 보다는, 문제에 대한 정해를 구성하는 한 부분(비제차 성분)이기 때문에, 임의의 초기

조건을 만족할 수 없는 형태임에 유의하라. 해에 나타난 $R_w = (g'h_1/(f^2 - w_0{}^2))^{1/2}$ 는 본질적으로 이 해가 $w_0 < f$임을 가정하는데, 그렇지 않은 경우에 대해 해가 허수 부분을 가지게 되어 합당한 해가 나오지 않는다. 이는 (5.2.25)식을 경계 조건으로 선택 했기 때문인데, $f < w_0$인 경우에 대해 이 경계 조건을 만족시킬 수 있는 기저가 없기 때문이다. (5.2.25)식이 아닌 다른 조건을 경계 조건으로 선택하면 $f < w_0$에 대한 해를 구할 수 있으며, 이 경우 바람에 의한 교란이 연안에 갇히지 않고 포엔카레 파(3.2.6장) 형태로 퍼져나가는 것을 볼 수 있을 것이다.

이 중력 감소 모형을 기반으로 용승 모형은 여러 서적(Cushman-Roisin & Beckers, 2011; Kämpf & Chapman, 2016)에서 소개되어 비교적 유명하며, 용승의 특징과 역학 을 비교적 간단한 수학으로 논의할 수 있는 좋은 모형이다. 하지만 동시에 중력 감소 모형의 한계에서 비롯한 몇 가지 치명적인 문제점을 지님에 유의하라. 특히 저층에서 흐름이 없음을 가정하는 것이 여러 문제를 일으키는데, 이 때문에 바닥 마찰항과 그로 인한 바닥 에크만 흐름으로 인한 영향을 고려할 수 없다(3.3.2장). 다시 말해, 중력 감소 모형은 바닥 마찰의 영향을 무시할 수 있을 때 합당한 모형이며, 3.2.4장에서 논의를 생각하면 마찰 조정 시간보다 짧은 시간 규모($T \ll h/\gamma$)에만 사용할 수 있는 모형임을 알 수 있다. Cushman-Roisin et al. (1983)은 이 용승 모형을 관측을 이용해 검증한 바 있는데, 여기서 관측의 저주파 신호를 제거하여 모형의 가정이 합당한 비교적 짧은 시간 규모에 대한 검증만 시행되었음에 유의하라.

문제 27.

왜 삼각 함수 형태의 외력 $\tau_y^s = \tau_0 \sin(w_0 t)$이 사용되었을까? (5.2.21)-(5.2.23)식에서 바람 응력이 상수인 경우의 해를 구하고 문제점에 대해 논하라(Moore-Maley & Allen, 2022).

5.2.2 2층 천해의 파동

앞서 3.2.5장에서 성층 없이 단일 층으로 이루어진 천해 방정식에 나타나는 파동에 대해 논하였다. 이 장에서는 성층을 고려하는 2층 천해에 나타나는 파동 성분에 대해 논한다. 3.2.5장에서 단층 천해의 파장에 대해 논하였던 것과 같은 방식으로, 편의를 위해 선형 2층 천해 방정식에서 전향력을 무시하고 $\bar{v}^{(1)} \approx 0$과 $\bar{v}^{(2)} \approx 0$을 가정해 1차원 모형을

생각하자. 이 경우 지배식은

$$\frac{\partial \bar{u}^{(1)}}{\partial t} = -g \frac{\partial \eta}{\partial x} \tag{5.2.39}$$

$$\frac{\partial \bar{u}^{(2)}}{\partial t} = -g \frac{\partial \eta}{\partial x} - g' \frac{\partial \eta_2}{\partial x} \tag{5.2.40}$$

$$\frac{\partial \eta}{\partial t} + h_1 \frac{\partial \bar{u}^{(1)}}{\partial x} - \frac{\partial \eta_2}{\partial t} = 0 \tag{5.2.41}$$

$$\frac{\partial \eta_2}{\partial t} + h_2 \frac{\partial \bar{u}^{(2)}}{\partial x} = 0 \tag{5.2.42}$$

가 된다. 저층의 운동 방정식 (5.2.40)식에서 부시네스크 근사를 기반으로 $\rho_1/\rho_2 \approx 1$을 가정함에 유의하라. 이 선형 연립 방정식을 하나의 변수에 대해 연립해 정리하고 풀어내는 것은 분명히 수학적으로 가능하긴 하나, 다소 복잡한 계산이 필요하며 이는 물리적인 직관을 얻는데 상당히 큰 방해가 된다. 이러한 문제로 지배식에 나타난 두 유속 성분인 표층 유속 $\bar{u}^{(1)}$과 저층 유속 $\bar{u}^{(2)}$을 순압 모드 성분과 경압 모드 성분으로 바꿔 나타내는 방식을 자주 사용한다.

5.2.2.1 순압 모드

앞서 1.2.2장에서 부시네스크 근사는 밀도의 변동 성분이 상수 성분에 비해 매우 작음 ($\Delta \rho/\rho_2 \ll 1$)을 나타내고 이는 감소 중력 $g' = g \Delta \rho/\rho_2$이 곱해진 (5.2.40)식 우변 두 번째 항을 무시할 수도 있음을 암시한다. 즉, (5.2.40)식은

$$\frac{\partial \bar{u}^{(2)}}{\partial t} = -g \frac{\partial \eta}{\partial x} \tag{5.2.43}$$

으로 간략화할 수 있다. 이 경우, 운동 방정식 (5.2.39)식과 (5.2.43)식의 우변이 같아지고 $\partial \bar{u}^{(1)}/\partial t = \partial \bar{u}^{(2)}/\partial t$를 얻을 수 있다. 따라서, 초기 조건 $\bar{u}^{(1)}\big|_{t=0} = \bar{u}^{(2)}\big|_{t=0}$을 통해 $\bar{u}^{(1)} = \bar{u}^{(2)} = \bar{u}$로 나타낼 수 있다. 이는 표층과 저층의 유속이 같은 순압 흐름 성분을 나타내며 이를 순압 모드(barotropic mode)라 부른다. 여기서 $\bar{u}$가 순압 모드를 타나낸다. 이 $\bar{u}^{(1)} = \bar{u}^{(2)} = \bar{u}$를 운동 방정식 (5.2.39)식 혹은 (5.2.43)식에 대입하여 순압 모드의 운동 방정식을 얻고, 저층 연속 방정식 (5.2.42)식을 $\partial \eta_2/\partial t$에 대해 정리해 표층 연속 방정식 (5.2.41)식에 대입하는 방식으로 두 식을 연립해 순압 모드의 연속 방정식을 구하면 이는 각각

$$\frac{\partial \bar{u}}{\partial t} = -g \frac{\partial \eta}{\partial x} \tag{5.2.44}$$

$$\frac{\partial \eta}{\partial t} + h\frac{\partial \bar{u}}{\partial x} = 0 \tag{5.2.45}$$

가 되며 이가 순압 모드에 대한 지배식이 된다. $h_1 + h_2 = h$임에 유의하라. 이 순압 모드의 지배식은 앞서 3.2.5장에서 논의한 단층 천해 방정식과 완전히 같다. 3.2.5장에서 논의한 것과 같은 방식으로 식을 정리하고 분산 관계식을 유도하면 $c = \pm\sqrt{gh}$을 얻을 수 있으며 이는 순압 모드가 진행하는 속도를 의미한다. 이 속도는 단층 천해 방정식의 표면 중력파 파속과 같다.

순압 모드에서 η_2에 대한 지배식은 (5.2.42)식에 h_1/h_2를 곱한 것을 (5.2.41)식에 빼는 식으로 연속 방정식 내 발산항($\partial \bar{u}/\partial x$)을 소거해 구할 수 있다. 이는

$$\frac{\partial \eta_2}{\partial t} = \left(\frac{h_2}{h}\right)\frac{\partial \eta}{\partial t} \tag{5.2.46}$$

이다. 이 식은 $\eta_2 = (h_2/h)\eta$을 암시하며 표층의 해면 고도가 상승($\partial \eta/\partial t > 0$)할 때 밀도 경계면이 상승($\partial \eta_2/\partial t > 0$)하고, 감소($\partial \eta/\partial t < 0$)할 때 감소($\partial \eta_2/\partial t < 0$)함을 나타낸다. 즉, 순압 모드에서 해면 고도와 밀도 경계면이 같은 방향으로 움직임을 의미한다. 표층의 두께가 충분히 얇은 경우, $h_2/h \approx 1$임에 유의하라.

5.2.2.2 경압 모드

순압 모드의 지배식 (5.2.44)식과 (5.2.45)식은 해면 고도 η에 의해 지배되며 성층의 세기를 나타내는 계수인 g'에 영향 받지 않는 성분임을 나타낸다. 이는 (5.2.40)식 우변 두 번째 항(경압 압력 경사항)을 무시했기 때문에 생긴 결과라 할 수 있는데, 이 경압 압력 경사항의 존재는 순압 모드가 아닌 다른 모드(η_2에 의해 지배되며 g'에 영향 받는 경압 모드)를 만들어 낼 수 있음을 암시한다. 특히 이 항은 쉽게 무시할 수 없는데, 항에 곱해진 계수 g'의 $\Delta\rho/\rho_2$가 매우 작음은 충분히 합리적인 가정이나, 뒤에 곱해진 변수 부분 $\partial \eta_2/\partial x$가 매우 큰 경우를 생각해 보라. 이 경우, 항을 쉽게 무시할 수 없다. 보다 체계적인 분석을 위해 (5.2.40)식을 규모 분석해 보자. 식에 $x = Lx^*$, $t = Tt^*$, $\bar{u}^{(2)} = U_2\bar{u}^{(2)*}$, $\eta = \varphi\eta^*$, $\eta_2 = \varphi_2\eta_2^*$를 대입해 무차원화하고 우변 첫 번째 항(순압 압력 경사항)의 규모로 나누어 정리하면

$$\left(\frac{U_2 L}{gT\varphi}\right)\frac{\partial \bar{u}^{(2)*}}{\partial t^*} = -\frac{\partial \eta^*}{\partial x^*} - \left(\frac{\Delta\rho}{\rho_2}\frac{\varphi_2}{\varphi}\right)\frac{\partial \eta_2^*}{\partial x^*} \tag{5.2.47}$$

이 된다. 여기서 φ와 φ_2는 η와 η_2의 규모를 나타낸다. (5.2.47)식은 $(\Delta\rho/\rho_2)(\varphi_2/\varphi) \ll 1$을 충족해야 경압 압력 경사항을 무시할 수 있음을 보여준다. 즉, η_2의 규모 φ_2가

$\varphi/(\Delta\rho/\rho_2)$ 보다는 작아야 함을 의미한다. 실제 관측을 살펴 보면 η의 규모는 $\varphi \approx 0.1\,m$ 정도인데(그림 2.1), η_2의 규모는 $\varphi_2 \approx 100\,m$ 정도로 매우 크다(그림 2.4). 이는 경우에 따라 경압 압력 경사항을 쉽게 무시할 수 없음을 나타낸다.

이번에는 연속 방정식 (5.2.41)식을 규모 분석해 보자. 같은 방식으로 식에 $x = Lx^*$, $t = Tt^*$, $\bar{u}^{(1)} = U_1\bar{u}^{(1)*}$, $\eta = \varphi\eta^*$, $\eta_2 = \varphi_2\eta_2^*$를 대입해 무차원화하고 좌변 마지막항의 규모로 나누면

$$\left(\frac{\varphi}{\varphi_2}\right)\frac{\partial\eta^*}{\partial t^*} + \left(\frac{h_1U_1T}{L\Phi_2}\right)\frac{\partial\bar{u}^{(1)*}}{\partial x^*} - \frac{\partial\eta_2^*}{\partial t} = 0 \tag{5.2.48}$$

가 된다. 경압 압력 경사항을 무시할 수 없는 $(\Delta\rho/\rho_2)(\varphi_2/\varphi) \approx 1$인 경우를 생각해 보자. 이 경우, $\varphi/\varphi_2 \approx \Delta\rho/\rho_2$이며, $\Delta\rho/\rho_2 \ll 1$이기 때문에, $\varphi/\varphi_2 \ll 1$이다. 이는 (5.2.48)식의 첫 번째 항을 무시할 수 있음(강체 해면 근사)을 나타낸다. 따라서 지배식은

$$\frac{\partial\bar{u}^{(1)}}{\partial t} = -g\frac{\partial\eta}{\partial x} \tag{5.2.49}$$

$$\frac{\partial\bar{u}^{(2)}}{\partial t} = -g\frac{\partial\eta}{\partial x} - g'\frac{\partial\eta_2}{\partial x} \tag{5.2.50}$$

$$h_1\frac{\partial\bar{u}^{(1)}}{\partial x} - \frac{\partial\eta_2}{\partial t} = 0 \tag{5.2.51}$$

$$\frac{\partial\eta_2}{\partial t} + h_2\frac{\partial\bar{u}^{(2)}}{\partial x} = 0 \tag{5.2.52}$$

로 간략화 할 수 있다. (5.2.49)식에 (5.2.50)식을 빼서 경압 성분에 대한 운동 방정식을 얻을 수 있고, (5.2.52)식에 h_1/h_2을 곱한 것을 (5.2.51)식에 빼서 경압 모드에 대한 연속 방정식을 얻을 수 있다. 이를 수행하면

$$\frac{\partial\bar{u}'}{\partial t} = g'\frac{\partial\eta_2}{\partial x} \tag{5.2.53}$$

$$-\frac{\partial\eta_2}{\partial t} + h'\frac{\partial\bar{u}'}{\partial x} = 0 \tag{5.2.54}$$

를 구할 수 있다. 여기서 $h' = h_1h_2/h$이고 $\bar{u}' = \bar{u}^{(1)} - \bar{u}^{(2)}$이며, $\bar{u}'$이 경압 유속 성분을 나타낸다. 앞서 논의한 중력 감소 모형이나 순압 모드의 지배식과 마찬가지로, 경압 모드의 지배식 (5.2.53)식과 (5.2.54)식은 수학적으로 단층 천해 모형의 지배식과 같다. 단지 변수 $\bar{u}$가 $\bar{u}'$로, η가 $-\eta_2$로, 계수 g가 g'로, h가 h'로 바뀌었을 뿐이다. 앞서 3.2.5 장에서 논의한 것과 같은 방식으로, (5.2.53)식과 (5.2.54)식을 연립하고 분산 관계식을 구하면 $c = \pm\sqrt{g'h'}$를 얻을 수 있으며 이는 경압 모드의 진행 속도를 의미한다. 여기서

부시네스크 근사에 따라 $\Delta\rho/\rho_2 \ll 1$ $(g' \ll g)$이고 $h' < h$이기 때문에, 경압 모드의 진행 속도는 순압 모드의 진행 속도보다 느림을 알 수 있다.

이번에는 경압 모드의 지배식을 정리하여 η의 지배식을 구해보자. (5.2.51)식을 t로 미분한 것에 (5.2.49)식을 대입하고, 같은 방식으로 (5.2.52)식을 t로 미분한 것에 (5.2.50)식을 대입하면 각각

$$-gh_1\frac{\partial^2 \eta}{\partial x^2} - \frac{\partial^2 \eta_2}{\partial t^2} = 0 \tag{5.2.55}$$

$$\frac{\partial^2 \eta_2}{\partial t^2} - gh_1\frac{\partial^2 \eta}{\partial x^2} - g'h_2\frac{\partial^2 \eta_2}{\partial x^2} = 0 \tag{5.2.56}$$

을 얻을 수 있다. (5.2.55)식을 $\partial^2\eta_2/\partial t^2$에 대해 정리하고 (5.2.56)식에 대입하면

$$\frac{\partial^2}{\partial x^2}\left(\eta + \frac{h_2}{h_1}\eta + \frac{\Delta\rho}{\rho_2}\frac{h_2}{h_1}\eta_2\right) = 0 \tag{5.2.57}$$

을 얻을 수 있으며, 이는 닫힌 경계 조건과 정지 초기 조건 하에서

$$\eta + \frac{h_2}{h_1}\eta + \frac{\Delta\rho}{\rho_2}\frac{h_2}{h_1}\eta_2 = 0$$
$$\therefore \eta = -\frac{(\Delta\rho/\rho_2)(h_2/h_1)}{1 + h_2/h_1}\eta_2 \tag{5.2.58}$$

을 암시한다. 이는 경압 성분에서 해면 고도와 밀도 경계면이 음의 상관 관계를 가지며 서로 반대의 방향으로 움직임을 의미한다. 부시네스크 근사를 바탕으로 $\eta \approx 0$을 암시하기도 한다.

문제 28.

어떠한 가정하에 (5.2.58)식이 (5.2.17)식으로 수렴하는 가? 이는 중력 감소 모형이 무엇을 가정하고 있는지 암시한다.

5.2.2.3 전향력의 고려와 외부/내부 로스비 변형 반경

앞서 논의한 접근은 전향력을 고려한 원형의 지배식에 적용할 수 있다. 상수 수심과 전향력을 고려한 선형 2층 천해 방정식은

$$\frac{\partial \bar{u}^{(1)}}{\partial t} - f\bar{v}^{(1)} = -g\frac{\partial \eta}{\partial x} \tag{5.2.59}$$

$$\frac{\partial \bar{u}^{(2)}}{\partial t} - f\bar{v}^{(2)} = -g\frac{\partial \eta}{\partial x} - g'\frac{\partial \eta_2}{\partial x} \tag{5.2.60}$$

$$\frac{\partial \eta}{\partial t} + h_1 \frac{\partial \bar{u}^{(1)}}{\partial x} - \frac{\partial \eta_2}{\partial t} = 0 \qquad (5.2.61)$$

$$\frac{\partial \eta_2}{\partial t} + h_2 \frac{\partial \bar{u}^{(2)}}{\partial x} = 0 \qquad (5.2.62)$$

이다. 앞서 시행한 것과 같은 방식으로 위의 지배식을 순압 모드와 경압 모드에 대한
지배식으로 나타내면

$$
\begin{aligned}
\frac{\partial \bar{u}}{\partial t} - f\bar{v} &= -g\frac{\partial \eta}{\partial x} \\
\frac{\partial \bar{v}}{\partial t} + f\bar{u} &= -g\frac{\partial \eta}{\partial y} \\
\frac{\partial \eta}{\partial t} + h\left(\frac{\partial \bar{u}}{\partial x} + \frac{\partial \bar{v}}{\partial y}\right) &= 0
\end{aligned}
\qquad (5.2.63)
$$

$$
\begin{aligned}
\frac{\partial u'}{\partial t} - fv' &= -g'\frac{\partial \eta_2}{\partial x} \\
\frac{\partial v'}{\partial t} + fu' &= -g'\frac{\partial \eta_2}{\partial y} \\
-\frac{\partial \eta_2}{\partial t} + h'\left(\frac{\partial u'}{\partial x} + \frac{\partial v'}{\partial y}\right) &= 0
\end{aligned}
\qquad (5.2.64)
$$

를 얻을 수 있다. 여기서, $h = h_1 + h_2$, $h' = h_1 h_2 / h$이다. 단층 천해 방정식과의 수학적
동일성 때문에, 이 식들은 앞서 3장에서 여러 현상을 분석하기 위해 사용한 수학을 그
대로 적용할 수 있다. 예를 들어 3.2.6장과 3.2.6.3장에서 포엔카레 파와 지형류 조절에
사용한 수학과 분석을 그대로 적용해, 역학을 결정하는 공간 규모(로스비 변형 반경)
를 구해보면, (5.2.63)식과 (5.2.64)식에 대해 각각 $\sqrt{gh}/f$와 $\sqrt{g'h'}/f$을 얻을 수 있다.
전자는 외부 로스비 변형 반경에, 후자는 내부 로스비 변형 반경에 해당한다. 이는 순압
모드는 외부 로스비 변형 반경에 의해, 경압 모드는 내부 로스비 변형 반경에 의해 역학
이 결정됨을 나타낸다. 5.4그림은 선형 2층 천해 방정식의 수치해를 보여주는데, 먼저
(5.2.46)식에 따라 η와 η_2가 양의 상관 관계를 가지는 순압 모드의 파군이 포엔카레파
로써 최대 $\sqrt{gh}$의 속도로 빠르게 전파하고, 경압 모드의 파군은 (5.2.58)식에 따라 η
와 η_2가 음의 상관 관계를 보이며 최대 $\sqrt{g'h'}$ 속도의 포엔카레파로 상대적으로 느리게
전파하는 것을 보여준다.

5.2.2.4 2층 천해의 로스비 파

2층 천해에서의 로스비 파를 논하기 위해, 2층 천해 방정식을 선형 준지형류 방정식
형태로 나타내자. 다만 β평면($f = f_0 + \beta y$)을 가정하고 $\varphi/\varphi_2 \ll 1$을 바탕으로 표층

그림 5.4: 1차원 2층 천해 모형의 수치 해. 위의 그림은 순압 성분의 파군이 상대적으로 매우 빠르게 움직이는 것을 보여주고, 아래 그림은 경압 성분의 파군이 매우 느리게 움직이는 것을 보여준다. 모형에 사용한 계수는 $g = 10\,m/s^2$, $h_1 = 5\,m$, $h_2 = 10\,m$, $f = 10^{-4}\,s^{-1}$, $\rho_0 = 1025\,kg/m^3$, $\Delta\rho = 20\,kg/m^3$이다.

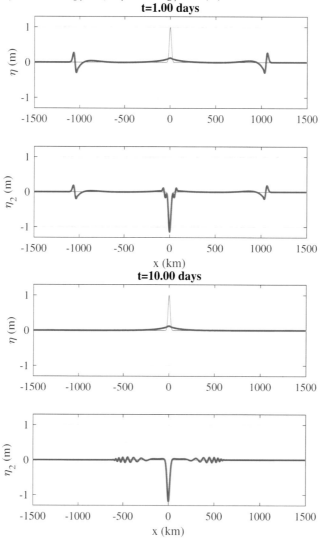

연속 방정식에서 강체 해면 근사($\partial\eta/\partial t \approx 0$)를 적용할 것이다. 이 경우, 지배식은

$$\frac{\partial \bar{u}^{(1)}}{\partial t} - (f_0 + \beta y)\bar{v}^{(1)} = -g\frac{\partial \eta}{\partial x} \tag{5.2.65}$$

$$\frac{\partial \bar{v}^{(1)}}{\partial t} + (f_0 + \beta y)\bar{u}^{(1)} = -g\frac{\partial \eta}{\partial y} \tag{5.2.66}$$

$$h_1\frac{\partial \bar{u}^{(1)}}{\partial x} - \frac{\partial \eta_2}{\partial t} = 0 \tag{5.2.67}$$

$$\frac{\partial \bar{u}^{(2)}}{\partial t} - (f_0 + \beta y)\bar{v}^{(2)} = -g\frac{\partial \eta}{\partial x} - g'\frac{\partial \eta_2}{\partial x} \tag{5.2.68}$$

$$\frac{\partial \bar{v}^{(2)}}{\partial t} + (f_0 + \beta y)\bar{u}^{(2)} = -g\frac{\partial \eta}{\partial y} - g'\frac{\partial \eta_2}{\partial y} \tag{5.2.69}$$

$$\frac{\partial \eta_2}{\partial t} + h_2\frac{\partial \bar{u}^{(2)}}{\partial x} = 0 \tag{5.2.70}$$

이다. 앞서 3.2.7.1장에서 시행한 것과 같은 방식으로, 운동 방정식에서 지배적인 지형류 균형을 가정하고 유속 성분을 0순위 성분과 1순위 성분으로 나누고($\bar{u}^{(1)} = \bar{u}_0^{(1)} + \bar{u}_1^{(1)}$, $\bar{u}^{(2)} = u_0^{(2)} + u_1^{(2)}$, $\bar{v}^{(1)} = \bar{v}_0^{(1)} + \bar{v}_1^{(1)}$, $\bar{v}^{(2)} = \bar{v}_0^{(2)} + \bar{v}_1^{(2)}$), 항의 규모가 같은 것 끼리 묶어 0순위 균형과 1순위 균형을 구하자. 이를 시행하면 0순위 균형으로부터

$$\begin{aligned}\bar{v}_0^{(1)} &= \frac{g}{f_0}\frac{\partial \eta}{\partial x} \\ \bar{u}_0^{(1)} &= -\frac{g}{f_0}\frac{\partial \eta}{\partial y} \\ \bar{v}_0^{(2)} &= \frac{g}{f_0}\frac{\partial \eta}{\partial x} - \frac{g'}{f_0}\frac{\partial \eta_2}{\partial x} \\ \bar{u}_0^{(2)} &= -\frac{g}{f_0}\frac{\partial \eta}{\partial y} - \frac{g'}{f_0}\frac{\partial \eta_2}{\partial y},\end{aligned} \tag{5.2.71}$$

을 얻을 수 있고, 1순위 균형으로부터

$$\begin{aligned}\bar{v}_1^{(1)} &= \frac{1}{f_0}\left(\frac{\partial \bar{u}_0^{(1)}}{\partial t} - \beta y\bar{v}_0^{(1)}\right) \\ \bar{u}_1^{(1)} &= -\frac{1}{f_0}\left(\frac{\partial \bar{v}_0^{(1)}}{\partial t} + \beta y\bar{u}_0^{(1)}\right) \\ \bar{v}_1^{(2)} &= \frac{1}{f_0}\left(\frac{\partial \bar{u}_0^{(2)}}{\partial t} - \beta y\bar{v}_0^{(2)}\right) \\ \bar{u}_1^{(2)} &= -\frac{1}{f_0}\left(\frac{\partial \bar{v}_0^{(2)}}{\partial t} + \beta y\bar{u}_0^{(2)}\right)\end{aligned} \tag{5.2.72}$$

를 구할 수 있다. 이를 보존 방정식 (5.2.67)식과 (5.2.70)식에 대입하고 정리하면

$$-\frac{h_1}{f_0}\left(\frac{\partial \xi_0^{(1)}}{\partial t} + \beta \bar{v}_0^{(1)}\right) - \frac{\partial \eta_2}{\partial t} = 0$$

$$\left(\xi_0^{(1)} = \frac{\partial \bar{v}_0^{(1)}}{\partial x} - \frac{\partial \bar{u}_0^{(1)}}{\partial y} = \frac{g}{f_0}\left(\frac{\partial^2 \eta}{\partial x^2} + \frac{\partial^2 \eta}{\partial y^2}\right)\right) \tag{5.2.73}$$

$$\frac{\partial \eta_2}{\partial t} - \frac{h_2}{f_0}\left(\frac{\partial \xi_0^{(2)}}{\partial t} + \beta \bar{v}_0^{(2)}\right) = 0$$

$$\left(\xi_0^{(2)} = \frac{\partial \bar{v}_0^{(2)}}{\partial x} - \frac{\partial \bar{u}_0^{(2)}}{\partial y} = \frac{g}{f_0}\left(\frac{\partial^2 \eta}{\partial x^2} + \frac{\partial^2 \eta}{\partial y^2}\right) + \frac{g'}{f_0}\left(\frac{\partial^2 \eta_2}{\partial x^2} + \frac{\partial^2 \eta_2}{\partial y^2}\right)\right) \tag{5.2.74}$$

를 얻을 수 있다. 이를 유선 함수($\bar{u}_0^{(1)} = -\partial \psi^{(1)}/\partial y$, $\bar{v}_0^{(1)} = \partial \psi^{(1)}/\partial x$, $\bar{u}_0^{(2)} = -\partial \psi^{(2)}/\partial y$, $\bar{v}_0^{(2)} = \partial \psi^{(2)}/\partial x$)를 이용해 나타내면

$$\frac{\partial}{\partial t}\left(\frac{\partial^2 \psi^{(1)}}{\partial x^2} + \frac{\partial^2 \psi^{(1)}}{\partial y^2}\right) + \beta \frac{\partial \psi^{(1)}}{\partial x} + \frac{1}{Rd_1{}^2}\frac{\partial}{\partial t}\left(\psi^{(2)} - \psi^{(1)}\right) = 0 \tag{5.2.75}$$

$$\frac{1}{Rd_2{}^2}\frac{\partial}{\partial t}\left(\psi^{(2)} - \psi^{(1)}\right) - \frac{\partial}{\partial t}\left(\frac{\partial^2 \psi^{(2)}}{\partial x^2} + \frac{\partial^2 \psi^{(2)}}{\partial y^2}\right) - \beta \frac{\partial \psi^{(2)}}{\partial x} = 0 \tag{5.2.76}$$

이 된다. 여기서 $Rd_1 = \sqrt{g'h_1}/f_0$이고 $Rd_2 = \sqrt{g'h_2}/f_0$이며, 유선 함수의 정의와 0 순위 균형 (5.2.71)식에 따라 $\psi_1 = (g/f_0)\eta$와 $\psi_2 = (g/f_0)\eta + (g'/f_0)\eta_2$로 정의할 수 있음에 유의하라. 위의 두 식이 2층 천해의 선형 준지형류 방정식에 해당한다.

이제 이를 순압 모드($\bar{\psi} = \psi^{(1)} = \psi^{(2)}$)와 경압 모드($\psi' = \psi^{(1)} - \psi^{(2)}$)로 나누어 나타내자. $\bar{\psi} = \psi^{(1)} = \psi^{(2)}$를 (5.2.75)식과 (5.2.76)식에 대입하면 순압 모드에 대한 지배식

$$\frac{\partial}{\partial t}\left(\frac{\partial^2 \bar{\psi}}{\partial x^2} + \frac{\partial^2 \bar{\psi}}{\partial y^2}\right) + \beta \frac{\partial \bar{\psi}}{\partial x} = 0 \tag{5.2.77}$$

을 얻을 수 있고, (5.2.75)식과 (5.2.76)식을 더하고 정리하면 경압 모드에 대한 지배식

$$\frac{\partial}{\partial t}\left(\frac{\partial^2 \psi'}{\partial x^2} + \frac{\partial^2 \psi'}{\partial y^2}\right) + \beta \frac{\partial \psi'}{\partial x} + \frac{1}{Rd'^2}\frac{\partial \psi'}{\partial t} = 0 \tag{5.2.78}$$

을 구할 수 있다. 여기서 $Rd' = \sqrt{g'h'}/f_0$로 내부 로스비 변형 반경에 해당하며 $h' = h_1 h_2/h$임에 유의하라. 파동의 기본 기저 (3.2.77)식을 각 식에 대입하고 정리하는 방식으로 분산 관계식을 구하자. 이를 시행하면 순압 모드에 대한 분산식으로

$$c_x = -\frac{\beta}{k^2 + l^2} \tag{5.2.79}$$

그림 5.5: 가시화한 로스비 파 순압 모드 분산 관계 (5.2.79)식과 경압 모드 분산 관계 (5.2.80)식. 흑색 실선은 순압 성분의 분산식을, 유색 실선은 $\Delta\rho$에 따른 순압 성분의 분산 관계를 나타낸다.

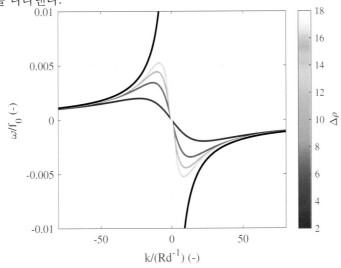

를, 경압 모드에 대한 분산식으로

$$c_x = \frac{w}{k} = -\frac{\beta}{Rd'^{-2} + k^2 + l^2} \tag{5.2.80}$$

을 얻을 수 있다. 여기서 파속의 정의에 따라 $c_x = w/k$임에 유의하라. 앞서 여러 로스비 파의 성질과 같이 순압 모드와 경압 모드는 모두 음의 방향(서쪽)으로 움직인다. 경압 모드의 분산 관계 (5.2.80)식의 분모에서 양수인 Rd'^{-2} 때문에, 경압 모드의 파속은 순압 모드의 속도보다 항상 느리다.

문제 29.

이 장에서 소개한 2층 천해 로스비 파의 지배식은 Pedlosky (1987)의 저서를 비롯해 몇 몇 강의록(http://sillig.free.fr/Courses_GFD.html)에 사용되지만, 완전한 강체 해면 근사를 사용하였다. 이로 인한 문제점은 무엇인가? 5.2.2.3장의 (5.2.63)식과 (5.2.64)식에 β평면을 가정하고 선형 준지형류 방정식으로 나타내 분산 관계식을 구하라. 순압 성분의 지배식 (5.2.63)식에는 강체 해면 근사가 적용되지 않았음에 유의하라.

5.3 에르텔의 와도 보존

앞서 1.3.2장에서 천해 방정식이 와도라는 값을 보존함을 보였다. Ertel (1942)은 이를 일반화하여 밀도의 연속적인 변화를 고려하는 원시 방정식에서 와도 보존식을 찾아내었다. 지배식으로

$$\frac{\partial u}{\partial t} + u\frac{\partial u}{\partial x} + v\frac{\partial u}{\partial y} + w\frac{\partial u}{\partial z} - fv = -\frac{1}{\rho_0}\frac{\partial P}{\partial x} \tag{5.3.1}$$

$$\frac{\partial v}{\partial t} + u\frac{\partial v}{\partial x} + v\frac{\partial v}{\partial y} + w\frac{\partial v}{\partial z} + fu = -\frac{1}{\rho_0}\frac{\partial P}{\partial y} \tag{5.3.2}$$

$$\frac{\partial w}{\partial t} + u\frac{\partial w}{\partial x} + v\frac{\partial w}{\partial y} + w\frac{\partial w}{\partial z} = -\frac{1}{\rho_0}\frac{\partial P}{\partial z} \tag{5.3.3}$$

$$\frac{\partial u}{\partial x} + \frac{\partial v}{\partial y} + \frac{\partial w}{\partial z} = 0 \tag{5.3.4}$$

$$\frac{\partial \rho}{\partial t} + u\frac{\partial \rho}{\partial x} + v\frac{\partial \rho}{\partial y} + w\frac{\partial \rho}{\partial z} = 0 \tag{5.3.5}$$

를 고려하자. 2차원인 천해 방정식에서는 xy평면상에 단 하나의 와도 성분만 존재하지만, 3차원인 원시 방정식에서는 xy평면상의 와도 뿐 아니라 yz평면과 xz평면상의 와도가 추가적으로 존재한다. 각 평면상의 상대 와도를

$$\xi_1 = \frac{\partial w}{\partial y} - \frac{\partial v}{\partial z}, \quad \xi_2 = \frac{\partial u}{\partial z} - \frac{\partial w}{\partial x}, \quad \xi_3 = \frac{\partial v}{\partial x} - \frac{\partial u}{\partial y} \tag{5.3.6}$$

으로 정의하자. 먼저 (5.3.3)식을 y로 미분하고 (5.3.2)식을 z로 미분한 것을 빼서 ξ_1에 대한 식을 유도하면

$$\begin{aligned}
&\frac{\partial \xi_1}{\partial t} + u\frac{\partial \xi_1}{\partial x} + v\frac{\partial \xi_1}{\partial y} + w\frac{\partial \xi_1}{\partial z} \\
&+ \frac{\partial u}{\partial y}\frac{\partial w}{\partial x} - \frac{\partial u}{\partial z}\frac{\partial v}{\partial x} + \frac{\partial v}{\partial y}\frac{\partial w}{\partial y} - \frac{\partial v}{\partial z}\frac{\partial v}{\partial y} + \frac{\partial w}{\partial y}\frac{\partial w}{\partial z} - \frac{\partial w}{\partial z}\frac{\partial v}{\partial z} \\
&- f\frac{\partial u}{\partial z} = 0
\end{aligned} \tag{5.3.7}$$

을 얻을 수 있다. 여기서 (5.3.7)식의 두 번째 줄을 아래와 같이 모양을 바꾸어 나타내자.

$$
\begin{aligned}
&\frac{\partial u}{\partial y}\frac{\partial w}{\partial x} - \frac{\partial u}{\partial z}\frac{\partial v}{\partial x} + \frac{\partial v}{\partial y}\frac{\partial w}{\partial y} - \frac{\partial v}{\partial z}\frac{\partial v}{\partial y} + \frac{\partial w}{\partial y}\frac{\partial w}{\partial z} - \frac{\partial w}{\partial z}\frac{\partial v}{\partial z} \\
&= \frac{\partial u}{\partial y}\frac{\partial w}{\partial x} - \frac{\partial u}{\partial z}\frac{\partial v}{\partial x} + \frac{\partial v}{\partial y}\left(\frac{\partial w}{\partial y} - \frac{\partial v}{\partial z}\right) + \frac{\partial w}{\partial z}\left(\frac{\partial w}{\partial y} - \frac{\partial v}{\partial z}\right) \\
&= \frac{\partial u}{\partial y}\frac{\partial w}{\partial x} - \frac{\partial u}{\partial z}\frac{\partial v}{\partial x} + \xi_1\frac{\partial v}{\partial y} + \xi_1\frac{\partial w}{\partial z} + \underbrace{\xi_1\frac{\partial u}{\partial x} - \xi_1\frac{\partial u}{\partial x}}_{0} \\
&= \frac{\partial u}{\partial y}\frac{\partial w}{\partial x} - \frac{\partial u}{\partial z}\frac{\partial v}{\partial x} - \xi_1\frac{\partial u}{\partial x} + \xi_1\left(\frac{\partial u}{\partial x} + \frac{\partial v}{\partial y} + \frac{\partial w}{\partial z}\right) + \underbrace{\frac{\partial u}{\partial y}\frac{\partial u}{\partial z} - \frac{\partial u}{\partial z}\frac{\partial u}{\partial y}}_{0} \\
&= \xi_1\left(\frac{\partial u}{\partial x} + \frac{\partial v}{\partial y} + \frac{\partial w}{\partial z}\right) - \xi_1\frac{\partial u}{\partial x} - \frac{\partial u}{\partial y}\left(\frac{\partial u}{\partial z} - \frac{\partial w}{\partial x}\right) - \frac{\partial u}{\partial z}\left(\frac{\partial v}{\partial x} - \frac{\partial u}{\partial y}\right) \\
&= \xi_1\left(\frac{\partial u}{\partial x} + \frac{\partial v}{\partial y} + \frac{\partial w}{\partial z}\right) - \xi_1\frac{\partial u}{\partial x} - \xi_2\frac{\partial u}{\partial y} - \xi_3\frac{\partial u}{\partial z}
\end{aligned}
\tag{5.3.8}
$$

여기서 마지막 줄의 첫 번째 항은 보존 방정식 (5.3.4)식으로 소거할 수 있다. 결과적으로 ξ_1에 대한 식은

$$
\frac{\partial \xi_1}{\partial t} + u\frac{\partial \xi_1}{\partial x} + v\frac{\partial \xi_1}{\partial y} + w\frac{\partial \xi_1}{\partial z} - \xi_1\frac{\partial u}{\partial x} - \xi_2\frac{\partial u}{\partial y} - \xi_z\frac{\partial u}{\partial z} = 0
\tag{5.3.9}
$$

가 된다. 여기서 $\xi_z = \xi_3 + f$로 정의하였다. 같은 방식으로 (5.3.1)식을 z로 미분한 것에 (5.3.3)식을 x로 미분한 것을 빼어 ξ_2에 대한 식을 유도하면

$$
\frac{\partial \xi_2}{\partial t} + u\frac{\partial \xi_2}{\partial x} + v\frac{\partial \xi_2}{\partial y} + w\frac{\partial \xi_2}{\partial z} - \xi_1\frac{\partial v}{\partial x} - \xi_2\frac{\partial v}{\partial y} - \xi_z\frac{\partial v}{\partial z} = 0
\tag{5.3.10}
$$

을 얻을 수 있으며, (5.3.2)식을 x로 미분한 것에 (5.3.1)식을 y로 미분한 것을 빼면

$$
\begin{aligned}
&\frac{\partial \xi_3}{\partial t} + u\frac{\partial \xi_3}{\partial x} + v\frac{\partial \xi_3}{\partial y} + w\frac{\partial \xi_3}{\partial z} \\
&\quad - \xi_1\frac{\partial w}{\partial x} - \xi_2\frac{\partial w}{\partial y} - \xi_3\frac{\partial w}{\partial z} + v\frac{\partial f}{\partial y} + f\left(\frac{\partial u}{\partial x} + \frac{\partial v}{\partial y}\right) = 0
\end{aligned}
\tag{5.3.11}
$$

을 구할 수 있다. (5.3.11)식을 $\partial f/\partial t = 0$임, $\partial f/\partial x = 0$임, 보존 방정식 (5.3.4)에서 $\partial u/\partial x + \partial v/\partial y = -\partial w/\partial z$임을 이용해 모양을 바꾸어 나타내면

$$
\frac{\partial \xi_z}{\partial t} + u\frac{\partial \xi_z}{\partial x} + v\frac{\partial \xi_3}{\partial y} + w\frac{\partial \xi_z}{\partial z} - \xi_1\frac{\partial w}{\partial x} - \xi_2\frac{\partial w}{\partial y} - \xi_z\frac{\partial w}{\partial z} = 0
\tag{5.3.12}
$$

가 된다. 이제 (5.3.9)식에 $\partial \rho / \partial x$를, (5.3.10)식에 $\partial \rho / \partial y$를, (5.3.12)식에 $\partial \rho / \partial z$를 곱한 뒤, 모두 더하고 정리하면

$$
\begin{aligned}
&\frac{\partial \rho}{\partial x}\left(\frac{\partial \xi_1}{\partial t}+u\frac{\partial \xi_1}{\partial x}+v\frac{\partial \xi_1}{\partial y}+w\frac{\partial \xi_1}{\partial z}\right)-\xi_1\left(\frac{\partial \rho}{\partial x}\frac{\partial u}{\partial x}+\frac{\partial \rho}{\partial y}\frac{\partial v}{\partial x}+\frac{\partial \rho}{\partial z}\frac{\partial w}{\partial x}\right)\\
+&\frac{\partial \rho}{\partial y}\left(\frac{\partial \xi_2}{\partial t}+u\frac{\partial \xi_2}{\partial x}+v\frac{\partial \xi_2}{\partial y}+w\frac{\partial \xi_2}{\partial z}\right)-\xi_2\left(\frac{\partial \rho}{\partial x}\frac{\partial u}{\partial y}+\frac{\partial \rho}{\partial y}\frac{\partial v}{\partial y}+\frac{\partial \rho}{\partial z}\frac{\partial w}{\partial y}\right)\\
+&\frac{\partial \rho}{\partial z}\left(\frac{\partial \xi_z}{\partial t}+u\frac{\partial \xi_z}{\partial x}+v\frac{\partial \xi_z}{\partial y}+w\frac{\partial \xi_z}{\partial z}\right)-\xi_z\left(\frac{\partial \rho}{\partial x}\frac{\partial u}{\partial z}+\frac{\partial \rho}{\partial y}\frac{\partial v}{\partial z}+\frac{\partial \rho}{\partial z}\frac{\partial w}{\partial z}\right)=0
\end{aligned}
$$

$$(5.3.13)$$

을 구할 수 있다. 여기서 밀도의 이류를 나타내는 (5.3.5)식을 x로 미분하고 정리하면

$$
\begin{aligned}
\frac{\partial \rho}{\partial x}\frac{\partial u}{\partial x}+&\frac{\partial \rho}{\partial y}\frac{\partial v}{\partial x}+\frac{\partial \rho}{\partial z}\frac{\partial w}{\partial x}=\\
&-\left[\frac{\partial}{\partial t}\left(\frac{\partial \rho}{\partial x}\right)+u\frac{\partial}{\partial x}\left(\frac{\partial \rho}{\partial x}\right)+v\frac{\partial}{\partial y}\left(\frac{\partial \rho}{\partial x}\right)+w\frac{\partial}{\partial z}\left(\frac{\partial \rho}{\partial x}\right)\right]
\end{aligned}
$$

$$(5.3.14)$$

를 알 수 있다. 같은 방식으로 (5.3.5)식을 각각 y와 z로 미분하면

$$
\begin{aligned}
\frac{\partial \rho}{\partial x}\frac{\partial u}{\partial y}+&\frac{\partial \rho}{\partial y}\frac{\partial v}{\partial y}+\frac{\partial \rho}{\partial z}\frac{\partial w}{\partial y}=\\
&-\left[\frac{\partial}{\partial t}\left(\frac{\partial \rho}{\partial y}\right)+u\frac{\partial}{\partial x}\left(\frac{\partial \rho}{\partial y}\right)+v\frac{\partial}{\partial y}\left(\frac{\partial \rho}{\partial y}\right)+w\frac{\partial}{\partial z}\left(\frac{\partial \rho}{\partial y}\right)\right]
\end{aligned}
$$

$$(5.3.15)$$

$$
\begin{aligned}
\frac{\partial \rho}{\partial x}\frac{\partial u}{\partial z}+&\frac{\partial \rho}{\partial y}\frac{\partial v}{\partial z}+\frac{\partial \rho}{\partial z}\frac{\partial w}{\partial z}=\\
&-\left[\frac{\partial}{\partial t}\left(\frac{\partial \rho}{\partial z}\right)+u\frac{\partial}{\partial x}\left(\frac{\partial \rho}{\partial z}\right)+v\frac{\partial}{\partial y}\left(\frac{\partial \rho}{\partial z}\right)+w\frac{\partial}{\partial z}\left(\frac{\partial \rho}{\partial z}\right)\right]
\end{aligned}
$$

$$(5.3.16)$$

이 된다. 이 (5.3.14)-(5.3.16)식을 (5.3.13)식에 대입하고, 연쇄 법칙을 이용해 항을 묶어 정리한 뒤, 양 변을 상수 ρ_0으로 나누면

$$
\begin{aligned}
&\frac{\partial \Pi}{\partial t}+u\frac{\partial \Pi}{\partial x}+v\frac{\partial \Pi}{\partial y}+w\frac{\partial \Pi}{\partial z}=0\\
&\left(\Pi=-\frac{\partial \rho}{\partial x}\frac{\xi_1}{\rho_0}-\frac{\partial \rho}{\partial y}\frac{\xi_2}{\rho_0}-\frac{\partial \rho}{\partial z}\frac{\xi_z}{\rho_0}\right)
\end{aligned}
$$

$$(5.3.17)$$

을 얻을 수 있다. 이는 Π라는 값이 라그랑지 관측자 시점에서 보존됨을 의미하고 이 Π 를 에르텔의 잠재 와도(Ertel's potential vorticity)라 부른다.

Chapter 6

부록

1차원 천해 수치 모형

```matlab
clc;clear;
%% set model parameters
g=1e1;      % gravity acceleration (m/s2)
h0=1e1;     % constant depth (m)
f0=1e-4;    % Coriolis frequency (1/s)
L=200e5;    % length of domain (m)
nx=2001;    % number of grid
dt=400;     % time step

ntms=1000;  % number of step for simulation
nhis=4;     % period for saving output

%% set grid
xr=linspace(0,L,nx)';
xu=convn(xr,[0.5;0.5],'valid');
dx=mean(diff(xr));

%% set bathymetry and initial conditions
h=ones(size(xr))*h0;
u=zeros([size(xu),2]);
```

161

```matlab
v=zeros([size(xr),2]);
zeta=zeros([size(xr),2]);

Lr=sqrt(g*mean(h))/f0; % Rossby radius of deformation
zeta(:,1)=exp(-((xr-L/2)/(3*Lr/3)).^2);

%%
kk=1;
for k=1:ntms
    % solve u-momentum equation
    u(:,2)=u(:,1)+dt*(...
        -g*d1(zeta(:,1))/dx...          % pressure gradient
        +f0*m1(v(:,1)));                % Coriolis

    % solve v-momentum equation
    v(2:end-1,2)=v(2:end-1,1)+dt*(...
        -f0*m1(u(:,2)));  % Coriolis

    % solve continuity equation
    zeta(2:end-1,2)=zeta(2:end-1,1)+dt*(...
        -d1(u(:,2).*m1(h)))/dx;

    zeta(1,2)=zeta(2,2);
    zeta(end,2)=zeta(end-1,2);

    u(:,1)=u(:,2);
    v(:,1)=v(:,2);
    zeta(:,1)=zeta(:,2);

    % save output per [nhis] step.
    if mod(k-1,nhis)==0
        U(:,kk)=u(:,2);
        V(:,kk)=v(:,2);
        P(:,kk)=zeta(:,2);
        t(kk)=dt*k;
        kk=kk+1;
```

162

```
      end
   end

%% visaulization
figure
clr=lines(3);
xlabel('x/L_R')
for i=1:size(P,2)
plot((xr-mean(xr))/Lr,P(:,i),'linewidth',2)
hold on
plot((xr-mean(xr))/Lr,P(:,1),':','color',clr(1,:),'LineWidth',2)
hold off
ylim([-1 1])
grid on
title(['t=' num2str(t(i)) ' s'])
xlabel('x/L_R')
ylabel('\eta (m)')
drawnow
end
legend('\eta','\eta(t=0)')
set(gca,'fontsize',13,'fontname','times new roman')
xlim([-60 60])

saveas(gcf,'fig_poincare_wave_geostrophic_adjustment','epsc')
```

2차원 천해 수치 모형

```
clc;clear;
%% set model parameters
g=1e1;        % gravity acceleration (m/s2)
h0=1e1;       % constant depth (m)
f0=1e-4;      % Coriolis frequency (1/s)
beta=2e-11;   % beta constant (1/s/m)
Lx=50e5;      % x-direction length of domain (m)
Ly=50e5;      % y-direction length of domain (m)
nx=100;       % number of x-direction grid
```

```
10  ny=100;        % number of y-direction grid
11  dt=500;        % time step (s)
12
13  fn='rossby_small'; % name of output folder
14  ntms=32000;     % number of steps for simulation
15  nhis=100;       % period for saving output
16
17  mkdir(fn)
18  delete([fn '\*.mat'])
19  save([fn '/coefs'],'g','f0','beta','dt','Lx','Ly')
20  %% set grid
21  xu=linspace(0,Lx,nx)';
22  xr=convn(xu,[0.5;0.5],'valid');
23  yv=linspace(0,Ly,ny)';
24  yr=convn(yv,[0.5;0.5],'valid');
25  yu=yr; xv=xr;
26
27  dx=mean(diff(xr));
28  dy=mean(diff(yr));
29
30  [yr,xr]=meshgrid(yr,xr);
31  [yu,xu]=meshgrid(yu,xu);
32  [yv,xv]=meshgrid(yv,xv);
33
34  save([fn '/grids'],'xr','yr','xu','yu','xv','yv')
35  %% set bathymetry and initial conditions
36  h=ones(size(xr))*h0;
37  u=zeros([size(xu),2]);
38  v=zeros([size(xv),2]);
39  zeta=zeros([size(xr),2]);
40
41  Rd=sqrt(g*mean(h0))/f0; % Rossby radius of deformation
42  zeta(:,:,1)=exp(-((xr-Lx/2)/(2*Rd)).^2-((yr-Ly/2)/(2*Rd)).^2);
43  f=f0+beta*yr;
44
45  U=u(:,:,1);
```

```
46  V=v(:,:,1);
47  Z=zeta(:,:,1);
48
49  save([fn '/h'],'h')
50  save([fn '/f'],'f')
51  u0n=['u' num2str(0,['%0' num2str(floor(log10(ntms))+1) 'd'])];
52  v0n=['v' num2str(0,['%0' num2str(floor(log10(ntms))+1) 'd'])];
53  z0n=['z' num2str(0,['%0' num2str(floor(log10(ntms))+1) 'd'])];
54  save([fn '/' u0n],'U')
55  save([fn '/' v0n],'V')
56  save([fn '/' z0n],'Z')
57
58  %%
59  kk=1;t=0;
60  for k=1:ntms
61      disp(k)
62      % solve u-momentum equation
63      fu=interp2(yr,xr,f,yu(2:end-1,:),xu(2:end-1,:));
64      vu=interp2(yv,xv,v(:,:,1),yu(2:end-1,:),xu(2:end-1,:));
65      u(2:end-1,:,2)=u(2:end-1,:,1)+dt*(...
66          -g*diff(zeta(:,:,1),[],1)/dx...
67          +fu.*vu);
68
69      % solve v-momentum equation
70      fv=interp2(yr,xr,f,yv(:,2:end-1),xv(:,2:end-1));
71      uv=interp2(yu,xu,u(:,:,2),yv(:,2:end-1),xv(:,2:end-1));
72      v(:,2:end-1,2)=v(:,2:end-1,1)+dt*(...
73          -g*diff(zeta(:,:,1),[],2)/dy...
74          -fv.*uv); % Coriolis
75
76      % solve continuity equation
77      hu=interp2(yr,xr,h,yu,xu); hu(1,:)=hu(2,:); hu(end,:)=hu(end-1,:);
78      hv=interp2(yr,xr,h,yv,xv); hv(:,1)=hv(:,2); hv(:,end)=hv(:,end-1);
79      zeta(:,:,2)=zeta(:,:,1)+dt*(...
80          -diff(hu.*u(:,:,2),[],1)/dx...
81          -diff(hv.*v(:,:,2),[],2)/dy);
```

```
82
83      u([1 end],:,2)=0;
84      v(:,[1 end],2)=0;
85
86      u(:,:,1)=u(:,:,2);
87      v(:,:,1)=v(:,:,2);
88      zeta(:,:,1)=zeta(:,:,2);
89
90      % save output per [nhis] step.
91      if mod(k,nhis)==0
92          U=u(:,:,1);
93          V=v(:,:,1);
94          Z=zeta(:,:,1);
95          un=['u' num2str(k,['%0' num2str(floor(log10(ntms))+1) 'd'])];
96          vn=['v' num2str(k,['%0' num2str(floor(log10(ntms))+1) 'd'])];
97          zn=['z' num2str(k,['%0' num2str(floor(log10(ntms))+1) 'd'])];
98          save([fn '/' un],'U')
99          save([fn '/' vn],'V')
100         save([fn '/' zn],'Z')
101         kk=kk+1;
102         t(kk)=dt*k;
103     end
104 end
105 save([fn '/t'],'t')
106
107 %% visaulization
108 clearvars -except fn
109 load([fn '/coefs'])
110 load([fn '/grids'])
111 load([fn '/h'])
112 load([fn '/t'])
113 fns=dir([fn '/Z*']);
114 Rd=sqrt(g*mean(h(:)))/f0; % Rossby radius of deformation
115
116 figure
117 sc=20;
```

166

```
118  for i=1:length(fns)
119      fnn=[fns(i).folder '/' fns(i).name];
120      load(fnn)
121      surf((xr-Lx/2)/Rd,(yr-Ly/2)/Rd,Z*sc);
122      view(-25,45)
123      shading flat
124      axis equal
125      axis([-25 25 -25 25 [-0.3 1]*sc])
126      zt=get(gca,'ztick');
127      set(gca,'zticklabel',zt/sc)
128      set(gca,'fontsize',13,'fontname','times new roman')
129      title(['t=' num2str(t(i)) ' s'])
130      xlabel('x/Rd')
131      ylabel('y/Rd')
132      zlabel('\eta')
133      drawnow
134  end
135  cx=caxis;
136
137  saveas(gcf,'fig_rossby_wave_small1','epsc')
138
139  i=1
140  figure
141      fnn=[fns(i).folder '/' fns(i).name];
142      load(fnn)
143      surf((xr-Lx/2)/Rd,(yr-Ly/2)/Rd,Z*sc);
144      view(-25,45)
145      shading flat
146      axis equal
147      axis([-25 25 -25 25 [-0.2 1]*sc])
148      zt=get(gca,'ztick');
149      set(gca,'zticklabel',zt/sc)
150      set(gca,'fontsize',13,'fontname','times new roman')
151      title(['t=' num2str(t(i)) ' s'])
152      xlabel('x/Rd')
153      ylabel('y/Rd')
```

```
154    zlabel('\eta')
155    drawnow
156
157 saveas(gcf,'fig_rossby_wave_small0','epsc')
```

1차원 2층 천해 수치 모형

```
 1 clc;clear;
 2 %% set model parameters
 3 g=1e1;        % gravity acceleration (m/s2)
 4 h1=5;         % unperturbed surface thickness (m)
 5 h2=10;        % unperturbed subsurface thickness (m)
 6 f0=1e-4;      % Coriolis frequency (1/s)
 7 L=800e4;      % length of domain (m)
 8 nx=4001;      % number of grid
 9 dt=20;        % time step
10
11 rho0=1025;    % mean density (kg/m3)
12 drho=20;      % density difference (kg/m3)
13
14 ntms=50000;   % number of step for simulation
15 nhis=4;       % period for saving output
16
17 %% set grid
18 xr=linspace(0,L,nx)';
19 xu=convn(xr,[0.5;0.5],'valid');
20 dx=mean(diff(xr));
21
22 %% set bathymetry and initial conditions
23 h=ones(size(xr))*h2;
24 u=zeros([length(xu),2,2]); % u(x,layer_id,t)
25 v=zeros([length(xr),2,2]);
26 zeta=zeros([length(xr),2,2]);
27
28 Rd1=sqrt(g*(h1+h2))/f0;
29 Rd2=sqrt(drho/rho0*g*h1*h2/(h1+h2))/f0;
```

```
zeta(:,1,1)=exp(-((xr-L/2)/(Rd2*2)).^2);
zeta(:,2,1)=-exp(-((xr-L/2)/(Rd2*2)).^2);

r0=0.04;
Ls1=dx*50;
Ls2=Ls1*35;
r=r0*(exp(-xu/Ls1)+exp((xu-L)/Ls1));
r(xu>Ls2 & xu<L-Ls2)=0;

%%
kk=1;
for k=1:ntms
    % solve surface u-momentum equation
    u(:,1,2)=u(:,1,1)+dt*(...
        -g*d1(zeta(:,1,1))/dx...        % pressure gradient (p.g.)
        +f0*m1(v(:,1,1)));              % Coriolis

    % solve surface v-momentum equation
    v(2:end-1,1,2)=v(2:end-1,1,1)+dt*(...
        -f0*m1(u(:,1,2))); % Coriolis

    % solve subsurface u-momentum equation
    u(:,2,2)=u(:,2,1)+dt*(...
        -g*d1(zeta(:,1,1))/dx...        % barotropic p.g.
        -g*drho/rho0*d1(zeta(:,2,1))/dx... % baroclinic p.g.
        +f0*m1(v(:,2,1)));              % Coriolis

    % solve subsurface v-momentum equation
    v(2:end-1,2,2)=v(2:end-1,2,1)+dt*(...
        -f0*m1(u(:,2,2))); % Coriolis

    % solve subsurface continuity equation
    zeta(2:end-1,2,2)=zeta(2:end-1,2,1)+dt*(...
        -d1(u(:,2,2).*m1(h)))/dx;
```

```
66     % solve surface continuity equation
67     zeta(2:end-1,1,2)=zeta(2:end-1,1,1)+dt*(...
68         -d1(u(:,1,2).*h1))/dx+(zeta(2:end-1,2,2)-zeta(2:end-1,2,1));
69
70     % sponges to suppress reflection
71     u(:,:,2)=u(:,:,2)./(1+dt*r);
72
73     zeta(1,:,2)=zeta(2,:,2);
74     zeta(end,:,2)=zeta(end-1,:,2);
75
76     u(:,:,1)=u(:,:,2);
77     v(:,:,1)=v(:,:,2);
78     zeta(:,:,1)=zeta(:,:,2);
79
80     % save output per [nhis] step.
81     if mod(k-1,nhis)==0
82         U(:,:,kk)=u(:,:,2);
83         V(:,:,kk)=v(:,:,2);
84         P(:,:,kk)=zeta(:,:,2);
85         t(kk)=dt*k;
86         kk=kk+1;
87     end
88 end
89
90 %% visaulization
91 figure
92 clr=lines(3);
93 xlabel('x/Rd')
94 for i=1:5:size(P,3)
95     subplot(2,1,1)
96     plot((xr-mean(xr))/Rd2,P(:,1,i),'linewidth',2)
97     xlim([-60 60])
98     grid on
99     ylabel('\eta (m)')
100    set(gca,'fontsize',13)
101    title(['t=' num2str(t(i)/24/60/60,'%3.2f') ' days'])
```

170

```
102
103     subplot(2,1,2)
104     plot((xr-mean(xr))/Rd2,P(:,2,i),'linewidth',2)
105     xlim([-60 60])
106     grid on
107     xlabel('x/L_R')
108     ylabel('\eta_2 (m)')
109     set(gca,'fontsize',13)
110     drawnow
111 end
112
113 %%
114 [~,i]=min(abs(t/24/60/60-1))
115 subplot(2,1,1)
116 plot((xr-mean(xr))/1e3,P(:,1,1),'color',clr(1,:))
117 hold on
118 plot((xr-mean(xr))/1e3,P(:,1,i),'linewidth',2,'color',clr(1,:))
119 axis([-1500 1500 -1.3 1.3])
120 set(gca,'fontsize',13,'fontname','times new roman')
121 ylabel('\eta (m)')
122 grid on
123 title(['t=' num2str(t(i)/24/60/60,'%3.2f') ' days'])
124
125 subplot(2,1,2)
126 plot((xr-mean(xr))/1e3,P(:,2,1),'color',clr(1,:))
127 hold on
128 plot((xr-mean(xr))/1e3,P(:,2,i),'color',clr(1,:),'linewidth',2)
129 axis([-1500 1500 -1.3 1.3])
130 set(gca,'fontsize',13,'fontname','times new roman')
131 ylabel('\eta_2 (m)')
132 grid on
133 xl=xlabel('x (km)');
134
135 saveas(gcf,'fig_two_layer_wave_barotropic','epsc')
136
137 %%
```

```
138  figure
139  [~,i]=min(abs(t/24/60/60-10))
140  subplot(2,1,1)
141  plot((xr-mean(xr))/1e3,P(:,1,1),'color',clr(1,:))
142  hold on
143  plot((xr-mean(xr))/1e3,P(:,1,i),'linewidth',2,'color',clr(1,:))
144  axis([-1500 1500 -1.3 1.3])
145  set(gca,'fontsize',13,'fontname','times new roman')
146  ylabel('\eta (m)')
147  grid on
148  title(['t=' num2str(t(i)/24/60/60,'%3.2f') ' days'])
149
150  subplot(2,1,2)
151  plot((xr-mean(xr))/1e3,P(:,2,1),'color',clr(1,:))
152  hold on
153  plot((xr-mean(xr))/1e3,P(:,2,i),'color',clr(1,:),'linewidth',2)
154  axis([-1500 1500 -1.3 1.3])
155  set(gca,'fontsize',13,'fontname','times new roman')
156  ylabel('\eta_2 (m)')
157  grid on
158  xl=xlabel('x (km)');
159
160  saveas(gcf,'fig_two_layer_wave_baroclinic','epsc')
```

172

Chapter 7

문제 답안

문제 2.

먼저 $\bar{u} = \bar{u}_g + \bar{u}_e$와 $\bar{v} = \bar{v}_g + \bar{v}_e$를 운동 방정식 (2.2.46)식에 대입하면

$$f\left(\bar{u}_g + \bar{u}_e\right) = -g\frac{\partial \eta}{\partial y} - \frac{\gamma}{h}\left(\bar{v}_g + \bar{v}_e\right) \tag{7.1}$$

이다. 여기서 지형류의 정의 $u_g = (g/f)\partial\eta/\partial y$에 따라, (7.1)식의 좌변 $f\bar{u}_g$와 우변의 압력 경사항은 서로 소거된다. $u_g = (g/f)\partial\eta/\partial y$을 (7.1)식의 좌변에 대입해 보면 직접적으로 알 수 있다. 이제 지형류가 에크만 성분보다 지배적($\bar{v}_g \gg \bar{v}_e$)이라는 가정에 따라 (7.1)식의 우변을 $\bar{v} \approx \bar{v}_g$로 근사하면

$$f\bar{u}_e = -\frac{\gamma}{h}\bar{v}_g \quad \therefore \bar{u}_e = -\frac{\gamma}{fh}\bar{v}_g \tag{7.2}$$

을 얻을 수 있다. 이는 북반구($f > 0$)에서 북향하는 지형류($v_g > 0$)에 대해, $\bar{u}_e < 0$이며 이는 서쪽(좌측 직각)을 향하는 에크만 수송이 나타남을 의미한다.

문제 4.

지배식의 일반해는 경계 조건과 무관하게 (2.2.36)식이다. 먼저 바닥 경계 조건 (2.2.45)식을 복소 좌표계로 나타내면

$$\left(A_z\frac{\partial \vec{u}}{\partial z} = \gamma\vec{u}\right)\bigg|_{z=-h} \tag{7.3}$$

이다. 바닥 경계 조건을 일반해인 (2.2.36)식을 이용해 나타내면

$$\left(A_z \frac{\partial \vec{u}}{\partial z} = \gamma \vec{u} \right) \Bigg|_{z=-h}$$
$$\rightarrow A_z j \left(C_1 e^{-jh} - C_2 e^{jh} \right) = \gamma \left(C_1 e^{-jh} + C_2 e^{jh} + i \frac{g}{f} \frac{\partial \eta}{\partial \vec{n}} \right) \tag{7.4}$$

을 얻을 수 있다. 이와 표층 경계 조건을 사용하면 구할 수 있는 (2.2.37)식을 연립해 적분 상수 C_1과 C_2를 결정하고 일반해에 대입하고 정리하면

$$\vec{u} = \frac{\vec{\tau}^2}{\rho A_z j} \frac{j(A_z/\gamma)\cosh(j(z+h)) + \sinh(j(z+h))}{j(A_z/\gamma)\sinh(jh) + \cosh(jh)}$$
$$- i \frac{g}{f} \frac{\partial \eta}{\partial \vec{n}} \frac{\cosh(jz)}{j(A_z/\gamma)\sinh(jh) + \cosh(jh)} + i \frac{g}{f} \frac{\partial \eta}{\partial \vec{n}} \tag{7.5}$$

을 구할 수 있다.

문제 5.

$\gamma \rightarrow \infty$일 때, $A_z/\gamma \rightarrow 0$으로, (7.5)식에서 A_z/γ가 곱해진 모든 항을 소거하면 미끄러짐 없음 경계 조건을 사용하는 Welander (1957)의 해인 (2.2.40)식과 같아진다. 따라서 미끄러짐 없음 경계 조건은 마찰 계수가 무한에 가까울 정도로 큰 경우를 나타낸다. $\gamma = 0$인 경우는 미끄러짐 경계 조건에 해당하며, 이 경우, 바닥 에크만 흐름을 나타내는 (7.5)식의 두 번째 항이 없어진다.

문제 9.

지배식을 복소 좌표계로 나타내면

$$\frac{\partial \vec{u}}{\partial t} + f i \vec{u} = f i \vec{u}_g \tag{7.6}$$

이다. 여기서 $\vec{u} = u + vi$, $\vec{u}_g = u_g + v_g i$이다. 이는 1계 비제차 상미분 방정식으로 미정계수법을 통해 쉽게 해를 구할 수 있다. 먼저 제차 성분($\vec{u}_h$)의 지배식은 (3.2.2)식과 같으며 그 해는 $\vec{u}_h = C e^{-ift}$이다. 비제차 성분의 기저를 외력항(지형류)의 모양과 같은 상수로 잡고 (7.6)식에 대입하면 $\vec{u}_p = \vec{u}_g$를 얻을 수 있다. 따라서 일반해는 $\vec{u} = \vec{u}_h + \vec{u}_p = C e^{-ift} + \vec{u}_g$이고, 초기 조건을 적용해 적분 상수 C를 구하면

$$\vec{u} = \left(\vec{U}_0 - \vec{u}_g \right) e^{-ift} + \vec{u}_g \tag{7.7}$$

가 된다.

문제 10.

(7.7)식을 시간 t로 적분하면

$$\int_0^t \bar{u}\,dt = \vec{X} = -\frac{\left(\vec{U}_0 - \vec{u}_g\right)}{if}e^{-ift} + \vec{u}_g t + C \tag{7.8}$$

여기서 $\vec{X} = X + Yi$로 X는 x방향 위치, Y는 y방향 위치를 나타낸다. 적분 상수 C는 초기 조건 $\vec{X}(t=0) = 0$을 사용해 결정할 수 있다. 최종적으로 해는

$$\vec{X} = -\frac{\left(\vec{U}_0 - \vec{u}_g\right)}{if}\left(e^{ift} - 1\right) + \vec{u}_g t \tag{7.9}$$

가 된다.

문제 11.

제차 성분은 관성 진동의 일반해 $\bar{u}_h = Ce^{-ift}$이다. 비제차 성분의 기저를 $\bar{u}_p = Ate^{Bt}$로 잡고 지배식 (3.2.13)식에 대입하면

$$
\begin{aligned}
\frac{\partial \vec{u}_p}{\partial t} + if\vec{u}_p &= \frac{\vec{\tau_0^s}}{\rho h}e^{-iw_0 t}\\
\rightarrow \left(Ae^{Bt} + ABte^{Bt}\right) + ifAte^{Bt} &= \frac{\vec{\tau_0^s}}{\rho h}e^{-iw_0 t}\\
\rightarrow Ae^{Bt} + Ate^{Bt}\left(B + if\right) &= \frac{\vec{\tau_0^s}}{\rho h}e^{-iw_0 t}\\
\therefore B = -iw_0 = -if, \quad A &= \frac{\vec{\tau_0^s}}{\rho h}
\end{aligned}
\tag{7.10}
$$

을 얻을 수 있다. 적분 상수 C를 초기 조건 $\bar{u}(t=0) = \vec{U}_0$을 사용해 결정하면

$$\bar{u} = \left(\vec{U}_0 + \frac{\vec{\tau_0^s}}{\rho h}t\right)e^{-ift} \tag{7.11}$$

가 된다. 이는 진폭이 시간에 따라 선형적으로 커짐을 나타낸다.

문제 14.

(3.2.24)식을 바탕으로, 2순위 균형에 대한 지배식은

$$
\begin{aligned}
\frac{\partial \vec{u}_2}{\partial t} + fi\vec{u}_2 &= -\frac{\gamma}{h}\vec{u}_1\\
&= \left(\frac{\gamma}{h}\right)^2 \vec{U}_0 t e^{-ift}
\end{aligned}
\tag{7.12}
$$

이다. 초기 조건은 $\vec{u}_2 = 0$이다. 1순위 균형식을 풀 때와 같은 방법을 통해 (7.12)식의 해를 구할 수 있다. (7.12)식의 제차 성분은 관성 진동을 의미하는 $\vec{u}_{2h} = Ce^{-ift}$이다. 비제차 성분의 기저를 $\vec{u}_{2p} = Ate^{-ift}$로 잡으면 1순위 균형에서 기저로 $\vec{u}_{1h} = Ae^{-ift}$을 잡았을 때처럼 A를 결정할 수 없다. 여기에 t를 한번 더 곱한 $\vec{u}_{2p} = At^2e^{-ift}$을 기저로 잡아야 한다. $\vec{u}_{2p} = At^2e^{-ift}$을 (7.12)식에 대입하고 정리하면,

$$
\begin{aligned}
&\frac{\partial \vec{u}_{2p}}{\partial t} + fi\vec{u}_{2p} = \left(\frac{\gamma}{h}\right)^2 \vec{U}_0 te^{-ift} \\
&\rightarrow 2Ate^{-fit} - fiAt^2e^{-fit} + fiAt^2e^{-fit} = \left(\frac{\gamma}{h}\right)^2 \vec{U}_0 te^{-ift} \\
&\rightarrow 2Ate^{-fit} = \left(\frac{\gamma}{h}\right)^2 \vec{U}_0 te^{-ift} \\
&\rightarrow A = \frac{1}{2}\left(\frac{\gamma}{h}\right)^2 \vec{U}_0
\end{aligned}
\tag{7.13}
$$

가 된다. 따라서 비제차 성분은 $\vec{u}_{2p} = (1/2)(\gamma/h)^2\vec{U}_0 t^2 e^{-ift}$이다. 초기 조건을 적용하면 $C = 0$을 알 수 있으며, 최종적인 2순위 성분은 $\vec{u}_2 = (1/2)(\gamma/h)^2\vec{U}_0 t^2 e^{-ift}$이다.

이를 반복해서 더 작은 균형에 대한 지배식과 해를 구해보라. 임의의 n순위 균형에 대한 지배식은

$$
\frac{\partial \vec{u}_n}{\partial t} + fi\vec{u}_n = -\frac{\gamma}{h}\vec{u}_{n-1}
\tag{7.14}
$$

이며, 그 해는

$$
\vec{u}_n = \frac{(-1)^n}{n}\left(\frac{\gamma}{h}\right)^n t^n \vec{U}_0 e^{-ift}
\tag{7.15}
$$

알 수 있다. 결과적으로 무수히 많은 n에 대해 근사해는

$$
\vec{u} = \vec{U}_0 e^{-ift}\left(1 - \left(\frac{\gamma}{h}\right)^1 t + \frac{1}{2!}\left(\frac{\gamma}{h}\right)^2 t^2 \cdots\right)
\tag{7.16}
$$

이다. 여기서 괄호 내의 부분은 $e^{-(\gamma/h)t}$를 테일러 급수로 나타낸 것이다. 결과적으로 이 문제는 $n \rightarrow \infty$일 때, 근사해는 정해 (3.2.20)식과 같아진다.

문제 17.

잠재 와도 $(\xi + f)/(h + \eta)$에서 분자를 f로 분모를 h로 묶으면

$$
\begin{aligned}
\frac{f+\xi}{h+\eta} &= \frac{f+\xi}{h}\frac{1}{1+\eta/h}\\
&= \frac{f+\xi}{h}\left(1 - \left(\frac{\eta}{h}\right) + \left(\frac{\eta}{h}\right)^2 - \left(\frac{\eta}{h}\right)^3 \cdots\right)\\
&\approx \frac{f+\xi}{h}\left(1 - \frac{\eta}{h}\right)\\
&= \frac{f}{h}\left(1 + \frac{\xi}{f} - \frac{1}{h}\eta - \frac{\xi\eta}{fh}\right)\\
&\approx \frac{f}{h}\left(1 + \frac{\xi}{f} - \frac{1}{h}\eta\right)\\
\therefore \frac{f+\xi}{h+\eta} &\approx \frac{1}{h}\left(\xi + f - \frac{f}{h}\eta\right)
\end{aligned}
\tag{7.17}
$$

가 된다. 여기서 $1/(1+\eta/h)$ 부분을 테일러 근사를 사용해 $1/(1+\eta/h) = 1 - \eta/h + (\eta/h)^2 - (\eta/h)^3 \cdots$로 나타내고 $\eta/h \approx Ro \ll 1$을 이용해 규모가 2순위 이하인 항을 무시해 $1/(1+\eta/h) \approx 1 - \eta/h$로 간략화했다. 추가로, 항 $(\xi/f)(\eta/h)$의 규모는 Ro^2으로 무시할 수 있다. $\xi/f \approx (U/L)f = Ro$임에 유의하라.

문제 21.

먼저 잠재 와도 보존식 (3.2.84)식에 초기 조건 (3.2.102)식을 적용해 F를 결정하면

$$
\xi(t=0) - \frac{f}{h}\eta(t=0) = F \quad \therefore F = -\frac{f}{h}\eta_0 e^{-x/L_0}
\tag{7.18}
$$

가 된다. 이는 2계 비제차 상미분 방정식으로 미정계수법을 통해 해를 구할 수 있다. (3.2.85)식에서 제차 성분(η_h)의 지배식은

$$
\frac{g}{f}\frac{\partial^2 \eta_h}{\partial x^2} - \frac{f}{h}\eta_h = 0
\tag{7.19}
$$

이며 여기에 $\eta_h = e^{kx}$를 대입하고 정리하면 $k = \pm f/\sqrt{gh} = \pm 1/Rd$를 얻을 수 있고, 이는 $\eta_h = C_1 e^{x/Rd} + C_2 e^{-x/Rd}$을 의미한다. 비제차 성분의 지배식은

$$
\frac{g}{f}\frac{\partial^2 \eta_p}{\partial x^2} - \frac{f}{h}\eta_p = -\frac{f}{h}\eta_0 e^{-x/L_0}
\tag{7.20}
$$

이며 비제차 성분의 기저로 $\eta_p = A e^{-x/L_0}$를 잡고 (7.20)식에 대입하고 정리하면 $A = -\eta_0/((Rd/L_0)^2 - 1)$을 구할 수 있다. 결과적으로,

$$\begin{aligned} \eta &= \eta_h + \eta_p \\ &= C_1 e^{-x/Rd} + C_2 e^{x/Rd} - \eta_0/((Rd/L_0)^2 - 1) e^{-x/L_0} \end{aligned} \tag{7.21}$$

이다. 경계 조건 (3.2.103)식으로 두 적 분상수 C_1과 C_2를 결정하면

$$\eta = \eta_0 \frac{Rd/L_0}{(Rd/L_0)^2 - 1} e^{-x/Rd} - \eta_0 \frac{1}{(Rd/L_0)^2 - 1} e^{-x/L_0} \tag{7.22}$$

이 된다.

먼저 $Rd/L_0 \to 0$인 경우($L_0 \gg Rd$), $\eta = \eta_0 e^{-x/L_0}$이며 이는 초기 조건과 같다. 따라서 초기 조건에서 주어진 해면의 공간 규모가 로스비 변형 반경 Rd보다 매우 큰 경우, 해면은 거의 변하지 않고 초기 상태 그대로 유지함을 나타낸다. 반대로 $Rd/L_0 \to \infty$인 경우($L_0 \ll Rd$), $\eta = 0$이며 이는 해면이 지형류 균형을 이루지 않고 포엔카레 파 형태로 모두 빠져나감을 암시한다.

문제 25.

지배식 (4.3.16)을 식 (4.3.2)와 같은 방식으로

$$\frac{\partial^2 \psi}{\partial x^2} + \beta y - \frac{1}{Rd^2} \psi = F(\psi) \tag{7.23}$$

의 형태로 나타낼 수 있다. $F(\psi)$는 $x < 0$에서 주어진 유선 함수 $\psi = -Uy$로 결정할 수 있는데, 이를 식 (7.23)에 대입하면

$$\beta y - \frac{1}{Rd^2} \psi = F(\psi) \quad \therefore F(\psi) = -\frac{\beta}{U} \psi - \frac{1}{Rd^2} \psi \tag{7.24}$$

을 알 수 있다. 여기서, $x < 0$에서 $\psi = -Uy$는 $y = -\psi/U$로 쓸 수 있음에 유의하라. 따라서 지배식은

$$\frac{\partial \psi^2}{\partial x^2} + \frac{\beta}{U} \psi = -\beta y \tag{7.25}$$

가 된다. 이는 선형 2계 상미분 방정식으로, 미정계수법을 통해 해를 구할 수 있다. 제차 성분(ψ_h)의 지배식은

$$\frac{\partial \psi_h^2}{\partial x^2} + \frac{\beta}{U} \psi_h = 0 \tag{7.26}$$

이며 해를 $\psi_h = e^{kx}$로 가정하고 대입해 $k = \pm i\sqrt{\beta/U}$를 알 수 있다. 따라서 제차 성분의 일반해는 $\psi_h = C_1 \cos(\sqrt{\beta/U}x) + C_2 \sin(\sqrt{\beta/U}x)$이다. 비제차 성분($\psi_p$)의 지배식은

$$\frac{\partial \psi_p^2}{\partial x^2} + \frac{\beta}{U}\psi_p = -\beta y \tag{7.27}$$

이며 외력항 $-\beta y$의 모양을 바탕으로 비제차 성분의 기저를 $\psi_p = Ay$로 잡고 지배식에 대입하면 $\psi_p = -Uy$를 알 수 있다. 따라서 일반해는

$$\psi = \psi_h + \psi_p = C_1(y) \cos\left(\frac{\beta}{U}x\right) + C_2(y) \sin\left(\frac{\beta}{U}x\right) - Uy \tag{7.28}$$

이다. 여기서 C_1과 C_2는 x에 대한 상수이며 y에 대한 함수일 수 있음에 유의하라. 경계 조건 (4.3.17)을 $C_2 = 0$으로 결정되고, (4.3.18)는 $C_1 = -(\Delta h/h)Uy$를 결정한다. 따라서 최종적인 해는

$$\psi = -\frac{\Delta h}{h}Uy \cos\left(\frac{\beta}{U}x\right) - Uy \tag{7.29}$$

이다. 이는 정상 상태의 배경 흐름 위 존재하는 로스비 파를 의미한다.

색인

참고 문헌

Brink, K. (2016). Cross-shelf exchange. *Annual review of marine science, 8*, 59–78.

Buchwald, V., & Adams, J. (1968). The propagation of continental shelf waves. *Proceedings of the Royal Society of London. Series A. Mathematical and Physical Sciences, 305*(1481), 235–250.

Cavallini, F., & Crisciani, F. (2012). *Quasi-geostrophic theory of oceans and atmosphere: topics in the dynamics and thermodynamics of the fluid earth* (Vol. 45). Springer Science & Business Media.

Chapman, D. C. (2002). Deceleration of a finite-width, stratified current over a sloping bottom: frictional spindown or buoyancy shutdown? *Journal of physical oceanography, 32*(1), 336–352.

Chapman, D. C., & Lentz, S. J. (2005). Acceleration of a stratified current over a sloping bottom, driven by an alongshelf pressure gradient. *Journal of Physical Oceanography, 35*(8), 1305–1317.

Charney, J. G., Fjörtoft, R., & Neumann, J. v. (1950). Numerical integration of the barotropic vorticity equation. *Tellus, 2*(4), 237–254.

Chen, S.-Y., & Chen, S.-N. (2017). Generation of upwelling circulation under downwelling-favorable wind within bottom-attached, buoyant coastal currents. *Journal of Physical Oceanography*, *47*(10), 2499–2519.

Choi, J.-G., Pringle, J., & Lippmann, T. (2023). A perturbative solution for nonlinear stratified upwelling over a frictional slope. *Journal of Physical Oceanography*, *53*(10), 2317–2330.

Csanady, G. (1977). Intermittent 'full'upwelling in lake ontario. *Journal of Geophysical Research*, *82*(3), 397–419.

Csanady, G. (1978). The arrested topographic wave. *Journal of Physical Oceanography*, *8*(1), 47–62.

Csanady, G. (1981). *Circulation in the coastal ocean.* Elsevier.

Cushman-Roisin, B., Asplin, L., & Svendsen, H. (1994). Upwelling in broad fjords. *Continental Shelf Research*, *14*(15), 1701–1721.

Cushman-Roisin, B., & Beckers, J.-M. (2011). *Introduction to geophysical fluid dynamics: physical and numerical aspects.* Academic press.

Cushman-Roisin, B., O'Brien, J. J., & Smith, R. L. (1983). On wind and ocean-velocity correlations in a coastal-upwelling system. *J. Phys. Oceanogr*, *13*, 547–550.

Ekman, V. W. (1905). On the influence of the earth's rotation on ocean-currents.

Ertel, H. (1942). Ein neuer hydrodynamischer wirbelsatz. *Meteorol.*

Estrade, P., Marchesiello, P., De Verdière, A. C., & Roy, C. (2008). Cross-shelf structure of coastal upwelling: A two—dimensional extension of ekman's theory and a mechanism for inner shelf upwelling shut down. *Journal of marine research*, *66*(5), 589–616.

Fabbroni, N. (2009). Numerical simulations of passive tracers dispersion in the sea. *Universita di Bologna, PhD Thesis.*

Hendershott, M. (1989). *Wave motions in the ocean.*

Hinch, E. J. (1991). *Perturbation methods.* Cambridge University Press. doi: 10.1017/CBO9781139172189

Holmes, M. H. (2012). *Introduction to perturbation methods* (Vol. 20). Springer Science & Business Media.

Kämpf, J. (2009). *Ocean modelling for beginners: using open-source software.* Springer Science & Business Media.

Kämpf, J. (2010). *Advanced ocean modelling: using open-source software.* Springer Science & Business Media.

Kämpf, J., & Chapman, P. (2016). *Upwelling systems of the world.* Springer.

Kim, D., Choi, J.-G., Park, J., Kwon, J.-I., Kim, M.-H., & Jo, Y.-H. (2023). Upwelling processes driven by contributions from wind and current in the southwest east sea (japan sea). *Frontiers in Marine Science, 10,* 1165366.

Kim, S. Y., & Crawford, G. (2014). Resonant ocean current responses driven by coastal winds near the critical latitude. *Geophysical Research Letters, 41*(15), 5581–5587.

Lentz, S. J., & Chapman, D. C. (2004). The importance of nonlinear cross-shelf momentum flux during wind-driven coastal upwelling. *Journal of Physical Oceanography, 34*(11), 2444–2457.

Longuet-Higgins, M. S., & Gill, A. E. (1967). Resonant interactions between planetary waves. *Proceedings of the Royal Society of London. Series A. Mathematical and Physical Sciences, 299*(1456), 120–144.

Marchesiello, P., & Estrade, P. (2010). Upwelling limitation by onshore geostrophic flow. *Journal of Marine Research*, *68*(1), 37–62.

Moore-Maley, B., & Allen, S. E. (2022). Wind-driven upwelling and surface nutrient delivery in a semi-enclosed coastal sea. *Ocean Science*, *18*(1), 143–167.

Munk, W. H. (1950). On the wind-driven ocean circulation. *Journal of Atmospheric Sciences*, *7*(2), 80–93.

Özsoy, E. (2020). *Geophysical fluid dynamics i.* Springer.

Özsoy, E. (2021). *Geophysical fluid dynamics ii.* Springer.

Pedlosky, J. (1987). *Geophysical fluid dynamics* (Vol. 710). Springer.

Price, J. (2005). Dimensional analysis of models and data sets: Similarity solutions and scaling analysis.

Pringle, J. M. (2002). Enhancement of wind-driven upwelling and downwelling by alongshore bathymetric variability. *Journal of Physical Oceanography*, *32*(11), 3101–3112.

Røed, L. P. (2018). *Atmospheres and oceans on computers.* Springer.

Rossby, C.-G. (1938). On the mutual adjustment of pressure and velocity distributions in certain simple current systems, ii. *J. mar. Res*, *1*(3), 239–263.

Rossby, C.-G. (1949). On the dispersion of planetary waves in a barotropic: Atmosphere 1. *Tellus*, *1*(1), 54–58.

Simmonds, J. G., & Mann Jr, J. E. (1998). *A first look at perturbation theory.* Courier Corporation.

Stommel, H. (1948). The westward intensification of wind-driven ocean currents. *Eos, Transactions American Geophysical Union*, *29*(2), 202–206.

Sverdrup, H. U. (1947). Wind-driven currents in a baroclinic ocean; with application to the equatorial currents of the eastern pacific. *Proceedings of the National Academy of Sciences of the United States of America*, *33*(11), 318.

Welander, P. (1957). Wind action on a shallow sea: some generalizations of ekman's theory. *Tellus*, *9*(1), 45–52.